# L'Union européenne

**Collection Compact**

**droit**

BEN SALAH Tabrizi, *Droit de la fonction publique*, 2ᵉ éd., 2003
CHAGNOLLAUD Dominique, *Droit constitutionnel contemporain.*
    Tome 1: *Théorie générale. Les régimes étrangers*, 3ᵉ éd., 2003
CHAGNOLLAUD Dominique, *Droit constitutionnel contemporain.*
    Tome 2: *Le régime politique français*, 3ᵉ éd., 2003
COURBE Patrick, *Droit international privé*, 2ᵉ éd., 2003
DARCY Gilles, PAILLET Michel, *Contentieux administratif*, 2000
DEFRÉNOIS-SOULÈAU Isabelle, *Je veux réussir mon droit*, 4ᵉ éd., 2001
EUDIER Frédérique, *Droit de la famille*, 2ᵉ éd., 2003
GUÉVEL Didier, *Successions. Libéralités*, 2ᵉ éd., 2004
JORGE Manuel, *Droit des affaires*, 2ᵉ éd., 2001
LEBRETON Gilles, *Droit administratif général*, 2ᵉ éd., 2000
MONIN Marcel, *Textes et documents constitutionnels depuis 1958*, 2001
OBERDORFF Henri, *Droits de l'Homme et libertés fondamentales*, 2003
OBERDORFF Henri, *Les institutions administratives*, 4ᵉ éd., 2004
PIEDELIÈVRE Stéphane, *Les sûretés*, 4ᵉ éd., 2004
PUIGELIER Catherine, *Droit du travail. Les relations individuelles*, 3ᵉ éd., 2001
VÉRON Michel, *Droit pénal des affaires*, 5ᵉ éd., 2004
VLACHOS Georges, *Droit public économique français et européen*, 2ᵉ éd., 2001

**science politique**

LERUEZ Jacques, *Le système politique britannique*, 2ᵉ éd., 2001
MARQUES-PEREIRA Bérengère, *La citoyenneté politique des femmes*, 2003
MAZET Pierre, *Aménagement du territoire*, 2000
MOREAU DEFARGES Philippe, *Les institutions européennes*, 6ᵉ éd., 2002
ROGER Antoine, *Les grandes théories du nationalisme*, 2001
SEILER Daniel-Louis, *Les partis politiques*, 2ᵉ éd., 2000
SENARCLENS Pierre (de), *La politique internationale*, 4ᵉ éd., 2002

# Henri Oberdorff

Professeur des Universités
Directeur honoraire de l'Institut d'études politiques de Grenoble

# L'Union européenne

2004

ARMAND COLIN

Le pictogramme qui figure ci-contre mérite une explication. Son objet est d'alerter le lecteur sur la menace que représente pour l'avenir de l'écrit, particulièrement dans le domaine de l'édition technique et universitaire, le développement massif du photocopillage.

Le Code de la propriété intellectuelle du 1er juillet 1992 interdit en effet expressément la photocopie à usage collectif sans autorisation des ayants droit. Or, cette pratique s'est généralisée dans les établissements d'enseignement supérieur, provoquant une baisse brutale des achats de livres et de revues, au point que la possibilité même pour les auteurs de créer des œuvres nouvelles et de les faire éditer correctement est aujourd'hui menacée.

Nous rappelons donc que toute reproduction, partielle ou totale, de la présente publication est interdite sans autorisation de l'auteur, de son éditeur ou du Centre français d'exploitation du droit de copie (CFC, 20, rue des Grands-Augustins, 75006 Paris).

31-35, rue Froidevaux - 75685 Paris Cedex 14

# Introduction

1 L'Union européenne représente l'une des démarches les plus originales pour rapprocher des peuples et des États qui veulent construire ensemble un projet politique commun. Son histoire contemporaine commence, il y a plus de cinquante ans, avec la constitution de la Communauté Européenne du Charbon et de l'Acier (CECA) à partir d'une proposition française inspirée par Jean Monnet et Robert Schuman. Ces derniers suggèrent une méthode faite de pragmatisme et de prospective pour convaincre les États de se lancer dans un engrenage communautaire.

L'histoire de la construction européenne est marquée par une succession de rythmes différents, tantôt des avancées spectaculaires, tantôt des périodes de relative stagnation. Le nombre des États membres a constamment augmenté en passant des six États fondateurs à quinze à partir de 1995, vingt-cinq depuis le 1$^{er}$ mai 2004, et plus d'ici quelques années. À chaque fois, des hésitations ont eu lieu entre l'élargissement et l'approfondissement. La construction communautaire est une réalisation économique à finalité politique. Si le projet initial a effectivement réussi sur le plan économique et monétaire, avec maintenant la monnaie unique, l'Euro, l'Europe politique tarde à se mettre en place. Les États n'ont pas forcément une vision parfaitement claire, et surtout complètement identique du projet final.

2 La construction européenne est enviée de l'extérieur, car considérée comme exemplaire par l'ensemble des pays candidats, compte tenu de sa réussite économique grâce au grand marché et à la monnaie unique. Les référendums successivement organisés, dans les pays candidats au cours de l'année 2003, montrent tout l'attrait de cette construction démocratique d'une grande Union européenne. Le pouvoir d'attraction de la Communauté et de l'Union européennes est réel. Paradoxalement, à l'intérieur, les critiques ne manquent pas, soit parce que cette construction est jugée trop contraignante, trop limitative pour les souverainetés des États membres, soit parce qu'elle ne va pas assez vite et n'est donc pas encore une fédération. Les difficultés de ratification du traité de Nice montrent d'une certaine manière les interrogations internes sur la construction européenne. Ainsi, il a fallu deux référendums à l'Irlande pour adopter définitivement ce traité, d'abord un premier référendum

négatif le 7 juin 2001, un second référendum positif le 19 octobre 2002. Le premier rejet a été un signe inquiétant d'une réception insuffisante de l'Europe par les Irlandais, donc par les Européens. De même, le résultat négatif du référendum, organisé en Suède le 15 septembre 2003 sur l'Euro, est aussi un autre exemple de réticence à l'égard d'une Union européenne trop présente.

3 Les Eurobaromètres testent et sondent les sensibilités des Européens. Des travaux sont régulièrement effectués sur l'opinion européenne (voir notamment, les rapports Eurobaromètres réalisés deux fois par an par la Commission européenne, l'opinion publique dans l'Union européenne, mis en ligne sur Internet; voir aussi Pierre Bréchon et Bruno Cautrès (s/d), *Les enquêtes Eurobaromètres*, Logiques politiques, l'Harmattan, 1998, Dominique Reynié et Bruno Cautrès, *L'opinion européenne*, Presses de Sciences Po, Paris, 2001). Ils permettent de distinguer des Europessimistes, des Eurosceptiques ou des Euro-optimistes. Il est important de regarder ces sondages effectués par l'Union européenne pour comprendre les évolutions de la demande d'Europe par les Européens. Les aspects positifs les plus souvent évoqués sont: la solidarité; les échanges commerciaux dans un espace sans frontière; la libre circulation des personnes, des services, des marchandises et des capitaux; la mobilité universitaire avec le programme SOCRATES; la monnaie unique; l'harmonisation des droits nationaux et des politiques publiques internes. Les aspects négatifs les plus souvent présentés sont: une Union européenne insuffisamment écoutée dans le monde; une politique étrangère et de sécurité commune trop balbutiante; une politique économique insuffisante pour bien gouverner l'Union européenne, une harmonisation sociale défaillante laissant trop d'écarts entre les législations sociales nationales; une coopération policière et judiciaire pas assez développée. L'Union européenne semble encore mal connue et surtout mal comprise par les Européens eux-mêmes. Il est fondamental de la présenter dans toutes ses facettes. Le rejet régulier de l'administration européenne ou de sa bureaucratie, appelée parfois eurocratie, est un mauvais signe. L'évocation systématique du déficit démocratique dans la construction européenne est préoccupante. Il est vrai que l'Union européenne est difficile à classer dans les catégories juridiques traditionnelles. Jacques Delors a parlé à son propos « d'un objet politique non identifié ».

4 L'Union européenne présente une unité apparente grâce à ses institutions et ses politiques, mais sa réalité est plus complexe. La stratégie initiale, et presque exclusive, de l'intégration a été rejointe et complétée par celle de la coopération. On peut dire aussi qu'il existe aujourd'hui plusieurs rythmes dans l'Europe. « *L'Europe à géométrie variable* » permet de distinguer les États, entre ceux qui appartiennent à un noyau dur de l'Europe et acceptent des coopérations renforcées, par exemple pour l'Europe de la sécurité intérieure et les autres qui restent hors de cette démarche. « *L'Europe à plusieurs vitesses* » signifie que tous les États n'ont pas à appliquer le droit communautaire au même rythme. « *L'Europe à la carte* » indique que certains États choisissent, avec l'accord des autres, de ne pas entrer dans un processus en se différenciant des autres, comme pour la monnaie unique qui ne concerne aujourd'hui que douze États. Ces notions donnent une idée plus précise de la réalité juridique et politique de l'Union européenne.

5 L'Union européenne est un espace économique, mais n'est pas encore une puissance politique. Elle est bien un espace régulé par des normes communes, notamment, le droit communautaire, par exemple de la concurrence. On peut parler pour la qualifier d'un « *État régulateur* » (voir Giandomenico Majone, *La Communauté européenne : un État régulateur*, Montchrestien, Paris, 1996). Elle régule son espace pour les échanges économiques, monétaires et commerciaux, même si elle reste en partie une puissance économique formelle, dans la mesure où son intégration économique est relative. Sur le plan politique, l'Union européenne ne joue pas un rôle identique à celui d'un État. Elle n'a pas de capitale, d'armée ou d'institutions politiques comparables à d'autres fédérations dans le monde. Les traités de Maastricht, d'Amsterdam et de Nice montrent une volonté de modernisation et démocratisation des traités fondateurs, pas forcément d'approfondissement ou de création d'un réel lien fédéral. La recherche de stratégies complémentaires ou alternatives à celle de l'intégration montre que les États membres n'ont pas tous nécessairement le même projet politique. Ils continuent à hésiter entre le grand marché, l'union douanière et la création d'une nouvelle puissance politique à l'échelle du continent européen.

6 L'Union européenne qui représente, aujourd'hui, la dernière étape de la construction européenne, est une belle réussite qui continue à progresser de manière chaque jour. La construction européenne existe de façon

quotidienne et très concrète avec: la création de la citoyenneté européenne et tous ses effets induits, le développement de la libre circulation des personnes, des services, des marchandises et des capitaux et
ses multiples conséquences pour sa réalisation, la généralisation d'un
État de droit en Europe, le rôle éminent de la Cour de Justice des Communautés Européennes et de sa jurisprudence. L'Union européenne représente, depuis le 1$^{er}$ mai 2004, un espace de plus en plus intégré de 25
États membres avec plus de 450 millions de citoyens sur un territoire
global de plus 4,1 millions de km$^2$. Elle est l'une des régions les plus
développées du monde qui dispose maintenant d'une monnaie unique
pour déjà douze États membres appartenant à la zone Euro. L'Union
européenne est aussi décidée à s'ouvrir à de nouveaux États membres.
D'autres élargissements sont programmés pour aller vers une trentaine
d'États membres. Cet élargissement fera alors de l'Union européenne un
espace organisé à l'échelle du continent européen et concernera une population de plus de 540 millions de personnes.

7 La vieille Europe est donc encore vivante sur cette planète. Elle s'organise. Si elle veut continuer à jouer un rôle moteur dans un monde qui
connaît un seul Empire aujourd'hui, elle doit construire son unité politique (voir Jean-Jacques Roche, *Un Empire sans rival, essai sur la pax demo-
cratica*, Vinci, Paris, 1996; Christian Saint-Etienne, *La puissance ou la mort,
l'Europe face à l'empire américain,* Seuil, 2003; Tzvetan Todorov, *Le nouveau désordre mondial, réflexions d'un Européen,* Robert Laffont, 2003). Elle
doit compléter sa puissance économique par une puissance politique.

Notre monde est organisé en un grand nombre d'États et d'organisations internationales. Les États ont toujours eu le souci de développer entre eux une coopération structurée pour vivre en paix. En Europe,
après la deuxième guerre mondiale, les responsables politiques européens ont imaginé de nouvelles formes d'organisations pour éviter de
manière presque définitive la guerre. Ils se sont lancés dans la confection de Communautés européennes sans reprendre les formules traditionnelles, en quelque sorte en inventant une nouvelle histoire. Aujour-
d'hui, les résultats sont évidents. L'Europe communautaire présente un
certain nombre de qualités qui font d'elle un espace géopolitique très
original dans le monde.

Le mot Europe reste néanmoins ambigu. Il recouvre plusieurs réalités ou idées différentes. L'Europe constitue un espace géopolitique aux

multiples facettes. En effet, il ne suffit pas de regarder une carte pour cerner l'Europe. Elle est à la fois une réalité géographique, mais aussi un projet ou des projets politiques d'organisation de cet espace. Edgar Morin nous dit avec raison qu'il faut penser l'Europe (*Penser l'Europe*, Gallimard, Paris, 1987). Dominique Wolton considère qu'il s'agit de la dernière utopie (*La dernière utopie, naissance de l'Europe démocratique*, Flammarion, Paris, 1993). Il est important d'analyser, d'une part les différentes facettes de l'espace européen, d'autre part l'Union européenne comme projet d'unification politique.

# I. L'Europe : un espace géopolitique original dans le monde

8 Le concept d'espace est un moyen de bien qualifier tous les aspects de la réalité européenne d'aujourd'hui : un espace géographique ; un espace de paix et aussi un espace de renaissance des conflits nationalistes ; un espace de prospérité, mais aussi un espace de moindre développement.

## A. L'Europe : un espace géographique aux contours imprécis

9 Le continent européen est l'un des plus mal délimités, car il n'est pas très facile de savoir où il s'arrête. Cela induit des interrogations sur ses contours géographiques, donc sur celui de l'Union européenne. On peut ainsi passer d'un simple constat géographique à une configuration géopolitique. En effet, il est fondamental de savoir si tel État est européen ou pas, car cela peut justifier, ou pas, son adhésion à l'Union européenne. Les conditions d'adhésion d'un nouvel État sont clairement précisées dans le traité sur l'Union européenne à : « Tout État européen qui respecte les principes énoncés à l'article 6, paragraphe 1, peut demander à devenir membre de l'Union » (article 49).

Jusqu'en 1989, la géopolitique dictait la géographie de l'Europe. Il était possible de distinguer précisément l'Europe de l'Ouest de l'Europe de l'Est, pas seulement de manière géographique, mais aussi pour des raisons politiques et idéologiques. « Le rideau de fer » était une frontière artificielle mais réelle entre les deux parties de l'Europe. Il existait alors une organisation concurrente de deux Europes autour de deux idéologies bien distinctes : l'Europe de l'Est organisée autour de l'Union soviétique et du communisme avec des structures spécifiques; l'Europe de l'Ouest liée aux États-Unis et prônant le libéralisme politique et économique. « Le mur de Berlin » symbolise alors ce partage et fixe les frontières.

À partir de 1989, une seule Europe existe à nouveau. L'ensemble de ses composantes partage les mêmes valeurs. La question de la frontière de l'Europe se pose alors de manière très différente.

Au Nord, l'Océan Arctique limite le continent européen qui intègre naturellement l'ensemble des pays scandinaves comme la Norvège, la Suède ou la Finlande. Néanmoins, l'intégration dans l'Union européenne n'est possible que si les peuples de ces pays le veulent. Par deux fois, le peuple norvégien a rejeté par référendum cette intégration.

Au Sud, l'Europe s'étend jusqu'à la Mer méditerranée qui constitue une délimitation naturelle avec le continent africain. En effet, les pays qui bordent cette mer au sud appartiennent à l'Afrique et non pas à l'Europe. Ainsi, par exemple, les pays du Maghreb ne sont pas, et ne peuvent pas être, des États européens. Cela explique que la candidature du Maroc en 1987 n'ait pu être examinée, car cet État n'est géographiquement pas européen. À l'inverse, les différentes grandes îles de la Méditerranée sont européennes et peuvent donc normalement intégrer l'Union européenne, comme Chypre ou Malte. Néanmoins, l'histoire des empires européens nous montre qu'à d'autres époques, le pourtour méditerranéen a appartenu à une même ensemble, par exemple à l'apogée de l'empire romain. Cette conception actuelle de l'Europe n'empêche évidemment pas des coopérations entre l'Union européenne et les États méditerranéens comme le programme MEDA le montre.

À l'Ouest, l'Europe est bordée par l'Océan atlantique, la Mer du Nord et l'Océan Arctique qui en fixent les limites géographiques. Cela induit donc que les pays côtiers soient évidemment considérés comme européens, du Portugal à la Norvège en passant par l'Irlande et la Grande-Bretagne. On peut assez facilement admettre que l'Islande fasse partie de cet ensemble européen.

À l'Est, la délimitation est nettement plus délicate, surtout depuis la fin de la séparation géopolitique de l'Est et de l'Ouest, notamment avec la dissolution de l'Union soviétique. Des formules célèbres montrent les interrogations ou les choix à ce sujet. Le général De Gaulle évoquait « l'Europe de l'Atlantique à l'Oural ». De son côté, un ministre français des Affaires étrangères en visite officielle en Azerbaïdjan parlait de « l'Europe de Brest à Bakou ». Ces déclarations fixent des frontières Est de l'Europe. En effet, avec la vague de nouvelles candidatures, cette question de la frontière est devenue essentielle avec la place faite aux pays d'Europe centrale et orientale. D'un autre coté la Russie, bien qu'en grande partie européenne, compte tenu de sa population et de son immense territoire, est plus destinée à prendre la tête d'un ensemble euro asiatique qu'à devenir l'un des États membres de l'Union européenne. C'est d'ailleurs ce destin que trace le président Poutine en proposant par exemple ce type d'alliance renforcée à l'Ukraine ou au Belarus, dans le droit fil de la Communauté d'États indépendants. Cela fait aussi s'interroger sur la place de la Turquie, pays européen et pays asiatique. La question des langues, des cultures et des religions est étroitement liée à celle des frontières de l'Europe.

Une nouvelle figure de l'Union européenne se dessine depuis qu'elle comprend 25 États membres. Elle recouvre une très grande partie du continent européen. Une nouvelle frontière apparaît pour tracer les contours de l'espace de l'Union européenne.

## B. L'Europe : un espace de paix et un espace de renaissance des conflits nationalistes

10 L'Union européenne, constitue à l'évidence un espace de paix dans un environnement plus incertain. Les traités communautaires ont permis la disparition de la guerre entre les principaux États européens, comme la France et l'Allemagne. La Communauté a joué un rôle déterminant pour donner corps à l'idée de « plus jamais ça ». Le spectre de la guerre mondiale partant de l'Europe semble avoir été irréversiblement conjuré. La guerre entre Européens de l'Union semble être devenue impossible. Évidemment, la construction européenne n'est pas la seule responsable de cette situation. L'équilibre de la terreur, entre l'Est et l'Ouest, ainsi que le bouclier nucléaire américain ont largement contribué à cette évolution. Mais, cet espace de paix entre les États membres de l'Union européenne est une réalité. Cet espace n'est pas exclusif de tensions régionalistes ou nationalistes, comme par exemple en Corse, en Irlande du Nord ou au Pays Basque. Elles traduisent des souhaits de reconnaissance

de spécificités régionales ou nationales, mais sont loin d'emporter la conviction de la majorité des populations concernées.

Au-delà du territoire de l'Union européenne, la décennie 90 a montré d'autres tensions ou conflits plus fondamentaux ayant souvent pour objet la remise en cause des États existants ou des régimes politiques en place. Cette autre Europe a donné naissance à de nombreux nouveaux États. L'ex-Yougoslavie a été dissoute dans la violence avec aussi des conflits de nature ethnique. Elle a subi un émiettement considérable. Elle a été « balkanisée » selon l'expression consacrée. Le conflit du Kosovo a montré que cet espace est loin d'être stabilisé. La Tchécoslovaquie a été divisée en deux États, la Slovaquie et la République Tchèque. Les tensions nationalistes sont toujours largement à l'œuvre dans la Fédération de Russie, avec la guerre civile en Tchétchénie ou de manière générale dans la poudrière caucasienne. La question des statuts des minorités ethniques reste préoccupante dans plusieurs États européens de l'Est. C'est d'ailleurs une cause de contentieux régulier en Europe centrale et orientale. Beaucoup des pays de cette partie de l'Europe aspirent à stabiliser leurs frontières justement en étant membre de l'Union européenne.

L'Union européenne a toujours été très attentive à ces évolutions. Mais, elle n'a pas toujours pu imposer ses solutions. Sa politique étrangère commune reste balbutiante. Sa politique militaire est encore insuffisante. L'OTAN et les États-Unis ont une action plus déterminante que l'Union européenne dans les affaires du continent européen. Mais en même temps, pour beaucoup des pays de l'Europe centrale et orientale, l'Union européenne apparaît comme un espace de paix attirant et rassurant qu'il faut intégrer. La guerre déclenchée en Irak, au début de 2003, par les États-Unis a montré de profondes divergences entre les États membres de l'Union européenne sur la question de la sécurité dans le Monde et la généralisation forcée de la démocratie par la guerre préventive (voir Robert Kagan, *La puissance et la faiblesse, Les États-Unis et l'Europe dans le nouvel ordre mondial*, Plon, 2003 ; Laurent Cohen-Tanugi, *Les sentinelles de la liberté, l'Europe et l'Amérique au seuil du XXIᵉ siècle*, Odile Jacob, 2003). L'Union européenne doit-elle être atlantiste ou doit-elle construire vraiment son indépendance à l'égard des États-Unis, y compris sur le plan militaire ?

## C. L'Europe : un espace de prospérité, mais aussi un espace de moindre développement

11 L'Union européenne est aussi un espace de prospérité dans un environnement de pays moins riche ou de moindre développement. Elle est très développée. Elle est dotée d'importantes richesses. Elle héberge d'ailleurs les pays les plus riches du monde. En effet, le club des 8 pays industrialisés, le G 8, comprend quatre États de l'Union européenne (Allemagne, Italie, France, Royaume-Uni). Il ne faut oublier non plus que le Luxembourg est l'un des plus riches du monde au regard de son nombre d'habitants. Le niveau atteint par l'euro, dès sa création, montre d'ailleurs cette puissance économique. L'euro rivalise déjà avec le dollar.

Évidemment, il est toujours possible de nuancer ces situations en constatant des rythmes différents de développement au sein même des pays de l'Union européenne, notamment depuis son élargissement à 25. Par exemple, le niveau économique est moindre dans plusieurs zones de l'Union : le sud de l'Espagne, le Portugal hors de Lisbonne, le sud de l'Italie, une grande partie de la Grèce, mais aussi les Länder allemands de l'Est, certaines régions françaises en difficulté de reconversion. Cela oblige l'Union a développé des politiques régionales ou de cohésion économique et sociale pour permettre à l'ensemble du territoire européen d'avancer d'un même pas. Même si le territoire de l'Union n'évolue pas partout au même rythme, sa cohésion économique et sociale reste remarquable. L'entrée de pays comme la Suède, l'Autriche, et la Finlande a renforcé la richesse de l'Union.

Les nouveaux États membres présentent une situation économique plus difficile, comme la Pologne ou la Slovaquie. On peut aisément avoir le sentiment d'un découpage entre une Europe riche et une Europe pauvre. Cela montre que l'élargissement ne présente pas les mêmes intérêts économiques pour les deux protagonistes de ce processus. La vision des anciens États membres et des nouveaux ne peut être identique. La responsabilité de l'Union européenne est donc fondamentale à ce moment de l'élargissement. Cela se traduit par des aides de pré-adhésion. Des États candidats le restent parce qu'ils ont encore des progrès économiques à réaliser avant d'être intégré dans l'Union européenne, comme la Bulgarie ou la Roumanie, et même la Turquie.

Le niveau de vie de l'Union européenne est telle qu'il lui donne des responsabilités plus globales à l'égard, notamment des États moins développés, y compris ceux du territoire de la grande Europe. Cette dernière est loin d'être dans la même situation. Au delà, la solidarité européenne est sollicitée pour un partage des richesses. D'importants programmes d'aide au développement sont en place pour les régions les plus pauvres de la planète.

## II. L'Union européenne : une Europe politique en création

12 L'Union européenne n'est pas seulement un espace économique, mais aussi un projet politique original. Elle se cherche aujourd'hui une constitution pour à la fois symbolisée et organisée sa dimension politique. La Convention sur l'avenir de l'Europe vient, en juin 2003, de proposer un texte constitutionnel qui exprime les valeurs communes européennes et prévoit une organisation institutionnelle adaptée. Le conseil européen de Bruxelles du 18 juin 2004 vient d'adopter le traité instituant une constitution pour l'Europe.

## A. L'Union européenne : un espace culturel et démocratique

13 L'Union européenne est un espace culturel et démocratique original dans le monde. Les États membres et leurs peuples partagent des valeurs communes comme un patrimoine commun. La culture européenne est spécifique dans le monde. Elle s'exprime de manière très proche, alors qu'elle repose sur une pluralité linguistique, dans tous les domaines de l'art : architecture, musique, littérature, peinture, sculpture, théâtre ou cinéma. La question de l'exception culturelle n'est pas une simple formule mais une réalité à défendre dans les négociations commerciales mondiales. Face à d'autres grandes cultures dans le monde, l'Europe défend sa spécificité. La fin du rideau de fer a permis de retrouver ce fonds culturel identique avec plus de facilité, même s'il y a toujours, et c'est heureux, des spécificités nationales.

Le Traité sur l'Union européenne intègre la dimension culturelle comme une des compétences de la Communauté. L'article 151 du traité CE indique ainsi : « La Communauté contribue à l'épanouissement des cultures des

États membres dans le respect de leur diversité nationale et régionale tout en mettant en évidence l'héritage culturel commun ». Les nouveaux États membres et les États encore candidats, partageant ces valeurs culturelles européennes n'auront pas vraiment de difficulté à s'intégrer à l'ensemble.

La démocratie, les droits de l'homme et les libertés fondamentales constituent le socle politique et philosophique de cette construction européenne. Les démocraties authentiques ne sont pas forcément si nombreuses sur notre planète. L'Union européenne est composée aujourd'hui de dix-huit républiques et sept monarchies. Ces États partagent la même conception de la démocratie représentative, avec très souvent des régimes parlementaires. Ils respectent les droits de l'homme et les libertés fondamentales. Ils sont signataires et respectueux de la Convention européenne de sauvegarde des droits de l'homme et des libertés fondamentales du 4 novembre 1950 et de ses différents protocoles. Ils acceptent l'effet obligatoire des arrêts de la Cour européenne des droits de l'homme. La lecture de leurs constitutions montre qu'il partage un patrimoine juridique commun qui nourrit l'apparition d'un véritable « droit constitutionnel européen ». L'Union européenne est en plus dotée depuis le sommet de Nice d'une Charte des droits fondamentaux qui est certainement intégrée dans le projet de constitution européenne.

L'entrée dans l'Union européenne est soumise au respect par les États candidats de ces valeurs démocratiques communes. L'article 6 du traité sur l'Union européenne est clair à cet égard : « l'Union est fondée sur les principes de la démocratie, du respect des droits de l'homme et des libertés fondamentales, ainsi que de l'État de droit, principes qui sont communs aux États membres ». Un comportement s'éloignant de ces valeurs essentielles, c'est-à-dire l'existence d'une violation grave et persistante par un État membre de ces principes, autorise une réaction des autres États membres comme le prévoit l'article 7 du traité sur l'Union. Cette commune vigilance très organisée est précieuse pour le devenir de l'Union européenne.

## B. L'Union européenne : un espace sans frontières intérieures

14 L'un des effets les plus remarquables de la construction communautaire a été la confection d'un espace sans frontière intérieure, donc un grand

marché. En effet, les concepteurs des traités communautaires ont considéré que l'Europe ne pouvait se développer que grâce à la confection d'un marché commun libre de frontières intérieures. Ce concept cher au libéralisme économique a depuis progressé dans plusieurs régions du monde et dans les échanges mondiaux, mais c'est dans la communauté européenne que l'expérience a été poussée le plus loin possible.

Il existe d'autres rapprochements régionaux intéressants à observer comme : l'Association européenne de libre échange (AELE) entre l'Islande, la Norvège, le Liechtenstein et la Suisse ; l'ALENA entre les États-Unis, le Canada et le Mexique ; le MERCOSUR entre le Brésil, l'Argentine et l'Uruguay. Ils constituent surtout des zones de libre-échange sans conséquences d'intégration entre les États membres. D'autres projets sont réalisés ou envisagés, par exemple pour l'ensemble du continent africain ou du continent américain.

Le marché intérieur de la Communauté européenne comporte « un espace sans frontières intérieures dans lequel la libre circulation des marchandises, des personnes, des capitaux et des services est assurée selon les dispositions du traité » (Article 14 du traité CE). Cette disparition des effets (douaniers) des frontières entre les États membres a entraîné la création d'une frontière extérieure commune dotée d'un droit de douane spécifique.

Cette démarche a été étendue à d'autres États par un traité multilatéral englobant une autre organisation internationale, comme l'Espace Économique Européen (EEE) issu du traité de Porto du 2 mai 1992 (entrée en vigueur le 1er janvier 1994) rapprochant l'AELE de la Communauté européenne. L'EEE regroupe donc maintenant vingt-huit États membres, dans la mesure où la Suisse n'a pas approuvé par référendum cette adhésion.

Il ne faut oublier aussi que de nombreux États sont liés à l'Union européenne par des accords d'association, ou plus, ce qui a pour eux des conséquences en terme de libre échange ou d'Union douanière. Ces accords d'association ont souvent été conçus, notamment pour les pays d'Europe centrale et orientale (PECO) comme une première étape vers l'entrée dans l'Union européenne. Ainsi, on peut citer les accords suivants : les accords d'association en 1990 pour Chypre et Malte, en 1991 pour la Pologne et la Hongrie, en 1993 pour la Roumanie, la République tchèque et la Slovaquie, en 1995 pour l'Estonie, la Lituanie, la Lettonie et Israël; en 1996, pour la Slovénie; pour une union douanière, en 1995, pour la Turquie.

Cette démarche du marché intérieur est en soi un progrès considérable compte tenu de la nature et de la densité des échanges économiques et commerciaux entre les États membres de l'Union européenne. Sa réussite satisfait la plupart des États dont certains voient dans ce marché l'élément le plus déterminant et éventuellement suffisant. La tentation est grande pour ceux-là d'en rester à un niveau de simple zone de libre-échange. Le développement de la mondialisation y pousse aussi. Depuis longtemps, la Grande-Bretagne et le Danemark trouvent cette démarche suffisante. Au contraire, d'autres considèrent qu'il faut aller plus loin dans la démarche politique, comme l'Allemagne, la France ou les États du Benelux.

## C. L'Union européenne: un nouvel espace public

15  L'Union et la Communauté européenne ne sont justement pas qu'un grand marché. Le projet politique est plus ambitieux. L'Europe communautaire conduit des politiques communautaires dans de nombreux domaines: l'agriculture, les transports, la cohésion économique et sociale, la concurrence, les réseaux, l'éducation, la culture… Elle développe depuis le début un droit communautaire assis sur des outils juridiques originaux, notamment les règlements et les directives qui s'imposent au droit des États-membres. Les compétences publiques sont distribuées entre les Institutions communautaires et les États membres en compétences exclusives et compétences subsidiaires sur un mode qui évoque celui d'un État fédéral.

L'Europe communautaire dispose d'un budget spécifique avec des ressources propres et des dépenses autonomes. Le droit, les finances, les compétences et les politiques contribuent à l'émergence d'un espace public européen complémentaire de l'espace public des États membres pris individuellement. Le marché intérieur est donc accompagné de politiques communautaires.

C'est à ce niveau qu'il est possible de mieux distinguer l'Europe de l'intégration de l'Europe de la simple coopération. La finalité de la première est de nature fédérale, elle cherche à rapprocher de manière très étroite les États. Cela ne manque pas d'avoir des conséquences sur l'exercice de la souveraineté des États qui décident d'exercer en commun certaines de leurs compétences. C'est d'ailleurs ainsi que le fameux discours de Robert Schuman considérait la future Communauté européenne du charbon et de l'acier comme une première étape vers les États-Unis d'Europe. La seconde a des effets plus modestes en facilitant simplement les échanges et la coopération internationale mais sans porter atteindre à l'exercice classique de la souveraineté nationale. Aujourd'hui, l'Union européenne est à un tournant de son histoire, puisqu'elle s'oriente vers une démarche de nature constitutionnelle.

Ce livre est divisé en trois chapitres : la construction des Communautés et de l'Union européennes, les institutions de l'Union et des Communautés européennes, les moyens d'actions et les compétences de l'Union et des Communautés européennes.

# CHAPITRE 1

# La construction
# des Communautés
# et de l'Union européennes

16 *L'Europe communautaire constitue un modèle d'intégration entre des peuples et des États. Elle crée des liens de plus en plus étroits entre des peuples sans faire disparaître les États-Nations qui la composent. En effet, elle n'a pas été imposée à des États, mais elle résulte d'un choix librement consenti entre plusieurs États membres. L'Union européenne n'est pas née toute armée d'un traité. Elle est le résultat d'un long processus dont elle constitue l'une des dernières étapes. La construction des Communautés et de l'Union européenne a déjà une longue histoire qui commence en 1950, lors du discours de Robert Schuman. Ce chapitre se propose de retracer les phases essentielles de cette construction européenne. On peut distinguer trois grandes étapes : la construction des Communautés européennes, la construction de l'Union européenne, les élargissements successifs des Communautés et de l'Union européennes.*

## I. La construction des Communautés européennes

17 Évidemment, cette histoire ne date pas seulement de 1950, car l'idée de construire une Europe unie est beaucoup plus ancienne. Il est donc intéressant de tracer les grandes lignes de l'histoire de l'idée européenne avant de présenter sa concrétisation dans les traités.

## A. La naissance de l'idée européenne

18 L'idée d'une Europe unie est nourrie par une longue histoire commune jalonnée d'une succession d'émiettements et de regroupements. Il est vrai que les regroupements des peuples européens ou de leurs nations ont été, dans le passé, surtout liés à des périodes autoritaires ou impériales, comme l'empire romain, celui de Charlemagne, de Charles Quint ou de Napoléon I$^{er}$. Les ambitions impériales ou impérialistes d'Hitler ou de Staline souhaitaient une forme d'asservissement d'une partie ou de la totalité de l'Europe, soit par la force, soit au travers d'une idéologie totalitaire. Ces projets de domination de l'Europe par un peuple n'avaient alors évidemment pas de fondement démocratique.

Des idées paneuropéennes pacifiques ont été émises au cours de l'histoire européenne par des philosophes, des hommes d'État ou des poètes. « Penser l'Europe » pour reprendre la formule d'Edgar Morin est une préoccupation très ancienne. On peut relever plusieurs de ces propositions.

19 Ainsi le roi Henri IV, inspiré par son ministre Sully a « le grand dessein » de remodeler l'Europe pour qu'elle trouve la paix. Ce grand dessein est évoqué dans les Mémoires de Sully rédigés de 1620 à 1635. Il propose, dès cette époque de remodeler l'Europe en quinze États d'importance à peu près égale, sans intégrer la Russie, en imaginant des structures communes aux États, comme un « Conseil très chrétien de l'Europe » composé de six Conseils provinciaux et d'un Conseil général. Il suggère que ce Conseil prenne des décisions exécutoires du fait d'une limitation de la souveraineté des États membres. Il imagine aussi une armée européenne financée en commun. En d'autres termes, c'est déjà imaginé « un pouvoir supranational » (Gérard Soulier, *L'Europe*, Armand Colin, 1994, p. 232).

William Penn propose dans un « Essay » de 1693 l'institution d'une Diète groupant les représentants des pays d'Europe pour mettre fin aux guerres qui les déchirent, statuant à la majorité et disposant d'une armée.

20 Plus tard, l'un des trois ministres plénipotentiaires français aux conférences de paix d'Utrecht, l'abbé (Charles-Irénée Castel) de Saint-Pierre publie entre 1713 et 1717 trois ouvrages très remarqués en leur temps : deux consacrés à un « Projet pour rendre la paix perpétuelle en Europe », un troisième à un « Projet pour rendre la paix perpétuelle entre souverains chrétiens ». Il propose ainsi une certaine idée de l'évolution de l'Europe et de la chrétienté. Le concept de paix perpétuelle est abondamment étudié à son époque. Il imagine « une Union permanente et perpétuelle entre les Souverains soussignés et s'il est possible entre tous les Souverains chrétiens, dans le dessein de rendre la paix inaltérable en Europe et dans cette vue l'Union fera, s'il est possible, avec les Souverains Mahométans ses voisins, des traités de Ligue offensive et défensive pour maintenir la paix dans les bornes de son territoire, en prenant d'eux et en leur donnant toutes les sûretés possibles réciproques ». Ce projet permettrait d'établir une « Société européenne » dans laquelle les souverains seraient « perpétuellement représentés par leurs Députés dans un Congres ou Sénat perpétuel dans une Ville libre ». Le Sénat serait

doté de compétences législatives, par exemple en rédigeant : « les articles du Commerce en général et des différents commerces entre nations particulières ». Il serait aussi chargé de maintenir l'équilibre entre des puissances. « Cette Société européenne devrait veiller aux respects des règles communes, y compris par l'usage de troupes afin de rétablir la paix. Toute guerre serait interdite, à moins qu'elle ne soit décidée comme sanction militaire » (Jean-Baptiste Duroselle, *L'Europe, histoire de ses peuples,* Hachette, Pluriel, 1995 p. 357).

21 Le cosmopolitisme de Voltaire contribue aussi à penser l'Europe. « Les peuples d'Europe ont des principes d'humanité qui ne se trouvent point dans les autres parties du monde ; ils sont plus liés entre eux, ils ont des lois qui leur sont communes ; toutes les maisons des souverains sont alliées ; leurs sujets voyagent continuellement et entretiennent une liaison réciproque. Les Européens chrétiens sont ce qu'étaient les Grecs : ils se font la guerre entre eux, mais ils conservent dans ces dimensions tant de bienséance… que souvent un Français, un Anglais, un Allemand qui se rencontrent paraissent être nés dans une même ville » (*Discours préliminaire sur le poème de Fontenoy,* 1745). Pour Voltaire il existe déjà une forme de conscience européenne. Cela lui permet d'écrire dans *Le Siècle de Louis XIV* que l'Europe est « une grande république partagée en plusieurs États… tous ayant un même fond de religion, quoique divisé en plusieurs sectes ; tous en ayant les mêmes principes de droit public et de politique ».

22 Jean Jacques Rousseau publie en 1782 un « Jugement sur la paix perpétuelle » où il s'interroge sur les moyens de faire accepter ce plan par les princes. Il y considère que les princes ne peuvent adhérer à un tel projet qu'à condition qu'ils y trouvent un intérêt. Les princes ne pourraient adopter un tel projet que « s'ils consultaient leurs vrais intérêts ». Rousseau, sans grande illusion sur les princes poursuit : « La seule chose qu'on leur suppose, c'est assez de raison pour voir ce qui est utile, et assez de courage pour faire leur propre bonheur. Si, malgré tout cela, ce projet demeure sans exécution, ce n'est donc pas qu'il soit chimérique ; c'est que les hommes sont insensés, et que c'est une sorte de folie d'être sage au milieu des fous ». Pour Jean Baptiste Duroselle, « l'idée fondamentale de Rousseau est d'éviter la guerre par une fédération de princes car la guerre est affaire de ces derniers » (déjà cité p. 358). Cela explique que Rousseau reprenne à son compte l'idée d'une Diète per-

manente. Il est aussi conscient à la fois de l'identité particulière des composantes de l'Europe que de la naissance d'une identité européenne. Il développe cette complexité identitaire dans « *Les considérations sur le gouvernement de la Pologne* ». Pour lui, « il n'y plus aujourd'hui de Français, d'Allemands, d'Espagnols, d'Anglais même, quoi qu'on en dise ; il n'y a que des Européens. Tous ont les mêmes goûts, les mêmes passions, les mêmes mœurs... ». Il est aussi bien sensible à l'unité de l'Europe qu'à la diversité des peuples. Quelle belle prémonition sur l'évolution de l'Union européenne d'aujourd'hui !

23 Emmanuel Kant fonde son « Projet philosophique de paix perpétuelle » de 1795 sur une construction juridique de fédération d'États soumis à des lois communes. Le droit représentait pour lui le meilleur ciment de cette paix.

24 En 1814, Saint-Simon publie, une brochure intitulée « De la réorganisation de la société européenne, ou de la nécessité de rassembler les peuples d'Europe en un seul corps politique, en conservant à chacun son indépendance nationale ». Il suggère la formation d'un Parlement européen « placé au-dessus de tous les gouvernements nationaux et investi du pouvoir de juger leurs différends ». Pour lui, on doit aller vers une nouvelle société européenne reposant sur une entente très forte entre la France et la Grande-Bretagne. Le Parlement européen doit être composé « des négociants, des savants, des magistrats, des administrateurs ». « Ce Parlement aura le pouvoir de lever sur la confédération tous les impôts qu'il jugera nécessaires ». « Toutes les entreprises d'une utilité générale pour la société européenne seront dirigées par le grand Parlement ». « Il envisage donc des politiques communes. Il considère qu'il faut plus faire confiance aux savants, aux économistes, aux juristes et aux techniciens qu'aux politiques » (Gérard Soulier, déjà cité, p. 236). Les concepteurs de la Communauté européenne s'inspireront à l'évidence de certaines des propositions de Saint-Simon, notamment en ce qui concerne l'appel aux experts, par exemple dans le cadre de la Commission européenne.

25 Dans le Mémorial de Saint-Hélène, Napoléon, en 1823, évoque l'avenir du continent européen : « Je ne pense pas qu'après ma chute et la disparition de mon système, il y ait en Europe, un autre équilibre possible que l'agglomération et la confédération des grands peuples », il envisage « pour la grande famille européenne, l'application du congrès américain ».

26 Victor-Hugo prononce en 1848 un discours resté célèbre, lors du Congrès de Paris des amis de la paix qu'il préside : « Un jour viendra où vous France, vous Russie, vous Angleterre, vous Allemagne, vous toutes nations du continent, sans perdre, vos qualités distinctes et votre glorieuse individualité, vous vous fondrez étroitement dans une unité supérieure et vous constituerez la fraternité européenne, absolument comme la Bretagne, la Bourgogne, la Lorraine, l'Alsace, se sont fondues dans la France... Un jour viendra ou l'on verra ces deux groupes, les États-Unis d'Amérique, les États-Unis d'Europe, placés en face l'un de l'autre, se tendant la main par-dessus les mers, échangeant leurs produits, leur commerce, leur industrie, leurs arts, leurs génies, défrichant le globe, colonisant les déserts, améliorant la création sous le regard du Créateur... Un jour viendra où les bombes seront remplacées par le vénérable arbitrage d'un Grand Sénat souverain qui sera à l'Europe ce que l'Assemblée législative est à la France ». Il rêve d'un continent européen apaisé et organisé qui préfigure un monde transfiguré. Ainsi, il écrira plus tard, en 1867, dans l'Avenir : « Au XXe siècle, il y aura une nation extraordinaire. Cette nation sera grande, ce qui ne l'empêchera pas d'être libre. Elle sera illustre, riche, pensante, pacifique, cordiale au reste de l'humanité... Cette nation aura pour capitale Paris et ne s'appellera point la France, elle s'appellera l'Europe. Elle s'appellera l'Europe au XXe siècle, et, aux siècles suivants, plus transfigurée encore, elle s'appellera l'Humanité ». En finir avec les fanatismes et briser les glaives au nom d'un immense arbitrage confraternel, tels étaient les maîtres mots de Victor Hugo. Pour lui la paix resterait illusoire en Europe tant que la démocratie n'y serait pas partout installée. Au moment de la défaite de Sedan, lorsque la République est proclamée en France le 5 septembre 1870, il affirmait déjà qu'il faut « relever la France *et avertir* l'Europe » et que « la cause de l'Europe est identique à la cause de la France » (*Actes et Paroles, depuis l'exil,* 1870-1876, Calmann-Lévy, 1876). Alors que déjà, la guerre sévissait dans les Balkans, mais que les conflits meurtriers de la première moitié du XXe siècle entre les peuples d'Europe n'avaient pas eu lieu, le Poète avait l'intuition de la nécessité d'unir les États d'Europe. Il affirme, en 1876, la nécessité des États unis d'Europe et en appelle à la « République d'Europe » et la « nationalité européenne » (*Actes et Paroles IV, Depuis l'exil 1876-1885,* Hetzel et Quantin, 1889).

27 Dans son « *Principe fédératif* » de 1863, Proudhon pense à une organisation fédérale de l'Europe. L'homme ne peut être heureux sur le plan
social que dans un environnement qui privilégie une succession de fédération jusqu'au niveau de l'ensemble de l'Europe. Pour lui, « la fédération est un contrat politique par lequel des unités autonomes s'obligent
réciproquement et également les unes envers les autres pour un ou plusieurs objets particuliers dont la charge incombe spécialement alors et
exclusivement aux délégués de la fédération ». « Une confédération universelle est contradictoire. L'Europe serait trop grande pour une confédération unique : elle ne pourrait former qu'une confédération de confédérations ». Il souhaite alors « le rétablissement des confédérations italienne,
grecque, batave, scandinave, danubienne, prélude à la décentralisation
des grands États, et par la suite, du désarmement général. Alors, toute
nationalité reviendrait à la liberté ». « Le XXᵉ siècle ouvrira l'ère des fédérations, ou l'humanité recommencera un purgatoire de mille ans ».

28 Renan écrit, après la guerre, dans une lettre le 15 septembre 1871 : « les
nations européennes telles que les a faites l'histoire sont les partis d'un
grand sénat où chaque membre est inviolable. L'Europe est une confédération d'États réunis par l'idée commune de la civilisation. L'individualité de chaque nation est constituée sans doute par la race, la langue,
l'histoire, la religion, mais aussi par quelque chose de beaucoup plus
tangible, par le consentement actuel, par la volonté qu'ont les différentes
provinces d'un État de vivre ensemble ».

29 Le XXᵉ siècle, si dévastateur, marqué par les pires atrocités en Europe,
est aussi celui qui donne naissance aux mouvements européens ainsi
qu'à la réalisation de la construction concrète des Communautés européennes. Paul Valéry écrit en 1919, après le cataclysme européen de la
première guerre mondiale : « Tout n'est pas perdu, mais tout s'est senti
périr ». « Nous autres civilisations, nous savons maintenant que nous
sommes mortelles ». « L'Europe deviendra-t-elle ce qu'elle est en réalité, c'est-à-dire : un petit cap du continent asiatique ? Ou bien l'Europe
restera-t-elle ce qu'elle pourrait être, c'est-à-dire : la partie précieuse de
l'univers terrestre, la perle de la sphère, le cerveau d'un vaste corps ? »
(*Variétés*, Gallimard, 1924-1930, Coll. Idées, 1978, p. 13-24).

30 Si Richard Coudenhove-Kalergi, autrichien de naissance, tchèque après
le traité de Saint-Germain, n'est naturalisé français qu'en 1939, sa pen-
sée européenne largement contenue dans son livre *Pan-Europe* (Richard

Coudenhove-Kalergi, *Pan-Europe*, Vienne, 1923, réédition PUF, 1988) va avoir une certaine influence en France. Il prédit : « L'Europe dans son morcellement politique et économique, peut-elle assurer sa paix et son indépendance face aux puissances mondiales extra-européennes qui sont en pleine croissance ? Ou sera-t-elle contrainte, pour sauver son existence, de s'organiser en fédération d'États ? [...] L'Europe, qui a presque totalement perdu sa confiance en soi, attend une aide de l'extérieur : les uns de la Russie, les autres de l'Amérique. Ces deux espérances constituent un danger de mort pour l'Europe. Ni l'Ouest, ni l'Est ne veulent sauver l'Europe : la Russie veut la conquérir... l'Amérique veut l'acheter. [...] Dès lors entre le Scylla de la dictature militaire russe et le Charybde de la dictature financière américaine, le chemin de l'Europe s'appelle Pan-Europe et signifie que l'Europe doit s'aider elle-même en constituant dans un but pratique une union politico-économique ». Il propose alors un plan pour organiser l'Europe : une conférence paneuropéenne, une cour d'arbitrage, une union douanière pour faire de l'Europe un territoire économique homogène. Il imagine aussi une constitution européenne pour les États-Unis d'Europe avec un Parlement composé de deux chambres, une chambre des peuples et une chambre des États. Évidemment, ces propositions sont en grand décalage avec les événements qui vont suivre et ensanglanter une deuxième fois dans le siècle le continent européen.

Les perspectives tracées par Coudenhove-Kalergi rentrent parfaitement en résonance avec les évolutions de la construction européenne à partir des années cinquante : l'idée d'un territoire économique homogène, une région du monde en compétition avec d'autres ensembles, la question de la sécurité autonome de l'Europe, une avancée vers les États-Unis d'Europe.

Pour lui, la Suisse est aussi un modèle intéressant. Il faut passer par une réconciliation franco-allemande « problème central de l'Europe ». Il doit naître entre les « deux Républiques sœurs » une solidarité de raison là même ou il n'y a pas encore place pour une solidarité d'amour ». En juin 1924, Coudenhove-Kalergi écrit une « *Lettre ouverte aux parlementaires français* » (voir la lettre dans A. de Baecque, *Une histoire de la démocratie en Europe*, Le Monde édition, 1991). Elle aura certainement une influence sur Briand et sur Herriot. Il crée l'Union paneuropéenne, premier mouvement fédéraliste en Europe. De nombreuses personnalités politiques françaises s'associent à cette démarche comme Briand, Caillaux, Blum, Herriot, Painlevé, Paul-Boncour, Daladier, Albert Thomas, mais aussi de nombreux intellectuels français comme Paul Claudel, Paul Valéry, Jules Romains. Le premier congrès paneuropéen se réunit à Vienne le 1ᵉʳ octobre 1926 sous les effigies évocatrices de Sully, l'abbé de Saint-Pierre, Kant, Mazzini, Hugo et Nietzsche. En 1927, Briand est le président d'honneur de ce mouvement.

31 De façon moins connue, Édouard Herriot se fera, en son temps, le chantre d'une Europe unie. Au sortir de la première guerre mondiale, Édouard Herriot s'éloigne de la droite modérée et affirme, le 10 janvier 1921 : « L'idée nationale (...) était suffisante et nécessaire pendant la guerre... la guerre finie, celle-ci ne l'est plus » (L. Muon, *Édouard Herriot*, Ed. Lyonnaises d'art et d'histoire, 1997, p. 89). Un peu plus tard, dans un discours devant le Sénat, fait le 25 janvier 1925, Édouard Herriot déclare ; « Mon plus grand désir est de voir un jour apparaître les États-Unis d'Europe ». C'est la première fois qu'un homme politique français en fonction évoque cette perspective. Il publie, en 1930, un livre intitulé « Europe » dans lequel il propose une Entente européenne dans le cadre de la Société des Nations (SDN), avec un volet économique comme la suppression des barrières douanières et un volet politique comme une « Union d'États souverains ». Mais celui qui rêvait d'États-Unis d'Europe s'opposera néanmoins à la CED. Face à René Mayer et Edgar Faure, qui ne sont pas hostiles à la CED, il réaffirme son opposition au Congrès de Bordeaux d'octobre 1952. Il pose alors la question de la conformité d'un tel traité à la Constitution.

32 Aristide Briand, président du conseil et ministre français des affaires étrangères, fait, le 5 septembre 1929 devant la Société des Nations à Genève, la proposition restée célèbre de créer un lien fédéral entre les États européens sans porter atteinte aux souverainetés. La date est éloquente, dix ans après la fin du premier conflit mondial et l'année même du jeudi noir et de la crise monétaire internationale qui allait progressivement mais sûrement précipiter l'Europe dans un nouveau conflit. Il avait l'intuitive conviction que la souveraineté des États ne céderait pas aussi facilement face à l'exigence d'union. C'est la raison pour laquelle il développait la nécessaire préservation des souverainetés par-delà le lien fédéral encore à créer : « Je pense qu'entre des peuples qui sont géographiquement groupés comme les peuples d'Europe, il doit exister une

sorte de lien fédéral; ces peuples doivent avoir à tout instant la possibilité d'entrer en contact, de discuter leurs intérêts, de prendre des résolutions communes, d'établir entre eux un lien de solidarité, qui leur permette de faire face, au moment voulu, à des circonstances graves, si elles venaient à naître. C'est ce lien que je voudrais m'efforcer d'établir. Évidemment, l'association agira surtout dans le domaine économique : c'est la question la plus pressante. Je crois que l'on peut y obtenir des succès. Mais je suis sûr aussi qu'au point de vue politique, au point de vue social, le lien fédéral, sans toucher à la souveraineté d'aucune des nations qui pourraient faire partie d'une telle association, peut être bienfaisant ».

Cette proposition a une suite avec le mémorandum français sur « l'organisation d'un régime d'union fédérale européenne » diffusé le 1er mai 1930. Ce projet rédigé par Alexis Léger, secrétaire général du Quai d'Orsay, est très prudent : « Il ne s'agit nullement de constituer un groupement européen en dehors de la SDN... En aucun cas et à aucun degré, l'institution d'un lien fédéral recherché entre gouvernements européens ne saurait affecter en rien aucun des droits souverains des États membres d'une telle association de fait ». Comme on le sait, la proposition et le mémorandum n'auront pas de suite concrète.

33 Pendant la seconde guerre mondiale, des propositions fleurissent alors que la guerre se poursuit. On peut ainsi relever la déclaration des résistances européennes le 7 juillet 1944 à Genève : « En effet, dans l'espace d'une seule génération, l'Europe a été l'épicentre de deux conflits mondiaux qui ont eu pour origine l'existence sur le continent de trente États souverains. Il importe de remédier à cette anarchie par la création d'une union fédérale entre les peuples européens. Seule une union fédérale permettra la participation du peuple allemand à la vie européenne sans qu'il soit un danger pour les autres peuples ».

34 La guerre terminée par la victoire sur le nazisme, Winston Churchill relance l'idée européenne lors d'un fameux discours prononcé à l'Université de Zurich le 19 décembre 1946. Il y préconise à son tour : « Quel est le remède souverain ? Il consiste à reconstituer la famille européenne, ou du moins, autant que nous en pouvons reconstituer, et à lui fournir une structure qui lui permette de vivre et de croître en paix, en sécurité et en liberté. Nous devons créer un genre d'États-Unis d'Europe ». Malheureusement la famille européenne va vite être à nouveau divisée,

en deux, de part et d'autre d'une frontière qui deviendra « un rideau de fer ». Il faut attendre 1989 pour qu'on assiste aux retrouvailles de la famille européenne. Cela n'empêche pas la création de nombreux mouvements européens comme : l'Union européenne des fédéralistes ; le Mouvement socialiste pour les États-Unis d'Europe ; l'Union parlementaire européenne. Le Congrès de La Haye de 1948 qui coordonne plusieurs mouvements a des résultats significatifs. Il inspire la création du Conseil de l'Europe.

Cette succession d'idées et d'initiatives explique largement pourquoi et comment on arrive à créer, au XXᵉ siècle, dans les années cinquante, à la fois une Europe de la coopération via le Conseil de l'Europe et une Europe de l'intégration via la Communauté européenne du charbon et de l'acier.

## B. Les traités fondateurs

35 L'Europe organisée ne reste pas une idée. Elle va prendre corps grâce à une série de traités, dits les traités fondateurs. Ces derniers enclenchent un processus d'intégration par étapes qui présente une forme d'irréversibilité.

### 1. La logique politique de l'intégration communautaire des pères fondateurs

36 Des personnalités françaises de grande envergure jouent un rôle déterminant pour la constitution d'une Communauté européenne d'un genre nouveau : Robert Schuman (1886-1963) et Jean Monnet (1888-1979). Ils en rencontrent d'autres qui apprécient et accompagnent leur démarche comme Konrad Adenauer (1876-1967) en Allemagne, ou De Gasperi (1881-1954) en Italie. Ils font preuve de clairvoyance, de volontarisme et d'esprit prospectif pour envisager un nouvel avenir à l'Europe sans tomber dans les mêmes errements que leurs prédécesseurs au moment du traité de Versailles structurant l'Europe après la première guerre mondiale. Ils considèrent qu'il faut mettre un terme définitif à toute guerre en Europe en l'unissant selon une méthode réaliste et pragmatique. Ils veulent réaliser leur projet et ne pas se contenter de proposer des idées éventuellement plus utopiques. À leur avis, l'Europe se fera par la reconnaissance d'intérêt commun entre des États en fonction d'objectif précis entre

un petit nombre d'États. La reconstruction économique passe par une coopération dépassant la traditionnelle conférence diplomatique.

37 La très fameuse déclaration de Robert Schuman du 9 mai 1950 explicite ce grand projet européen :

« La paix mondiale ne saurait être sauvegardée sans des efforts créateurs à la mesure des dangers qui la menacent. La contribution qu'une Europe organisée et vivante peut apporter à la civilisation est indispensable au maintien des relations pacifiques. En se faisant depuis plus de vingt ans le champion d'une Europe unie, la France a toujours eu pour objet essentiel de servir la paix. L'Europe n'a pas été faite, nous avons eu la guerre. L'Europe ne se fera pas d'un coup, ni dans une construction d'ensemble : elle se fera par des réalisations concrètes créant d'abord une solidarité de fait. Le rassemblement des nations européennes exige que l'opposition séculaire de la France et de l'Allemagne soit éliminée : l'action entreprise doit toucher au premier chef la France et l'Allemagne. Dans ce but, le gouvernement français propose de porter immédiatement l'action sur un point limité mais décisif : le gouvernement français propose de placer l'ensemble de la production franco-allemande de charbon et d'acier, sous une Haute Autorité commune, dans une organisation ouverte à la participation des autres pays d'Europe. La mise en commun des productions de charbon et d'acier assurera immédiate ment l'établissement de bases communes de développement économique, première étape de la Fédération européenne, et changera le destin de ces régions longtemps vouées à la fabrication des armes de guerre dont elles ont été les plus constantes victimes. La solidarité de production qui sera ainsi nouée manifestera que toute guerre entre la France et l'Allemagne devient non seulement impensable, mais matériellement impossible. L'établissement de cette unité puissante de production ouverte à tous les pays qui voudront y participer, aboutissant à fournir à tous les pays qu'elle rassemblera les éléments fondamentaux de la production industrielle aux mêmes conditions, jettera les fondements réels de leur unification économique. Cette production sera offerte à l'ensemble du monde sans distinction ni exclusion, pour contribuer au relèvement du niveau de vie et au progrès des œuvres de paix. L'Europe pourra, avec des moyens accrus, poursuivre la réalisation de l'une de ses tâches essentielles : le développement du continent africain. Ainsi sera réalisée simplement et rapidement la fusion d'intérêts indispensables à l'établissement d'une communauté économique et introduit le ferment d'une communauté plus large et plus profonde entre des pays longtemps opposés par des divisions sanglantes. Par la mise en commun de productions de base et l'institution d'une Haute Autorité nouvelle, dont les décisions lieront la France, l'Allemagne et les pays qui y adhéreront, cette proposition réalisera les premières assises concrètes d'une Fédération européenne indispensable à la préservation de la paix ».

38 Cette déclaration, d'allure un peu austère et technique, contient toute la philosophie politique et économique des pères fondateurs des Communautés européennes : la création de solidarités de fait ; l'absence de fédéralisme immédiat, mais une démarche vers la fédération européenne ; l'élimination de l'opposition séculaire entre la France et l'Allemagne ; la mise en place d'un premier échelon d'intégration ceux du marché commun du charbon et de l'acier avec une Communauté européenne du charbon et de l'acier ; une proposition ouverte au volontarisme des États européens. Cette proposition française est très largement inspirée par Jean Monnet (pour mieux connaître la gestation de cette déclaration se reporter aux *Mémoires* de Jean Monnet, Fayard, 1976).

La démarche proposée est fonctionnelle. Elle suppose un objectif final, une fédération européenne. Mais par réalisme, elle considère que cet objectif ne peut-être atteint d'un seul coup, il suppose des petits pas successifs qui y conduisent plus sûrement. La démarche induit des effets d'entraînement ou des effets de cliquet qui rendent irréversible le processus dans une logique d'intégration. Ainsi, les Européens sont en quelque sorte condamnés à aller de l'avant dans une sorte d'engrenage communautaire. On a pu parler, à propos de cette démarche, de « la méthode Jean Monnet » qui visait bien à une intégration entre des États (voir notamment François Hervouët (s/d), *Démarche communautaire et construction européenne*, deux volumes, Travaux de la CEDECE, Documentation française, 2000). Il ne s'agit plus de se satisfaire de la simple coopération internationale, mais de créer les conditions d'une intégration européenne, donc d'un exercice partagé de compétences communes, appliqué dans un premier temps à un domaine précis celui du charbon et de l'acier, mais généralisable par la suite à d'autres domaines. Ainsi, à peine cinq ans après la fin de la guerre, « il est proposé une communauté

« fonctionnelle » à caractère « supranational » plaçant sur un pied d'égalité l'Allemagne fédérale et ses anciens vainqueurs » (Jean-Louis Quermonne, *Le système politique de l'Union européenne*, Montchrestien, Clefs, 2002, p. 15).

39 Jean Monnet expose de manière claire dans ses Mémoires en 1976 la logique de la méthode communautaire : « Elle est devenue un dialogue permanent entre un organisme européen responsable de proposer des solutions aux problèmes communs et les gouvernements nationaux... Cette méthode est tout à fait nouvelle. Elle ne comporte pas de gouvernement central. Mais elle aboutit à des décisions communautaires au sein du Conseil des ministres, notamment parce que la proposition des solutions aux difficultés communes par l'organisme européen indépendant permet d'écarter valablement l'obligation d'unanimité. Le Parlement et la Cour de justice soulignent le caractère communautaire de cet ensemble. Cette méthode est le véritable fédérateur de l'Europe ». Cela se perçoit très bien lorsqu'on mesure tous les effets induits de la libre circulation d'abord, des marchandises, puis par la suite des personnes, mais aussi des capitaux et des services.

La démarche communautaire repose aussi sur une conception économique libérale mais tempérée. Cette conception sera celle de la Communauté économique européenne. L'économie de marché est préférée à l'économie administrée, mais avec un libéralisme régulé. La concurrence doit être réalisée dans de bonnes conditions. Cette démarche de l'intégration européenne n'est imaginable qu'entre des États démocratiques partageant les mêmes valeurs et respectant les mêmes droits fondamentaux de la personne.

40 Cette logique de l'intégration communautaire va primer de 1950 jusqu'au traité de Maastricht de 1992. En effet, à partir de ce dernier traité, on assiste à une combinaison de la logique d'intégration et de la logique de la coopération intergouvernementale pour confectionner l'Union européenne.

À partir de cette philosophie de base partagée par les six États fondateurs (Allemagne, Belgique, France, Italie, Pays-Bas et Luxembourg), trois Communautés européennes sont créées : la Communauté Européenne du Charbon et de l'Acier (CECA), la Communauté Économique Européenne (CEE) et la Communauté Européenne de l'Énergie Atomique (CEEA).

## 2. Le Traité de la Communauté Européenne du Charbon et de l'Acier (CECA)

41 La proposition française, faite au travers de la déclaration Schuman de 1950, est bien accueillie d'abord par l'Allemagne. En effet, elle manifeste une véritable rupture avec l'attitude traditionnelle de méfiance de la France à l'égard de ce pays après un conflit armé. L'accord se fait à la fois sur l'objectif et sur la méthode. Le Chancelier Adenauer parle du « geste magnanime de la France à l'égard de l'Allemagne ». De leur côté, la Belgique, les Pays-Bas et le Luxembourg sont très favorables à cette proposition. L'Italie, en la personne de De Gasperi, président du Conseil, est aussi très réceptif à cette proposition, car il y voit un moyen de remettre son pays sur la voie démocratique. Le fait que ces personnalités soient toutes démocrates-chrétiennes, n'est pas sans influence sur le climat européen de l'époque.

La Grande-Bretagne est opposée à ce processus. En effet, à cette époque les travaillistes voient, dans ce projet européen, un risque de remise en cause de la souveraineté britannique, mais aussi de leur orientation politique qui les pousse, à cette époque, à nationaliser le charbon et l'acier. Ils sont donc opposés à ce type de supranationalité.

42 Cette orientation française est en résonance avec la politique américaine du moment qui souhaite que les Européens se redressent collectivement dans le cadre d'une coopération organisée avec les États-Unis. En effet, le plan Marshall, proposé par le secrétaire d'État américain lors de son discours à l'Université d'Harvard, le 5 juin 1947, supposait une gestion en commun de l'aide américaine à la reconstruction. Ce projet rencontre au contraire une franche hostilité de la part de l'Union soviétique qui le perçoit, au contraire, comme un risque potentiel pour elle, d'autant plus que les rapports Est-Ouest sont marqués par la guerre froide. Cette attitude soviétique, très méfiante sinon hostile à la construction communautaire, demeurera jusqu'à l'arrivée au pouvoir du Président Gorbatchev et sa proposition d'une « Europe, maison commune » du 27 novembre 1985.

43 Ce climat globalement favorable facilite le processus de négociation du traité et explique la mise en œuvre rapide de la CECA. Le traité instituant, pour 50 ans, une Communauté européenne du charbon et de l'acier est signé le 18 avril 1951 à Paris. La ratification au Parlement français partage la classe politique française, de manière durable, sur les

questions européennes. Le MRP, les socialistes et les indépendants sont favorables. Les communistes et les gaullistes sont défavorables. L'Assemblée nationale ratifie le traité le 13 décembre 1950, par 377 voix contre 233. Le traité entre en vigueur le 25 juillet 1952.

44 La Haute autorité du charbon et de l'acier est mise en place à Luxembourg le 10 août 1952. Jean Monnet en devient le premier président. En inaugurant ses fonctions, Jean Monnet considère que la CECA préfigure un État fédéral. Le marché commun du charbon et de l'acier démarre le 10 février 1953. Cette Communauté est dotée de la personnalité juridique.

Cette nouvelle Communauté dispose d'un système institutionnel complet et original dans ses fonctions. Elle doit beaucoup à l'imagination de juristes français, notamment le professeur Paul Reuter. Les organes exécutifs sont constitués par la Haute autorité du charbon et de l'acier et le Conseil des ministres. La Haute autorité, organe intégré, est dotée d'une grande autonomie de fonctionnement. Elle a pour mission de défendre l'intérêt général de la Communauté. Sa vocation est bien supranationale dans un domaine déterminé. Il s'agit d'une innovation institutionnelle majeure dans le cadre d'une organisation internationale. Elle est l'ancêtre de la Commission. Le Conseil des ministres, appelé le Conseil, est une représentation collective des intérêts des États membres. Il s'agit d'un organe de décision politique. La Communauté dispose d'un organe de nature parlementaire, l'Assemblée de la communauté. C'est le moyen de faire entendre la voix des peuples d'Europe par l'intermédiaire des délégations parlementaires des États membres. Cette Assemblé ouvre la voie au futur parlement européen. Enfin, le traité prévoit un organe juridictionnel avec la Cour de justice de la Communauté. Cette Cour a la charge de vérifier si les États respectent convenablement les exigences européennes.

45 Au-delà des institutions, le traité donne à la CECA les moyens juridiques et matériels de fonctionner. Il s'agit pour cette Communauté de rechercher l'harmonisation des législations et de définir des politiques communes pour le charbon, l'acier et la sidérurgie. « Première communauté européenne, la CECA prépare les développements ultérieurs de la construction de l'Europe. Elle a fourni le cadre concret de la réconciliation franco-allemande, où, en dépit de vives oppositions d'intérêts, s'est formé l'esprit communautaire et se sont rodés les mécanismes institu-

tionnels. Elle a habitué à l'idée d'une autorité européenne à laquelle administrations nationales, entreprises et syndicats se sont accoutumés à collaborer » (Pierre Gerbet, *La construction de l'Europe*, Imprimerie nationale, 1994, p. 120).

### 3. Les Traités de la Communauté Économique Européenne et la Communauté Européenne de l'Énergie Atomique (CEE et CEEA)

46 Après l'échec du projet prématuré de la Communauté Européenne de la Défense (CED), en 1954 et donc de la Communauté politique européenne (CPE), une démarche plus pragmatique est retrouvée, encore à l'initiative de Jean Monnet autour de l'économie. Il suggère une relance de la construction européenne. Il le fait de manière spectaculaire lors d'une réunion extraordinaire de la Haute autorité du charbon et de l'acier qu'il préside, en indiquant qu'il ne souhaite pas demander le renouvellement de son mandat: « afin de pouvoir participer, dans une entière liberté d'action et de parole, à la réalisation de l'unité européenne. Ce qui est en voie de réussir pour le charbon et l'acier des six membres de notre Communauté, il faut le poursuivre jusqu'à son aboutissement: les États-Unis d'Europe... Nos pays sont devenus trop petits pour le monde actuel, à l'échelle des moyens techniques modernes, à la mesure de l'Amérique et de la Russie d'aujourd'hui, de la Chine et de l'Inde de demain. L'unité des peuples européens réunis dans les États-Unis d'Europe est le moyen de relever leur niveau de vie et de maintenir la paix. Elle est le grand espoir et la chance de notre époque. Si nous y travaillons sans retard et sans délai, elle est la réalité de demain ». Il crée le 13 octobre 1955 le Comité d'action pour les États-Unis d'Europe afin de mieux convaincre les responsables politiques européens de la nécessité du processus d'intégration de l'Europe.

47 La conférence de Messine du 1er au 3 juin 1955 marque une étape décisive dans la relance de la construction européenne. Elle permet aux États de tracer les lignes d'une nouvelle démarche d'intégration en l'élargissant à d'autres préoccupations que le charbon et l'acier. À l'issue de cette importante conférence, une résolution est adoptée qui montre la volonté des États: « les six gouvernements croient le moment venu de franchir une nouvelle étape dans la voie de la construction européenne. Ils sont d'avis que celle-ci doit être réalisée tout d'abord dans le domaine

économique. Ils estiment qu'il faut poursuivre le développement d'une Europe unie par le développement d'institutions communes, la fusion progressive des économies nationales, la création d'un Marché commun et l'harmonisation progressives de leurs politiques sociales. Une telle politique leur paraît indispensable pour maintenir l'Europe à la place qu'elle occupe dans le monde, pour lui rendre son influence et son rayonnement, et pour augmenter le niveau de vie de la population ».

48 Malgré ce consensus apparent, les États ont des préoccupations distinctes. L'Allemagne se soucie surtout d'un marché commun c'est-à-dire d'une intégration économique complète notamment dans le domaine industriel. La France tient à son approche par secteurs comme l'énergie atomique, l'électricité, le gaz, les transports, mais aussi évidemment essentiellement l'agriculture. Les pays du BENELUX se soucient du développement et de la libéralisation des échanges commerciaux. Après Messine, une nouvelle méthode de travail est adoptée pour aplanir les différents entre les États. Un comité intergouvernemental présidé par une personnalité politique et assisté d'experts est mis en place. Il est confié à Paul-Henri Spaak, ministre des Affaires étrangères de Belgique. Ce comité se réunit au château de Val Duchesse à Bruxelles. Il établit un rapport, le 21 avril 1956, resté sous le nom de « rapport Spaak ». Il préconise, d'une part une intégration dans le secteur de l'énergie atomique, d'autre part une union douanière avec un tarif extérieur commun permettant d'aboutir à terme à une intégration économique, donc à un Marché commun. La conférence de Venise des 29 et 30 mai 1956 adopte la stratégie proposée par le rapport Spaak. Un nouveau comité intergouvernemental est mis en place, toujours sous la présidence Spaak afin de rédiger deux traités, l'un établissant un marché commun général et l'autre une communauté pour l'énergie atomique.

49 De son côté le Royaume-Uni, invité à participer à cette démarche, s'est rapidement retiré des négociations. Il ne partage toujours pas cette intégration européenne. Il reste plus intéressé par une orientation libre-échangiste et préfère rester observateur. Les positions initiales des États marquent pour longtemps la construction européenne. Au contraire, les États-Unis soutiennent très fortement, mais de manière discrète sur le plan diplomatique, cette relance de la construction européenne. Ils sont en même temps très attentifs sur la question du nucléaire, même civil.

50 Les traités instituant la Communauté Économique Européenne (CEE) et la Communauté Européenne de l'Énergie Atomique (CEEA) sont signés à Rome le 25 mars 1957, par les six États membres de la CECA. Ils entrent en vigueur le 1er janvier 1958, car les procédures de ratification se déroulent relativement rapidement et avec succès dans les six États membres.

51 Lors des négociations des traités, la France insiste sur plusieurs points essentiels pour elle : la question des charges sociales et de leur harmonisation ; la politique agricole ; l'association des territoires d'outre-mer ; la répartition des compétences entre les institutions. L'apport des Français se concrétise aussi sur le plan juridique. « Paul Reuter et Georges Vedel, soutenus très fortement par Maurice Faure, vont contribuer à poser le principe de la norme communautaire et de son applicabilité directe, malgré les mises en garde des juristes du ministère des Affaires étrangères. » (Henri Oberdorff, « L'apport du Doyen Vedel à l'Europe », *RDP*, 2003, p. 33). Pour la ratification par la France, il y a un accord du gouvernement de Guy Mollet sur le dossier européen qui mène une campagne d'information auprès des représentants syndicaux et patronaux, mais aussi des parlementaires. En même temps, on constate une relative indifférence à ce sujet moins polémique et sensible que celui de la défense. On peut d'ailleurs se demander si notre pays a bien mesuré, à cette époque, les conséquences de la Communauté Économique Européenne. On a pu parler de « la technique de l'écran de fumée avec le traité Euratom ». L'Assemblée nationale approuve et ratifie des deux traités par 342 voix pour (les socialistes, l'UDSR, une partie des radicaux, le MRP, la droite modérée) et 249 voix contre (les gaullistes, les communistes, les poujadistes et une partie des radicaux emmenés par Pierre Mendès France).

52 Le système institutionnel mis en place présente de nombreuses innovations, comme son système juridique. Nous examinerons ces questions dans les chapitres 2 et 3. Il existe à partir de ce moment, trois Communautés, chacune ayant ses propres institutions, donc par exemple deux commissions (CEE, CEEA) et une haute autorité (CECA). La méthode communautaire est généralisée avec ses attributs pour l'intégration. « Le Traité de la Communauté économique européenne signé, comme celui d'Euratom, sans limitation de durée, ni possibilité de retrait, possédait un potentiel économique et politique extrêmement fort » (Pierre Gerbet,

déjà cité, p. 195). Cette finalité politique, il est vrai n'apparaît directement que dans le préambule du traité : « Déterminés à établir les fondements d'une union sans cesse plus étroite entre les peuples européens ». Lors de la mise en place des institutions, les trois grands États souhaitent chacun une présidence. Ainsi, la France obtient la présidence de la Commission de la CEEA avec Louis Armand d'abord, Étienne Hirsch ensuite, l'Allemagne celle de la CEE avec le professeur Hallstein, l'Italie celle de la Haute autorité avec Piero Malvetiti. Les sièges des institutions sont répartis entre Bruxelles pour la CEE et l'Euratom, Luxembourg pour la Cour de justice des Communautés européennes et Strasbourg pour l'Assemblée.

53 Ensuite, par strates successives, des modifications sont intervenues pour moderniser le dispositif initial sans le remettre en cause de manière fondamentale avec notamment : le traité dit de fusion des exécutifs de 1965 ; l'élection au suffrage universel des membres du Parlement européen (acte de 1976) ; les multiples accords sur les finances communautaires ; les traités d'adhésion de nouveaux États ; l'Acte unique européen de 1986. À compter de 1992, une nouvelle démarche complète celle de l'intégration communautaire, la coopération intergouvernementale très présente dans le traité de Maastricht sur l'Union européenne. À partir de là, la méthode de l'intégration n'est plus la seule stratégie à l'œuvre. Néanmoins, elle demeure aujourd'hui encore la plus novatrice et la plus performante pour la construction communautaire. Les traités d'Amsterdam et de Nice poursuivent dans la même voie, en combinant les deux logiques.

## II. La construction de l'Union européenne

54 Les Communautés européennes ont permis une intégration économique avec ses institutions, son droit et ses politiques communes. La préoccupation politique qui était l'un des objectifs initiaux de la construction européenne, a longtemps cédé le pas à de plus modestes orientations économiques. Il faut attendre la création de l'Union européenne en 1992 pour qu'une relance politique souffle sur la construction européenne et complète l'intégration économique. Mais le chemin a été très long. De nombreux projets ont été successivement imaginés ou engagés sans aboutir. Aujourd'hui, d'autres étapes sont envisagées avec le projet de Constitution européenne proposée par la Convention sur l'avenir de l'Europe.

On assiste à l'avènement progressif, mais réel d'une démocratie à l'échelle de l'Union européenne.

## A. L'avènement de l'Union européenne

55 L'Union européenne est en vertu de l'article 1$^{er}$ du traité qui l'instaure : « une nouvelle étape dans le processus créant une union sans cesse plus étroite entre les peuples d'Europe, dans laquelle les décisions sont prises dans le plus grand respect possible du principe d'ouverture et le plus près possible des citoyens. L'Union est fondée sur les Communautés européennes complétées par les politiques et forme de coopération instaurées par le présent traité. Elle a pour mission d'organiser de façon cohérente et solidaire les relations entre les États membres et entre leurs peuples ».

L'Union européenne issue du Traité de Maastricht de 1992 est une démarche politique qui coiffe le processus d'intégration européenne. Elle combine la stratégie de l'intégration et celle de la coopération. Elle réalise un compromis historique ente plusieurs visions du devenir de la construction communautaire, notamment pour éviter de laisser de coté les États les moins enthousiastes pour l'intégration. Les pères fondateurs avaient imaginé les traités initiaux comme des moyens fonctionnels et pragmatiques pour atteindre un objectif final, une fédération européenne. Leurs successeurs ont eu du mal à l'atteindre, même s'ils ont largement accru la dimension communautaire de l'Europe et développé aussi sa dimension de coopération intergouvernementale. Ils ont imaginé de nombreuses solutions et élaboré de nombreux projets d'union politique européenne. À chaque fois, des objectifs étaient définis, mais le manque de conviction ou de volonté politique des États membres, ou de leur gouvernement, n'ont pas permis la transformation des tentatives.

Les traités sur l'Union européenne de 1992 et d'Amsterdam de 1997 ont amené de nouvelles orientations. Ils accélèrent la construction communautaire par de nouveaux transferts de compétences. Ils permettent un renforcement de la coopération sans proposer de construire une fédération européenne. Ces résultats de compromis, toujours incontournables, amènent à s'interroger sur l'opportunité, à terme, du fédéralisme européen surtout au moment où de nouveaux élargissements se réalisent.

De nouveaux concepts sont recherchés pour tenter de mieux qualifier et organiser la démarche européenne actuelle. Le concept le plus fréquemment évoqué est celui de fédération d'États-Nations ou de fédération d'États. Ce concept, un peu étrange sur le plan juridique, est à l'évidence lui-même un combiné de plusieurs notions essentielles. L'Union européenne ne ressemble effectivement pas aux fédérations existantes dans la mesure où elle reste très respectueuse « de l'identité nationale de ses États membres » (article 6 du TUE). Et pourtant, un principe fédéral sans un État fédéral est en action dans la construction européenne d'aujourd'hui.

Il est important de se souvenir des grandes étapes qui ont conduit à la création en 1992 de l'Union européenne.

## 1. Les prémisses de l'Union : les projets d'Union politique européenne

56  La quête de l'Union politique européenne est une constante de l'histoire de la construction européenne. Elle a emprunté de multiples voies pour progresser. Il s'agit d'évoquer ici certains de ces projets ou de ces propositions. Cette quête est marquée par une succession d'échecs et de réussites. Mais cet ensemble de projets a néanmoins préparé, au moins dans les idées, l'avènement de l'Union européenne.

### a) La Communauté européenne de la défense de 1952 et la Communauté (politique) européenne de 1953

57  Le 24 octobre 1950, la France fait une proposition originale, qualifiée de « Plan Pleven », pour la création d'une armée européenne intégrée et placée sous commandement commun. Cette initiative constitue une réponse française aux souhaits américains de disposer d'une solidarité européenne dans la guerre de Corée, y compris avec un réarmement allemand. Cette future Communauté de la défense est jugée comme la meilleure expression de cette solidarité. Pour la France, cette proposition est un moyen de répondre aux vœux américains tout en permettant de contrôler l'éventuel réarmement allemand très redouté.

Cette proposition aboutit à la négociation d'un traité instituant une Communauté européenne de la défense. Ce traité est négocié de 1950 à 1952. Il est signé le 27 mai 1952 entre les six États membres de la CECA. Il applique au domaine militaire les principes de la Déclaration

Schuman: la valorisation d'un intérêt commun aux futurs États membres donc l'intégration fonctionnelle dans un nouveau secteur sur le même modèle que pour le charbon et l'acier; le recours à des institutions de type pré-fédéral. Le traité prévoit des institutions spécifiques avec un Commissariat européen à la défense, un Conseil des ministres de la défense, et surtout un état-major intégré pour l'armée européenne. À partir de ce traité, un projet de statut d'une Communauté (politique) européenne est imaginé avec un Parlement composé de deux chambres (Chambre des peuples et Sénat), un Conseil exécutif européen, un Conseil des ministres nationaux et une Cour de justice. Il est adopté par les députés européens le 9 mars 1953. On peut alors voir se dessiner un ensemble fédéral avec trois dimensions: la dimension économique avec la CECA, la dimension militaire avec la CED et la dimension politique avec la CPE.

58 Ce bel édifice ne sera qu'un château de cartes essentiellement à cause de la France. En effet, si la ratification de la CED est intervenue dans les 5 autres États, il manquera celle de la France. Si l'initiative est bien française, la classe politique reste très divisée sur cette nouvelle Communauté. Elle montre peu d'empressement pour la ratification du traité. Il est vrai que la France a d'autres préoccupations à cette époque avec la guerre d'Indochine. L'opposition politique à ce projet est surtout le fait des gaullistes et des communistes. Le général De Gaulle est très opposé aux démarches supranationales. Il le proclame dans une déclaration restée célèbre: « Pêle-mêle avec l'Allemagne et l'Italie vaincues, la France doit verser ses hommes, ses armes, son argent, dans un mélange apatride. Cet abaissement lui est infligé au nom de l'égalité des droits pour que l'Allemagne soit réputée n'avoir pas d'armée en refaisant ses forces militaires. Bien entendu, la France, entre toutes les grandes nations qui ont aujourd'hui une armée, est la seule qui perde la sienne » (déclaration de 1952). Les communistes ne veulent pas du réarmement allemand qui est perçu par eux comme un danger pour l'URSS.

Le projet a les faveurs des forces politiques suivantes: le MRP, une grande partie des radicaux et des indépendants, de nombreux socialistes. Un débat est programmé, pour l'été 1954, à la demande de Pierre Mendès France, Président du Conseil. Le 30 août 1954, une motion préalable opposée au débat est adoptée par 319 voix pour la motion contre 264 voix. Ainsi, l'Assemblée nationale refuse de débattre de ce sujet. La

France, à l'origine de ce traité de la CED, est aussi à celui de son échec par le refus d'aller vers la ratification. Ce refus français entraîne l'abandon de cette marche un peu forcée vers une fédération européenne et le retour à une stratégie plus pragmatique passant par l'économie et le nucléaire avec les futures CEE et CEEA. C'est une belle occasion manquée. Mais le concept de défense commune était peut-être trop en avance sur son temps.

### b) Les Plans Fouchet de 1961 et 1962

59 Contrairement aux craintes de nos partenaires, le général De Gaulle honore la ratification par la France des Traités CEE et CEEA, même s'il n'est pas très favorable à une Europe de l'intégration. Néanmoins, il croit beaucoup plus aux Nations, aux États qu'aux systèmes fédéraux qui, à ses yeux, leur font perdre leur souveraineté ou leur âme. Il souhaite donc que l'Europe s'organise sur le plan politique non pas selon une stratégie fédérale ou supranationale, mais sur le fondement d'une Europe des États, avec une coopération politique étroite des gouvernements et des États souverains.

Il déclare ainsi en 1960 : « Construire l'Europe, c'est-à-dire l'unir, c'est évidemment quelque chose d'essentiel. Il est banal de le dire, pourquoi faudrait-il que ce grand foyer de civilisation, de force, de la raison et la prospérité, étouffe sous sa propre cendre ? Seulement, dans un pareil domaine, il faut procéder non pas d'après des rêves, mais d'après des réalités. Or quelles sont les réalités de l'Europe ? Quels sont les piliers sur lesquels on peut la bâtir ? En vérité, se sont les États qui sont, certes, très différents les uns des autres, qui ont chacun son âme à soi, son histoire à soi et sa langue, ses malheurs, ses gloires, ses ambitions à soi, mais des États qui sont les seules entités qui aient le droit d'ordonner et l'autorité pour agir. Se figurer qu'on peut bâtir quelque chose qui soit efficace pour l'action et qui soit approuvé par les peuples en dehors et au-dessus des États, c'est une chimère » (Conférence de presse du 5 septembre 1960).

Un sommet des six est réuni à Paris les 10 et 11 février 1961 pour discuter du projet français. Une commission d'expert, présidé par Christian Fouchet, est chargée de faire des propositions concrètes à partir de cette orientation générale. Cela donne naissance au premier Plan Fouchet 19 octobre 1961 sous la forme d'un projet de traité établissant « une

Union des États, fondée sur le respect de la personnalité des peuples et des États membres, l'égalité des droits et des obligations » (article 1er du projet de traité). Cette Union vise à développer une politique étrangère commune, une politique de défense commune et une coopération dans les domaines scientifique et culturel. Elle repose sur trois grandes institutions : un Conseil organe suprême composé des chefs d'État ou de gouvernement chargé d'adopter les décisions nécessaires à la réalisation des buts de l'Union ; une assemblée parlementaire pour délibérer des matières se rapportant à l'Union ; une commission politique européenne, composée de hauts fonctionnaires des administrations des Affaires étrangères, chargée de préparer et d'exécuter les délibérations du Conseil. Cette nouvelle démarche ouvre une voie intéressante vers une Union politique dans le cadre d'une étroite coopération entre les États, complémentaire des traités déjà à l'œuvre. Certains de nos partenaires voient même une avancée vers un futur fédéralisme. Cette interprétation est peut-être l'explication essentielle de la volte face du Président français qui n'apporte pas vraiment son soutien à ce premier Plan Fouchet de 1961.

60 Pour éviter un malentendu entre les États, un deuxième Plan est proposé par la France, à l'initiative étroite du général De Gaulle, Plan Fouchet II du 18 janvier 1962. Ce nouveau Plan est plus modeste et plus en retrait. Les objectifs sont nettement plus dans la coopération et la coordination et beaucoup moins vers la mise en place de politiques communes. Un contre projet est proposé par les autres États. On s'achemine vers un échec compte tenu de l'éloignement des positions des États. C'est encore plus évident lors de la conférence de presse du Président français le 15 mai 1962 : « Il n'y a que les États qui soient valables, légitimes, et en outre soient capables de réaliser. Je répète qu'à l'heure qu'il est, il n'y a et ne peut y avoir d'autre Europe possible que celle des États, en dehors naturellement des mythes, des fictions, des parades… ». La France du général De Gaulle rejette donc toute forme de supranationalité. Cette deuxième démarche de simple coopération n'intéresse que modérément nos partenaires surtout lorsqu'ils constatent que la France attache une importance plus grande à la forme très classique de la coopération avec le traité franco-allemand de 1963.

L'échec et les ambiguïtés des Plans Fouchet montrent la difficulté de trouver une voie acceptable par tous les États membres des Communautés vers une Union politique européenne. Il faudra d'ailleurs attendre le départ du général De Gaulle pour que cette question soit à nouveau à l'ordre du jour.

### c) Le rapport Davignon de 1970 et la déclaration sur l'identité européenne de 1973

61 Le président Pompidou est plus favorable à la construction européenne que son prédécesseur, y compris dans sa dimension communautaire. Il souhaite que la France participe à la relance politique de l'Europe lors du sommet de La Haye de 1969 dont le communiqué final évoque : « Mesurant le chemin parcouru et constatant que jamais peut-être, des États indépendants n'ont poussé plus loin leur coopération, ils sont unanimes à considérer qu'en raison même des progrès réalisés, la Communauté est aujourd'hui parvenue à un tournant de son histoire... Entrer dans la phase définitive du Marché commun, ce n'est pas seulement, en effet, consacrer le caractère irréversible de l'œuvre accomplie par les Communautés, c'est aussi préparer les voies d'une Europe Unie, en mesure d'assumer ses responsabilités dans le monde de demain et d'apporter une contribution répondant à sa tradition et à sa mission » (extrait du communiqué publié à l'issue de la conférence des chefs d'État ou de gouvernement des six, le 2 décembre 1969).

À l'issue de ce sommet, une mission est confiée, par les six ministres des affaires étrangères, à une commission de hauts fonctionnaires nationaux sous la présidence d'Étienne Davignon de préparer un projet d'accord sur une union politique. Ce rapport sur les problèmes de l'unification politique, dénommé « Rapport Davignon », est adopté par les ministres des affaires étrangères le 27 octobre 1970. Ce rapport définit plus précisément la nature de cette construction européenne, ensuite les voies et moyens pour parvenir à une unification politique. Il est modeste dans ses propositions, mais constitue néanmoins une nouvelle étape prometteuse. « L'Europe unie doit se fonder sur un patrimoine commun de respect de la liberté et des droits de l'homme et rassembler des États démocratiques dotés d'un parlement librement élu. Cette Europe unie demeure le but fondamental qui devra être atteint aussitôt que possible, grâce à la volonté des peuples et aux décisions de leurs gouvernements » (extrait du rapport). Une coopération en matière de politique étrangère doit être organisée pour arriver à cette unification politique. Elle exige

des réunions ministérielles régulières pour assurer l'échange d'information, les consultations, l'harmonisation des points de vue et la concertation des attitudes. Le rapport prévoit aussi un comité politique composé des directeurs des affaires politiques des ministères des affaires
étrangères des États membres. Si cette démarche ne permet pas alors
de dégager une politique étrangère commune, elle crée de nouvelles habitudes de concertation et d'échanges. Des positions communes commencent
à se dégager sur de grands sujets, par exemple sur les questions touchant au Moyen-Orient, comme le problème palestinien.

Ainsi, par la suite, de sommet en sommet, la question de l'unification politique de l'Europe va progresser lentement par phases successives. « L'heure est venue pour l'Europe de prendre une claire conscience
de l'unité de ses intérêts, de l'ampleur de ses capacités et de l'importance de ses devoirs. L'Europe doit être capable de faire entendre sa
voix dans les affaires mondiales et de fournir une contribution originale
à la mesure de ses ressources humaines, intellectuelles et matérielles et
d'affirmer ses propres conceptions dans les rapports internationaux, conformément à sa vocation d'ouverture, de progrès, de paix et de coopération » (extrait de la déclaration de la conférence au sommet de Paris du
21 octobre 1972).

62  Une autre étape est franchie avec la déclaration sur l'identité européenne,
adoptée par les neufs chefs d'État ou de gouvernement à Copenhague
le 14 décembre 1973. La recherche d'une définition de cette identité doit
contribuer à renforcer la cohésion politique de la construction d'une
Europe Unie. « L'approche d'une définition de l'identité européenne revient:
à recenser l'héritage commun, les intérêts propres, les obligations particulières des Neuf et l'état du processus d'unification dans la Communauté ; à s'interroger sur le degré de cohésion déjà atteint vis-à-vis du
reste du monde et les responsabilités qui en découlent; à prendre en
considération le caractère dynamique de la construction européenne ».
« L'Europe des Neuf est consciente des devoirs internationaux que lui
impose son unification. Celle-ci n'est dirigée contre personne ni inspirée par une quelconque volonté de puissance. Au contraire, les Neuf
sont convaincus que leur union sera bénéfique pour la communauté
internationale toute entière, en constituant un élément d'équilibre et un
pôle de coopération avec toutes les nations quels que soient leur dimension, leur culture et leur système social. Ils entendent jouer un rôle actif

dans les affaires mondiales et contribuer ainsi, dans le respect des buts et des principes de la Charte de Nations Unies, à ce que l'indépendance et l'égalité des États soient mieux préservées, la prospérité mieux partagée et la sécurité de chacun mieux assurée. Cette volonté doit conduire progressivement les Neuf à définir des positions communes dans le domaine de la politique étrangère » (extraits de la déclaration). On peut dire qu'il s'agit d'un rapport de plus, mais en même temps il précise les contours et la nature de l'Europe en construction, ainsi que son approche de plusieurs grandes questions internationales du moment.

### d) Le rapport Tindemans sur l'Union européenne de 1975 et la déclaration solennelle sur l'Union européenne de 1983

63 Après le sommet de Paris de décembre 1974, les chefs d'État ou de gouvernement confient au Premier ministre belge M. Léo Tindemans la mission d'établir un rapport sur l'évolution des institutions européennes dans un contexte politique très favorable. En effet, le sommet a été une réussite. Il a, entre autres à son actif, l'accord donnant naissance au Conseil européen et la décision de procéder à l'élection au suffrage universel des membres du Parlement européen. Le nouveau Président français, Valéry Giscard d'Estaing, y a joué un rôle très actif.

Le rapport sur l'Union européenne dit « Rapport Tindemans » du 29 décembre 1975 n'est pas seulement une déclaration d'intention et de définition sur l'identité européenne. Il regroupe des propositions plus concrètes sur le renforcement des institutions dans la perspective d'une Union politique de l'Europe en l'engageant dans la voie d'un certain fédéralisme. Une vision commune de l'Europe est imaginée : « L'Union européenne implique que nous nous présentions unis au monde extérieur. Notre action doit devenir commune dans tous les domaines essentiels de nos relations externes, qu'il s'agisse de politique étrangère, de sécurité, de relations économiques, de coopération... » (extraits du rapport Tindemans). Ce rapport suggère un renforcement significatif des institutions par une « valorisation du rôle du Conseil européen et du Parlement, la généralisation des mécanismes majoritaires et la coordination des activités du Conseil, l'accroissement de l'influence et de la cohésion de la Commission et la délégation du pouvoir d'exécution ». Ce rapport ne sera pas vraiment suivi d'effet.

64 Le Conseil européen de Stuttgart de 1983 adopte une déclaration solennelle sur l'Union européenne qui affirme que « les chefs d'État et de gouvernement confirment leur engagement de progresser dans la voie d'une union toujours plus étroite entre les peuples et les États membres de la Communauté européenne, en se fondant sur la conscience d'une communauté de destin et sur la volonté d'affirmer l'identité européenne ». Il s'agit encore une fois de renforcer la coopération politique européenne, notamment dans le domaine de la politique étrangère. Cette déclaration d'intention reste d'un effet modeste sur le plan des institutions, mais fait progresser les idées et les stratégies à concevoir. L'acte unique européen de 1986 va largement s'inspirer de cette déclaration.

### e) Les projets de constitution européenne de 1984 et de 1994

65 Les projets de constitution au sens formel du terme n'ont pas manqué dans l'histoire de la construction de l'Europe. Il s'agit de projets du Parlement européen qui ne se satisfait pas forcément des seuls traités communautaires. Élaborés au sein de la commission institutionnelle du Parlement, ces projets proposent un système constitutionnel pour l'avenir de l'Union européenne. Ils présentent une certaine vision de l'Europe.

C'est le cas du projet de traité instituant une Union européenne élaboré sous l'impulsion du fédéraliste italien Altiero Spinelli, dans le cadre de la commission institutionnelle du Parlement européen. Ce projet est adopté par le Parlement européen le 14 février 1984, par 237 voix contre 31 et 43 abstentions, sur un total de 434 députés. Le dispositif institutionnel prévu est complet avec l'organisation de l'Union européenne autour du dispositif suivant : une présidence de l'Union par le Conseil européen, le gouvernement de l'Union par le Conseil de l'Union et la Commission, le parlement de l'Union par le Parlement européen, une justice de l'Union avec la Cour de justice et une administration de l'Union. Ce projet propose une répartition des compétences entre les affaires de l'Union et celles des États et un ordre juridique de l'Union supérieur à celui des États. Afin de surmonter les réticences des gouvernements, le projet prévoit que les parlements nationaux doivent être saisis directement pour la ratification du traité. Mais, ce projet est encore en avance sur son temps. En plus, le Parlement européen ne peut pas être considéré comme une assemblée constituante dont la légitimité serait admise par les peuples et par les États. Il manque encore une volonté politique suffisante chez les gouvernants des États membres des Communautés européennes. Les États ne suivent pas cette initiative parlementaire.

66 Dix ans après, un nouveau projet de constitution européenne est envisagé, en 1994, toujours à l'initiative des parlementaires européens. Ce projet met en forme constitutionnelle et juridique l'Union européenne dans le cadre d'un fédéralisme décentralisé sans proposer la création d'un État fédéral. Il a le même insuccès auprès des États que le précédent. On voit bien encore une fois, d'une part, la difficulté de donner une forme juridique appropriée au projet politique européen, d'autre part que le Parlement européen n'est considéré comme une assemblée constituante légitime par les États membres.

Mais en même temps, on peut comprendre qu'une Constitution, au sens classique du terme, ne peut être que l'aboutissement d'un processus politique voulu par un (des) peuple(s) ou par un (des) État(s), sinon ces projets de constitutions ne sont que des documents sans légitimité. Quelques années plus tard, la démarche décidée par les États membres de demander à une Convention pour l'avenir de l'Europe de proposer une Constitution, c'est-à-dire un traité en forme de Constitution, est peut-être, de ce point de vue-là, plus réaliste et donc plus à même de réussir.

## 2. L'Acte unique européen de 1986

67 La première modification significative des traités initiaux est le fait de l'Acte unique européen de 1986. Le président Mitterrand utilise la présidence française pour redonner un certain souffle à l'Europe qui lui semble devenu « un chantier abandonné » (intervention à La Haye le 7 février 1984). Devant le Parlement européen, il indique, le 24 mai 1984, son inclinaison politique pour la révision des traités : « un traité nouveau ne saurait se substituer aux traités existants qui devraient demeurer tels quels, mais les prolonger dans les domaines qui leur échappent, comme l'éducation, la santé, la justice, la sécurité ou la lutte contre le terrorisme ». En 1984, au Conseil européen de Fontainebleau, il contribue à désembourber l'Europe de la question de la réévaluation de la contribution britannique, il est vrai avec un allier de poids l'Allemagne. Il forme lui aussi un nouveau couple franco-allemand avec le chancelier Helmut Kohl dont l'image des deux hommes d'État main dans la main

à Verdun le 22 septembre 1984 restera l'une des plus émouvantes de notre histoire commune. La France contribue plus que d'autres aux accords de Schengen sur la question de la libre circulation des personnes et surtout à l'Acte Unique d'apparence discret, mais qui réalise un nouveau bond en avant de l'Europe.

Conçu lors du sommet de Fontainebleau du 26 juin 1984, préparé, d'une part, par une commission pour les questions institutionnelles, dit comité Dooge, au cours de l'année 1984, d'autre part, par une conférence intergouvernementale en 1985, l'Acte unique est signé en février 1986. Ce chantier est largement influencé par Jacques Delors, président de la Commission européenne qui considère que la réalisation d'un véritable marché unique constitue le meilleur moyen de relancer la Communauté. L'Acte unique est « son traité favori » (voir Jacques Delors, *Mémoires*, Plon, 2004, p. 202). Ce chantier s'appuie sur le livre blanc de la Commission sur l'achèvement du marché intérieur réalisé sous l'autorité de lord Cockfield. « L'Acte unique est ainsi nommé parce qu'il réunit dans le même instrument des dispositions relatives à la Communauté économique et à la coopération politique, préfigurant la future Union européenne qui devra couvrir l'ensemble de spectre de l'intégration et de la coopération » (Robert Toulemon, *Le mythe de 1992*, Revue Pouvoirs Europe 1993, n° 48, PUF, 1989, p. 7).

Après les ratifications par les États membres, il entre en application le 1er juillet 1987. Certains États organisent d'ailleurs des référendums comme le Danemark, le 27 février 1986 et l'Irlande, le 26 mai 1986. En France, la ratification s'opère par la procédure parlementaire classique. Une majorité très favorable se dégage, le 21 novembre 1986, à l'Assemblée nationale avec 498 voix pour et seulement 95 contre. La cohabitation politique de l'époque n'a pas vraiment d'effet négatif sur la politique européenne de la France, même si Michel Debré évoque, de manière solennelle, les contradictions de l'Acte unique avec la constitution, compte tenu des transferts de souveraineté qu'il dénonce.

68 L'Acte unique apporte donc des modifications aux traités de Rome et organise, dans un texte particulier, de nouvelles possibilités de coopération politique entre les États membres. L'apport essentiel de l'Acte unique est le cap qu'il fixe pour l'achèvement du grand marché intérieur à l'horizon du 31 décembre 1992 qui deviendra pour l'Europe une sorte de date mythique. Tous les efforts doivent converger vers cette

échéance essentielle, notamment ceux de la Commission dont le Livre blanc prévoit près de 300 mesures nécessaires pour éliminer les différents obstacles à la libre circulation. En vertu du traité, « le marché intérieur comporte un espace sans frontières intérieures dans lequel la libre circulation des marchandises, des personnes, des capitaux et des services est assurée » (article 14 TCE). Cet horizon de 1992 a eu un effet mobilisateur dans de nombreux États membres afin d'atteindre effectivement cet objectif.

La Communauté peut ainsi intervenir dans de nouveaux domaines. L'Europe prend, modestement il est vrai une dimension sociale puisque des directives peuvent être dorénavant adoptées pour harmoniser dans le progrès les dispositions nationales sur la protection et la santé des travailleurs et favoriser le développement de conventions collectives dans le cadre communautaire. La cohésion économique et sociale doit être recherchée pour un développement harmonieux de l'ensemble de la Communauté afin de réduire l'écart entre les niveaux de développement des diverses régions et le retard des régions les moins favorisées. Cela donne une base juridique et politique plus claire à l'utilisation des fonds à finalité structurelle. D'autres politiques européennes se voient reconnaître dans l'Acte Unique comme celle de la recherche et du développement technologique ou de l'environnement. « L'Acte unique donne aussi à la Communauté la « capacité monétaire », c'est-à-dire une base juridique nécessaire pour progresser vers l'union économique et monétaire, corollaire indispensable du grand marché intérieur » (Pierre Gerbet, déjà cité, p. 425).

Le fonctionnement des institutions est amélioré par une extension du vote à la majorité qualifiée au sein du Conseil des ministres et par une plus grande association du Parlement au processus décisionnel communautaire grâce à la procédure de coopération qui s'ajoute à celle de la consultation. L'Acte unique institutionnalise le Conseil européen dont on sait qu'il deviendra de plus en plus une forme de présidence de l'Europe. Il crée un processus de coopération européenne en matière de politique étrangère: « Les États membres s'engagent à s'informer mutuellement et à se consulter sur toute question de politique étrangère ayant un caractère général, afin d'assurer que leur influence combinée s'exerce de la manière la plus efficace par la concertation, la conférence de leurs positions et la réalisation d'actions communes ».

Quoique discret et peu médiatisé, l'Acte unique européen a beaucoup fait progresser la construction européenne. Il a tracé la voie pour la future Union européenne.

### 3. La naissance de l'Union européenne : le Traité de Maastricht de 1992

69 L'Acte unique ayant fait franchir une nouvelle étape politique à la construction communautaire, il s'agit de continuer à avancer sur la voie d'un rapprochement encore plus étroit entre les peuples européens tout en respectant la personnalité des États composant l'Europe. Pour y arriver, une démarche classique est utilisée. Le Conseil européen de Strasbourg du 9 décembre 1989 décide de convoquer, pour 1990, une conférence intergouvernementale, avec la double mission de proposer les mises en place d'une Union économique et monétaire et d'une Union politique.

70 Cette réflexion sur le devenir de la construction européenne se situe dans un contexte géopolitique très particulier. En effet, on assiste, pendant la même période successivement à la chute du mur de Berlin (9 novembre 1989), à la réunification de l'Allemagne (3 octobre 1990), à l'éclatement de la Yougoslavie (25 juin 1991) et à la fin de l'Union soviétique (25 décembre 1991). Fin novembre 1991, Roland Dumas, alors ministre des Affaires étrangères, déclare à l'Assemblée nationale, peu de temps avant le conseil européen de Maastricht : « Le traité jette les bases d'une Union européenne à vocation fédérale, elle-même épine dorsale d'une Confédération paneuropéenne encore à bâtir, qui unira douze États et 340 millions de citoyens pour faire de l'Europe la première puissance mondiale ».

71 Le Conseil européen de Maastricht des 9 et 10 décembre 1991 décide de créer l'Union européenne sans pour autant choisir une voie fédérale ou une constitution européenne. Le nouveau traité de Maastricht sur l'Union européenne est signé le 7 février 1992, il entre en application le 1er novembre 1993. Ce traité est complexe dans sa forme comme sur le fond. Il introduit de nombreuses modifications dans les traités précédents sans les refondre complètement. Il crée le concept d'Union européenne qui coiffe les Communautés existantes. La naissance de l'Union européenne n'a été rendue possible que par la combinaison savamment dosée entre la stratégie de l'intégration et la stratégie de la coopération.

« La Grande-Bretagne, ayant récusé toute référence au « processus gra-
duel menant à une Union à vocation fédérale », les douze États ont dû
se résigner au maintien d'une démarche pragmatique qui associe, une
nouvelle fois, les logiques respectives de l'intégration et de la coopération. Il en résulte un assortiment d'institutions et de processus de décision dont la cohésion sera difficile à assurer si ce n'est au sommet, au
niveau du Conseil européen » (Jean- Louis Quermonne, *Le système politique européen*, Montchrestien, 2002 p. 27).

À l'issue du sommet de Maastricht, le 13 décembre 1991, à Antenne
2, François Mitterrand déclare d'ailleurs de manière très solennelle à propos de l'accord sur l'Union européenne : « C'est l'acte le plus important
depuis le Traité de Rome. On est lancé dans une grande aventure...
Avec une monnaie unique, on dotera l'Europe d'un instrument qui lui
permettra de s'affirmer comme la première puissance du monde : première puissance commerciale c'est pratiquement déjà le cas, première
puissance industrielle, première puissance pour la recherche, première
puissance qui offrira aux jeunes des possibilités pour avoir un travail,
des métiers. Sur tous les marchés, nous serons ensemble au moins aussi
forts que le sont aujourd'hui les Américains et les Japonais ».

72 Le Président Mitterrand va œuvrer pour l'adoption de ce traité en sou-
haitant qu'il puisse être soumis aux Français par référendum compte
tenu de son importance politique dans la construction européenne. Il
est à ces yeux essentiels de lui donner un enracinement démocratique.
Dans un entretien, le 13 septembre 1992, avec des journaux européens
(*La Republica, El Pais* et *The Independant*), il confirme : « On ne peut pas
à la fois affirmer que la construction européenne souffre d'un manque
de démocratie et me reprocher de chercher à l'asseoir, pour la première
fois, sur une base démocratique incontestable... Certes il y a un risque.
Mais mesure-t-on, bien ce qu'aurait été, pour la suite des choses, le
risque inverse, celui d'une ratification sans véritable consentement populaire ? L'Europe cristallise à tort beaucoup de peurs : peur du changement, de la modernisation, de l'ouverture au monde et aux autres. C'est
un paradoxe. On projette sur l'Europe des menaces imaginaires, alors
qu'elle nous protège de risques bien réels. Avec le Traité de Maastricht,
elle nous offrira des atouts supplémentaires face aux États-Unis et au
Japon... ; des garanties renforcées face à l'instabilité du monde ; des droits
nouveaux pour nos citoyens ; l'assurance d'un meilleur fonctionnement

du marché commun des Douze. Enfin, n'oublions pas que l'Acte unique de 1985-1986, qui a justement décidé d'abolir toutes les frontières et barrières à l'Europe des douze, laisserait l'Europe sans moyens pour la défense de sa sécurité s'il n'était pas complété par les dispositions retenues à Maastricht » (voir notamment, Hubert Védrine, *Les mondes de François Mitterrand 1981-1995,* Fayard, 1996).

L'Union européenne n'est pas qualifiée selon les standards juridiques classiques du droit public. On est bien, pour reprendre la formule de Jacques Delors, face à « un objet politique non identifié ». Elle peut être l'objet de diverses interprétations. Ainsi, selon Jean-Louis Quermonne, trois lectures du Traité de Maastricht sont possibles : une lecture syncrétique, c'est-à-dire une combinaison de plusieurs logiques ou philosophies, une lecture fonctionnaliste à résonance communautaire, c'est-à-dire la logique communautaire avec son cortège d'effets induits, une lecture prospective à vocation fédérale, sans création d'un État (« Trois lectures du Traité de Maastricht, essai d'analyse comparative », *RFSP,* n° 5, 1992).

73 Cette importante innovation institutionnelle nécessite, pour être ratifiée, que plusieurs États membres modifient leurs constitutions (voir notamment Constance Grewe et Henri Oberdorff, *Les Constitutions des États de l'Union européenne,* Documentation française, 1999). Ce fut le cas de la France compte tenu de la décision du Conseil constitutionnel du 9 avril 1992 qui considère que plusieurs stipulations du traité portent atteinte aux conditions essentielles de l'exercice de la souveraineté. Le Conseil abandonne d'ailleurs à cette occasion la traditionnelle distinction entre la limitation de souveraineté et le transfert de souveraineté. Ces contradictions avec la Constitution française portent sur trois domaines : le droit de vote accordé aux Européens, la future naissance de la monnaie unique européenne et la politique européenne des visas. La Constitution est révisée le 25 juin 1992, par la création du titre XIV consacré aux Communautés et à l'Union européennes. Un référendum est organisé le 20 septembre 1992. Le oui l'emporte par 51,04 % des suffrages exprimés.

L'Irlande ratifie aussi le traité à l'issue d'un référendum positif organisé le 18 juin 1992 avec 68,70 % des suffrages exprimés pour le oui. De son côté, le Danemark a besoin de deux référendums pour ratifier le traité, d'abord un référendum négatif le 2 juin 1992, avec 50,70 %

des suffrages exprimés pour le non, ensuite un référendum positif le 18 mai 1993 avec 58,8 % des suffrages exprimés pour le oui. Les autres États membres ont procédé à une ratification par la seule voie parlementaire, souvent après une révision de leur constitution. C'est notamment le cas de l'Allemagne avec l'article 23 de la loi fondamentale : « 1.Pour l'édification d'une Europe Unie, La République fédérale d'Allemagne concourt au développement de l'Union européenne qui est attachée aux principes fédératifs, sociaux, d'état de droit et de démocratie ainsi qu'au principe de subsidiarité et qui garantit une protection des droits fondamentaux substantiellement comparable à celle de la présente loi fondamentale. À cet effet, la Fédération peut transférer des droits de souveraineté par une loi approuvée par le Bundesrat... ».

74 Avec le traité de Maastricht, on doit donc distinguer, d'un côté, l'Union européenne comme une coiffe politique de la construction européenne, sans personnalité juridique, de l'autre, les Communautés européennes fondées sur les traités initiaux modifiés, disposant de la personnalité juridique internationale. Les apports du traité sur l'Union européenne sont très importants dans de nombreux domaines, d'une part il poursuit l'intégration dans le respect de la subsidiarité, d'autre part il développe la coopération. Il innove en terme de citoyenneté européenne et de processus de décision démocratique.

De nouvelles compétences sont dévolues à la Communauté européenne qui n'est plus seulement économique, comme : l'éducation, la formation professionnelle et la jeunesse, la culture, la santé publique, la protection des consommateurs, la politique économique et monétaire. Mais l'ensemble des compétences non exclusives est placé expressément sous la logique philosophique et politique du principe de subsidiarité en vertu de l'article 5 du Traité de la Communauté européen : « Dans les domaines qui ne relèvent pas de sa compétence exclusive, la Communauté n'intervient, conformément au principe de subsidiarité, que si et dans la mesure où les objectifs de l'action envisagée ne peuvent pas être réalisés de manière suffisante par les États membres et peuvent donc, en raison des dimensions ou des effets de l'action envisagée, être mieux réalisés au niveau communautaire ». L'intégration se poursuit et s'étend donc à de nouveaux domaines.

75 Mais pour augmenter les compétences de l'Union européenne au-delà de ces domaines économiques et sociaux, il a fallu emprunter une démarche

complémentaire reposant cette fois-ci sur la logique de la coopération intergouvernementale. Cela explique le recours à la notion de piliers (ou de sous-systèmes) ayant chacun ses institutions adaptées, son mode de fonctionnement et son processus de décision. Le premier pilier est communautaire. Le deuxième pilier est consacré à la politique étrangère et de sécurité commune, le troisième à la coopération policière et judiciaire. Cette combinaison de deux philosophies est, à l'époque, le meilleur, et peut-être le seul, moyen de créer l'Union européenne. En même temps, elle présente une certaine complexité ce qui réduit l'efficacité et la lisibilité, soit des processus de décision, soit des politiques surtout lorsqu'elles sont à l'interface de l'intégration et de l'intergouvernementale, comme pour les politiques extérieures de l'Union ou pour celles de la coopération policière ou judiciaire.

Le traité de Maastricht donne donc naissance à l'Union européenne, suite logique des Communautés européennes. Mais les États membres conscients qu'il s'agit d'une étape, souhaitent poursuivre la construction européenne et prévoient à l'occasion de sa rédaction le recours à des traités complémentaires : « Le gouvernement de tout État membre, ou la Commission, peut soumettre au Conseil des projets tendant à la révision des traités sur lesquels est fondée l'Union » (article 48 TUE, ancien article N).

### 4. Le traité d'Amsterdam de 1997 et ses conséquences

76 Une nouvelle conférence intergouvernementale est réunie à compter de mars 1996 à Turin. Cette conférence a pour mission de rendre l'Union européenne plus efficace, plus démocratique et plus capable de s'élargir encore à de nouveaux États au moment même où elle vient d'accueillir trois nouveaux États membres (voir Centre européen de Sciences Po, *La conférence intergouvernementale*, Presses de Sciences Po, 1996, notamment Jean-Louis Quermonne, *La conférence intergouvernementale de 1996, Acte refondateur ou non-événement ?*). Plusieurs échéances approchent, celle de l'UEO en 1998, celle de la CECA en 2002 et celle de la monnaie unique en 2002. Cette conférence travaille dans un climat politique marqué par de faibles ambitions politiques des États membres. Elle donne naissance à un nouveau traité à l'issue du processus classique des réunions du Conseil européen. Le traité d'Amsterdam est conclu en juin 1997. Il est signé en octobre 1997. Il entre en vigueur le 1ᵉʳ mai 1999. Là encore, ce

traité a nécessité, pour la France, une nouvelle révision de la Constitution compte tenu de la décision du Conseil constitutionnel du 31 décembre 1997.

Ce nouveau traité ne règle évidemment pas toutes les questions pendantes, il apporte des modifications utiles pour les compétences européennes, les procédures et les institutions. Il précise à l'article 6, alinéa 1 (ancien article F TUE) les principes fondamentaux qui fondent l'Union européenne : « l'Union est fondée sur les principes de la liberté, de la démocratie, du respect des droits de l'homme et des libertés fondamentales, ainsi que de l'État de droit, principes qui sont communs aux États membres ». Il précise le mécanisme de contrôle réciproque entre les États membres en cas de violation grave et manifeste par l'un d'entre eux de ces principes fondamentaux, pouvant aller jusqu'à la privation du droit de vote au Conseil pour l'État concerné. Le traité ouvre ou renforce de nouveaux champs de compétence pour la politique de l'emploi, dans le domaine de l'environnement et de la santé publique. La notion de service d'intérêt économique général est valorisée par un nouvel article 16 (TCE) : « Sans préjudice des articles 73, 86 et 87, et eu égard à la place qu'occupent les services d'intérêt économique général parmi les valeurs communes de l'Union ainsi qu'au rôle qu'ils jouent dans la promotion de la cohésion sociale et territoriale de l'Union, la Communauté et ses États membres, chacun dans les limites de leurs compétences respectives et dans les limites du champ d'application du présent traité, veillent à ce que ces services fonctionnent sur la base de principes et dans des conditions qui leur permettent d'accomplir leurs missions ».

77 C'est le traité d'Amsterdam qui donne naissance au concept « d'espace de liberté, de sécurité et de justice » en se préoccupant des conditions concrètes de la libre circulation des personnes en terme de visa, d'asile, d'immigration. Cela se traduit, d'une part, au travers d'une communautarisation d'un ensemble de mesures figurant auparavant dans le troisième pilier, d'autre part, dans le renforcement des dispositions relevant de la coopération policière et judiciaire en matière pénale qui demeure dans ce pilier. L'acquis de Schengen est intégré au traité sur l'Union européenne. Cet acquis passe du statut de convention internationale entre États à celui de coopération renforcée entre une partie des États membres, comme le décide le protocole du Traité d'Amsterdam intégrant l'acquis

de Schengen dans le cadre de l'Union européenne. La coopération renforcée est juridiquement reconnue.

78 La procédure de co-décision voit son usage élargi à de nouveaux domaines. Pour simplifier la lecture et l'utilisation des textes, la numérotation des traités est modifiée. Afin de donner une plus grande lisibilité à la PESC, la fonction de Haut représentant pour la politique étrangère et de sécurité commune est créée en la personne du secrétaire général du Conseil de l'Union. L'autorité du Président de la Commission est renforcée. Ce traité d'Amsterdam, avec le recul, semble être un texte de transition pour préparer un travail d'une plus grande ampleur compte tenu des nouvelles échéances qui se profilent, notamment un très important élargissement de l'Union européenne.

## 5. Le traité de Nice de 2000 et ses conséquences

79 L'habitude est prise de réviser régulièrement les traités existants, pour franchir de nouvelles étapes dans la construction européenne, selon une procédure rodée avec une conférence intergouvernementale suivie d'un Conseil européen. La formule ayant souvent réussi, elle va donc être une nouvelle fois utilisée. Cette fois-ci, la question centrale est celle d'un élargissement sans précédant dans l'histoire de l'Union compte tenu du nombre des États candidats. Cet élargissement prévisible a de nombreuses conséquences sous forme de défis pour les institutions, les politiques communes et le système de démocratie de l'Union européenne. Cet élargissement historique induit de nombreuses interrogations sur la finalité de cette construction européenne. Cela explique les réflexions menées pendant cette période (*L'Union européenne en quête d'institutions légitimes et efficaces*, rapport du groupe de réflexion sur la réforme des institutions européennes présidé par Jean-Louis Quermonne dans le cadre du Commissariat général du Plan, octobre 1999).

Le sommet de Cologne de juin 1999 décide de convoquer une nouvelle conférence en février 2000 sur le thème général de la réforme des institutions. Les propositions sont adoptées, après d'âpres négociations sous présidence française, lors du Conseil européen de Nice les 7 et 8 décembre 2000 et donnent ainsi naissance au traité de Nice. La ratification de ce traité n'a pas été très évidente compte tenu du référendum négatif de l'Irlande le 7 juin 2001. Il a fallu attendre le résultat positif d'un deuxième référendum irlandais, le 19 octobre 2002, pour que le traité de Nice puisse enfin entrer en vigueur le 1er février 2003.

80 Le traité de Nice se préoccupe surtout des changements institutionnels induits par l'arrivée vraisemblable de nouveaux États membres. Il reste de nature technique. Il semble lui aussi un traité d'étapes et de transition, sans grande innovation politique sur le devenir de l'Union européenne (voir Vlad Constantinesco, Yves Gautier et Denys Simon (s/d), *Le traité de Nice, premières analyses,* PU de Strasbourg, 2001). Il a déçu les analystes et les commentateurs qui attendaient beaucoup plus de ce nouveau traité. Néanmoins, il prépare les institutions à accueillir de nouveaux États membres, notamment pour le Parlement, la Commission et le Conseil. Nous examinerons le résultat institutionnel du traité de Nice en étudiant les institutions de l'Union puisque c'est ce traité qui s'applique aujourd'hui. Néanmoins, il est important de signaler toute de suite, comme le fait Jean Louis Quermonne « qu'en revanche, sur le plan institutionnel proprement dit, la défense des intérêts nationaux des États membres l'a emporté sur l'envergure des réformes nécessaires à la gouvernance d'une Europe élargie » (déjà cité, Montchrestien, 2002, p. 30). Les équilibres politiques choisis entre les États à cette occasion expliquent les difficultés rencontrées quelques années plus tard lors de la discussion sur la Constitution européenne au sommet de Bruxelles des 12 et 13 décembre 2003.

À l'occasion du Conseil de Nice, un important progrès est réalisé avec l'adoption de la Charte des droits fondamentaux de l'Union européenne que nous analyserons plus en détail un peu plus loin dans le livre. Plusieurs déclarations et protocoles sont aussi adoptés à Nice comme notamment un protocole sur l'élargissement de l'Union européenne et un protocole sur le statut de la Cour de justice. Ce dernier protocole permet de préciser la réforme du système juridictionnel communautaire introduite par le nouveau traité.

81 La déclaration relative à l'avenir de l'Union (n° 23) ouvre vraiment de nouvelles perspectives. Cette déclaration montre que le traité de Nice est insuffisant pour répondre à tous les défis contemporains de la construction européenne. Elle envisage un nouveau processus de réforme avec : la recherche d'une délimitation plus précise des compétences entre l'Union et les États membres conforme au principe de subsidiarité ; le statut juridique de la Charte des droits fondamentaux de l'Union européenne ; la

simplification des traités afin qu'ils soient plus clairs et mieux compris; le rôle des parlements nationaux.

La porte est donc ouverte par ce traité pour une réflexion constitutionnelle, ce qui est confirmé lors du Conseil européen de Laeken des 14 et 15 décembre 2001 qui adopte la Déclaration de Laeken sur l'avenir de l'Union européenne. Cela débouche en 2002 sur la mise en place d'une convention chargée de réfléchir à l'avenir de l'Union européenne afin de faire des propositions de nature constitutionnelle. Une convention de même nature avait été chargée de réfléchir à la Charte des droits fondamentaux de l'Union européenne. Nous examinerons cette question constitutionnelle à un autre moment de ce livre (v. n° 95 et s.).

82 En attendant la future Constitution, le système décisionnel actuel, même aménagé par le Traité de Nice est-il viable et performant pour cette grande Europe? C'est loin d'être certain. Pour les citoyens, il manque de clarté, de lisibilité et de transparence. Il est même parfois incompréhensible. Seuls les experts s'y retrouvent. Il est donc contre-performant sur le plan démocratique. Pour les États et leurs représentants qui pourtant veulent toujours en garder la maîtrise, il présente aussi de telles complexités qu'ils ne sont pas assurés d'imposer toujours leur choix de manière évidente. Enfin, pour les institutions communautaires, ce système de décision renferme de nombreux risques de blocage et de lenteurs dans la prise de décision et son application. Si les États et les peuples européens veulent aller progressivement vers les États Unis d'Europe ou une fédération d'États-Nations, il est essentiel de refonder l'Union européenne grâce, au moins, à un traité constitutionnel qui rende plus légitime, plus démocratique et plus performant le système de décision. (voir Henri Oberdorff, « Le système de décision dans l'Union européenne et l'élargissement », *Cahiers du CUREI,* Université Pierre Mendès France de Grenoble, 2004).

## B. L'émergence d'une démocratie européenne pour une « fédération d'États »

83 L'émergence d'une véritable démocratie européenne complémentaire de celles des États membres est palpable. Au-delà de la seule gouvernance de l'Europe, il y a de plus en plus la nécessité d'associer les peuples et les citoyens de l'Union à la fois à la gestion et au devenir de l'Europe.

C'est une manière de limiter le déficit démocratique souvent dénoncé et donc de réduire la place éventuellement excessive des administrateurs de l'Europe qualifiés régulièrement de technocrates ou d'eurocrates. Cette démocratie européenne comprend déjà plusieurs ingrédients, comme la citoyenneté, les droits de l'homme et les libertés fondamentales et le traité instituant une Constitution pour l'Europe adopté, le 18 juin 2004, par le conseil européen.

## 1. La citoyenneté de l'Union européenne

84 La création d'une citoyenneté de l'Union européenne « vaut plus comme symbole que par les droits qui en découlent » (Francois d'Arcy, *Les politiques de l'union européenne*, Montchrestien, Clefs, 2003, p. 103). Elle participe à la valorisation de l'Europe des citoyens. « On pourrait dire que l'une des affaires sérieuses pour l'Europe, c'est la citoyenneté et qu'une fois construite l'Union européenne, il faut inventer les Européens » (Catherine Withol de Wenden, *La citoyenneté européenne*, Presses de Sciences Po, 1997, p. 7). Il s'agit de passer de la libre circulation dans un espace sans frontières intérieures à la reconnaissance de droits pour des citoyens européens dans l'Union européenne. Ce passage est autant un choix juridique d'attributions de droits qu'une affirmation politique d'une Europe démocratique reposant sur ses citoyens. Est citoyen de l'Union européenne « toute personne ayant la nationalité d'un État membre. La citoyenneté de l'Union complète la citoyenneté nationale et ne la remplace pas. Les citoyens de l'Union jouissent des droits et sont soumis aux devoirs prévus par le traité instituant la Communauté européenne » (article 17 TCE). Il s'agit d'une citoyenneté de superposition qui s'ajoute à celle des États membres. Elle complète les droits nationaux des citoyens des États membres par des droits spécifiques à l'Union européenne.

85 Le citoyen européen a ainsi plusieurs droits supplémentaires. Il bénéficie directement en vertu du traité de la Communauté européenne du droit de circuler et de séjourner librement sur le territoire des États membres (article 18 TCE). Il dispose du droit de vote et d'éligibilité aux élections municipales et européennes dans l'État membre où il réside dans les mêmes conditions que les ressortissants de cet État. Afin de donner toute sa dimension à cette disposition, les États membres ont modifié à la fois leurs constitutions et leurs législations justement pour pouvoir accorder ce droit de vote aux ressortissants communautaires, en prenant

parfois leur temps pour le faire compte tenu de certaines réticences nationales internes. En France, il a fallu d'abord procéder à une modification de la Constitution. Elle est intervenue en juin 1992, compte tenu de la décision du Conseil constitutionnel d'avril 1992. Des évolutions législatives ont suivi avec la loi du 5 février 1994 donnant aux citoyens européens résidants en France le droit de vote et le droit d'éligibilité aux élections au Parlement européen et la loi du 25 mai 1998 accordant les mêmes droits pour les élections municipales. Tout citoyen de l'Union a le droit de pétition devant le Parlement européen (article 21 TCE). La pétition peut être exercée par une personne physique ou morale, de manière individuelle ou collective sur un sujet relevant des domaines d'activité de la Communauté qui concerne directement cette ou ces personnes (article 194 TCE).

Tout citoyen de l'Union peut s'adresser au médiateur européen (article 21 TCE). Le médiateur, est habilité à recevoir les plaintes émanant de tout citoyen de l'Union ou de toute personne physique ou morale résidant dans un État membre et relatives à des cas de mauvaise administration dans l'action des institutions ou organes communautaires (article 195 TCE).

Tout citoyen de l'Union peut écrire à toute institution ou organe communautaire dans l'une des langues de l'Union et recevoir une réponse rédigée dans la même langue (article 21 TCE). Ce choix du pluralisme linguistique représente à la fois une volonté de respecter les cultures nationales mais aussi l'égalité des États membres. Si ce choix n'est pas forcément d'une grande rationalité fonctionnelle, il fait aussi prévaloir l'égalité entre tous les citoyens européens.

Enfin, la citoyenneté de l'Union induit aussi une protection diplomatique spécifique en toutes hypothèses. Tout citoyen de l'Union bénéficie, sur le territoire d'un pays tiers ou l'État membre dont il est ressortissant n'est représenté, de la protection de la part des autorités diplomatiques et consulaires de tout État membre, dans les mêmes conditions que les nationaux de cet État (article 20 TCE).

C'est à l'occasion de l'élection des membres du Parlement européen que les citoyens peuvent intervenir directement dans la vie politique européenne. Comme le prévoit l'article 191, les partis politiques au niveau européen contribuent à la formation d'une conscience européenne et à l'expression de la volonté politique des citoyens de l'Union.

« Les élections européennes constituent un moment privilégié pour comprendre et analyser les attitudes, les préférences, les perceptions et les connaissances des Européens à l'égard du processus d'intégration européenne » (Bruno Cautrès, Richard Sinnott, *Les cultures politiques de l'intégration européenne* in *Le vote des Quinze, les élections européennes du 13 juin 1999*, Presses de Sciences Po, 2000, p. 21).

## 2. Les droits fondamentaux et l'Union européenne

86  Si le Conseil de l'Europe a développé très tôt une véritable politique des droits de l'homme en adoptant, en 1950, la Convention européenne de sauvegarde des droits de l'homme et des libertés fondamentales, ce n'est que plus récemment que l'Union européenne s'est expressément préoccupée à la fois de les proclamer et d'en organiser le respect par ses États membres. Le sommet de Nice de décembre 2000 a été l'occasion d'une reconnaissance supplémentaire par la proclamation solennelle de la Charte des droits fondamentaux de l'Union européenne. Ce texte est tantôt louangé, tantôt décrié du fait de l'absence de valeur juridique obligatoire. En effet, il constitue plus un engagement des institutions européennes de se plier à ses exigences que d'un texte ayant force juridique obligatoire. Néanmoins, on peut souligner que ses modalités de rédaction, son adoption comme son contenu constituent déjà un progrès politique et démocratique intéressant.

Pendant longtemps, il ne semblait ni utile, ni indispensable de reconnaître ce type de droit dans les traités communautaires dans la mesure où l'intégration communautaire était surtout de nature économique. En plus, les États membres des Communautés et de l'Union européennes ont toujours été des États respectueux des droits de l'homme et des libertés fondamentales.

Mais progressivement, ces droits sont entrés dans le fonctionnement des Communautés et de l'Union, soit indirectement par la jurisprudence de la Cour, soit directement dans les textes des traités. Ainsi, plus la construction européenne prend une dimension politique, plus la reconnaissance et la défense des droits fondamentaux devient indispensable à la construction d'une démocratie européenne. Ces droits passent ainsi progressivement de la dimension de simple complément indispensable des Communautés européennes à une nouvelle finalité de l'Union européenne démocratique.

## a) Les droits de l'Homme avant la Charte

87 Cette dimension complémentaire est doublement justifiée, du fait de la nature des États membres et de celle de l'espace économique communautaire.

Les quinze États membres ont la charge directe de la reconnaissance et du respect des droits de l'homme et des libertés fondamentales, en vertu de leur propre système constitutionnel et des obligations qui découlent de leur appartenance à de nombreux traités européens ou internationaux sur les droits de l'homme. Les États membres sont tous des démocraties respectueuses de ces droits. Les ressortissants des États membres doivent donc connaître un haut degré de protection de leurs droits dans leur État comme dans l'Union européenne. Les juridictions constitutionnelles nationales ont cette préoccupation essentielle dans les rapports de l'État avec l'Union européenne par l'intermédiaire du droit communautaire. Ainsi, la Cour constitutionnelle allemande n'a admis les conséquences de l'appartenance de l'Allemagne à la Communauté et à l'Union européenne, donc la primauté du droit communautaire sur le droit interne, qu'à la condition de la qualité de la protection des droits des ressortissants allemands. L'article 23 de la loi fondamentale allemande, révisée en 1992, va dans le même sens. On peut trouver une démarche comparable de la part du Tribunal constitutionnel italien. En effet, il paraît difficile d'admettre des contradictions préjudiciables aux Européens issues de jurisprudences différentes de la CJCE et de la CEDH en matière de droits fondamentaux.

La confection d'un espace économique sans frontière appelait aussi une reconnaissance complémentaire de droits fondamentaux. En effet, le principe de libre circulation des personnes est aussi un droit fondamental, celui d'aller et de venir librement dans un espace, c'est-à-dire : circuler librement sur un territoire, quitter un territoire librement, y compris le sien, pouvoir y revenir, aller travailler dans un autre pays ou exercer le travail de son choix. Cette importante liberté suppose l'absence de discrimination y compris en terme de nationalité comme le prévoit l'article 13 du traité CE : « Sans préjudice des autres dispositions du présent traité et dans les limites des compétences que celui-ci confère à la Communauté, le Conseil, statuant à l'unanimité sur proposition de la Commission et après consultation du Parlement européen, peut prendre les mesures nécessaires en vue de combattre toute discrimination fondée sur le sexe, la race ou l'origine ethnique, la religion ou les convictions, un handicap, l'âge ou l'orientation sexuelle ». Il faut relier ces stipulations du traité à celles qui concernent la citoyenneté de l'Union complémentaire de la citoyenneté nationale en vertu de l'article 17 du traité CE.

88 La jurisprudence de la CJCE a très vite intégré une référence aux droits fondamentaux par la technique juridique des principes généraux du droit communautaire. Par ce biais, elle a construit un édifice complet de protection de ces droits dans le fonctionnement des institutions communautaires, sous l'influence remarquable des jurisprudences nationales. On peut ainsi signaler quelques arrêts : *Stauber*, pour les droits individuels liés au respect de la vie privée, du domicile et de la correspondance (CJCE 12 novembre 1969, 29/69, *Rec.* 419) ; *Prais*, pour la liberté religieuse (CJCE 27 octobre 1976, 130/75, *Rec.*1575) ; *Hauer*, pour le droit de propriété (CJCE 13 décembre 1979 44/79, *Rec.* 3727) ; *Keller*, pour le droit au libre exercice des activités économiques (CJCE 8 octobre 1986, 234/85, *Rec.* 2897) ; *Rutili* pour la liberté syndicale (CJCE 28 octobre 1975, 36/75, *Rec.*19) ; *VBVB et VBBB* pour la liberté d'expression (CJCE 17 janvier 1984, 43 et 63/82, *Rec.*19). Pour assurer le respect des droits fondamentaux, la Cour s'inspire des traditions constitutionnelles communes aux États membres, mais aussi des instruments internationaux de protection des droits de l'homme auxquels les États membres sont partis prenantes, donc la convention européenne des droits de l'homme. Néanmoins, il est important de rappeler que la Cour s'en inspire souverainement.

Pour clarifier les choses, la Commission suggère depuis plusieurs années que la Communauté européenne adhère directement à la convention. La Cour a refusé de la suivre dans ce sens lors d'un important avis de 1996. Elle considère que cette adhésion est juridiquement impossible car elle manque de base légale dans le traité communautaire. Il existe donc toujours un risque de contradiction entre le droit communautaire et le droit européen des droits de l'homme, y compris lorsque la Cour européenne des droits de l'homme se prononce sur les mesures nationales prises en application du droit communautaire.

89 Le traité de Maastricht et le traité d'Amsterdam ont incorporé de manière explicite des références aux droits fondamentaux. Ces traités permettent une forme d'intégration de la jurisprudence de la Cour, par exemple

l'article 6 du TUE: « 2. l'Union respecte les droits fondamentaux, tels qu'ils sont garantis par la Convention européenne de sauvegarde des droits de l'homme et des libertés fondamentales, signée à Rome le 4 novembre 1950, et tels qu'ils résultent des traditions constitutionnelles communes aux États membres, en tant que principes généraux du droit communautaire ». Comme nous l'avons déjà indiqué, le traité sur l'Union européenne organise, dans son article 7, une surveillance du respect des droits de l'homme dans les États membres.

Les États candidats doivent respecter des critères dans le domaine des droits fondamentaux en vertu de l'article 49 du Traité UE: « Tout État européen qui respecte les principes énoncés à l'article 6, paragraphe 1, peut demander à devenir membre de l'Union ». On peut aussi relever que le traité renvoie à des textes spécialisés sur les droits fondamentaux comme dans l'article 136 consacré à des dispositions sociales: « La Communauté et les États membres, conscients des droits sociaux fondamentaux, tels que ceux énoncés dans la Charte sociale européenne signée à Turin le 18 octobre 1961 et dans la Charte communautaire des droits sociaux fondamentaux des travailleurs de 1989, ont pour objectifs la promotion de l'emploi, l'amélioration des conditions de vie et de travail, permettent leur égalisation dans le progrès, une protection sociale adéquate, le dialogue social, le développement des ressources humaines permettant un niveau élevé et durable et la lutte contre les exclusions ». Cela montre l'étroite liaison avec l'espace économique et social communautaire.

### b) La Charte des droits fondamentaux

90 Ces dernières années, les droits de l'homme et les libertés fondamentales acquièrent une nouvelle dimension liée à construction d'une véritable démocratie à l'échelle de l'Europe appuyée sur la citoyenneté de l'Union européenne. Cela oblige l'Union européenne a mené une politique ou des actions concrètes en faveur des droits de l'homme et des libertés fondamentales. Le rapport annuel de l'Union européenne sur les droits de l'homme récapitule l'ensemble des actions menées dans ce sens (Rapport consultable sur le site de l'Union européenne). Ainsi, la politique de la Communauté dans le domaine de la coopération au développement, complémentaire de celles qui sont menées par les États membres, contribue à l'objectif général de développement et de consolidation de la démocratie et de l'État de droit, ainsi qu'à l'objectif du

respect des droits de l'homme et des libertés fondamentales des pays en développement (article 177 CE).

91 L'adoption d'une Charte des droits fondamentaux de l'Union européenne symbolise encore mieux ce changement de dimension dans la construction européenne. Cette Charte est originale aussi bien sur la forme que sur le fond. La procédure d'adoption est déjà en soi très spécifique sur plusieurs points. Les États ont souhaité impliquer un grand nombre d'acteurs à l'élaboration de ce texte. Ils n'ont opté, ni pour une assemblée constituante comme pour la confection d'une constitution, ni pour une simple conférence intergouvernementale comme pour un traité international. Un choix intermédiaire a été retenu, le recours à une Convention spécialement créée à cet effet par le Conseil européen de Cologne le 4 juin 1999. Cette Convention reposait sur deux principes essentiels : la collégialité et la transparence. Il s'agissait d'abord de donner à sa composition une grande légitimité démocratique et une compétence certaine. Elle était donc composée de 15 représentants des chefs d'État et de Gouvernement des États membres, de 30 représentants des Parlements des États membres, de 16 représentants du Parlement européen et d'un représentant du Président de la Commission. Lors de sa réunion constitutive du 17 décembre 1999, la Convention a élu Roman Herzog, ancien président de la République fédérale d'Allemagne, comme président. Pour la France, Guy Braibant y a joué un rôle déterminant. Après avoir travaillé près d'un an, la convention adopte un projet de Charte des droits fondamentaux de l'Union européenne le 2 octobre 2000. La Charte est solennellement proclamée lors du Conseil européen de Nice des 7 et 8 décembre 2000.

Le travail de la convention s'est effectué dans une grande transparence. Il a aussi permis d'associer d'autres acteurs que les membres. Ainsi, elle a pu bénéficier des remarques des observateurs avec les représentants de la Cour de justice des Communautés européennes, du Comité des régions, du Comité économique et social, du Médiateur et du Conseil de l'Europe. Les Organisations non gouvernementales ont pu exposer leur point de vue. La société civile a été entendue au niveau de ses représentants comme au travers du Forum organisé sur un site Internet spécialisé. Cette démarche originale, par rapport aux canons classiques de la démocratie représentative, a permis de dégager de véritables valeurs communes aux États et aux peuples de l'Union européenne. Elle a pu aussi montrer les différences d'approche entre les États sur certaines questions, par exemple celle des rapports des États avec les religions. Il apparaît ainsi que l'Europe de l'Union n'est pas véritablement laïque comme la République française.

92 Sur le fond, cette Charte est aussi d'un apport important, même si elle reste sous un mode déclaratoire comme les grands textes qui l'ont précédé par exemple la Déclaration des droits de l'homme et du citoyen de 1789 ou la Déclaration universelle des droits de l'homme de 1948. Elle n'a pas encore de valeur juridique comme l'a décidé le Conseil européen de Cologne de 1999 : « Le Conseil européen proposera au Parlement européen et à la Commission européenne de proclamer solennellement, conjointement avec le Conseil, une Charte des droits fondamentaux de l'Union européenne sur la base dudit projet établi par la Convention. Ensuite il faudra examiner si et, le cas échéant, la manière dont la charte pourrait être intégrée dans les traités ». Cette absence de valeur juridique directe n'empêche pas la charte d'être une norme de référence, notamment à l'occasion d'affaires pendantes devant la Cour de justice des Communautés européennes. Cette proclamation est donc une étape de nature constitutionnelle.

La Charte fixe une finalité philosophique et politique à l'Union européenne : « l'Union européenne se fonde sur les valeurs indivisibles et universelles de dignité humaine, de liberté, d'égalité et de solidarité, elle repose sur le principe de la démocratie et de l'État de droit. Elle place la personne humaine au cœur de son action en instituant la citoyenneté de l'Union et en créant un espace de liberté, de sécurité et de justice ». Elle regroupe dans un seul document l'ensemble des valeurs, des droits et des libertés que l'Union s'engage à respecter au profit des personnes vivant dans l'espace qu'elle organise. Elle propose une approche synthétique des droits reconnus et proclamés. Elle réaffirme, dans le respect du principe de subsidiarité, les droits qui résultent des obligations internationales des États membres du fait des traités communautaires, de la Convention européenne de sauvegarde des droits de l'homme et des libertés fondamentales, des Chartes sociales de la Communauté européenne et du Conseil de l'Europe et des jurisprudences de la Cour de justice des communautés européennes et de la Cour européennes des droits de l'homme. Elle n'oublie pas non plus les traditions constitutionnelles des États membres. Elle recherche aussi une forme d'autonomie juridique pour le système de protection des droits de l'homme à l'échelle de l'Union européenne. Elle réalise aussi une modernisation des types de droit reconnus « à la lumière de l'évolution de la société, du progrès social et des développements scientifiques et technologiques ».

93 La Charte est divisée en 7 chapitres et 54 articles. Chaque chapitre rappelle les droits et les libertés fondamentales admis par l'Union européenne à la fois de manière classique et aussi plus moderne, notamment par rapport aux différences évolutions technologiques ou sociales.

Elle commence, logiquement par le principe de dignité humaine dont elle déduit : le droit à la vie, le droit à l'intégrité de la personne, l'interdiction de la torture et des peines ou des traitements inhumains ou dégradants, l'interdiction de l'esclavage et du travail forcé.

Elle se poursuit par les libertés comme : le droit à la liberté et à la sûreté, le respect de la vie privée et familiale, la protection des données à caractère personnel, le droit de se marier et le droit de fonder une famille, la liberté d'expression et d'information, la liberté de réunion et d'association, la liberté des arts et des sciences, le droit à l'éducation, la liberté professionnelle et le droit de travailler, la liberté d'entreprise, le droit de propriété, le droit d'asile, la protection en cas d'éloignement, d'expulsion et d'extradition.

Le principe d'égalité lui succède avec : l'égalité en droit, la diversité culturelle, religieuse et linguistique, l'égalité entre les hommes et les femmes, les droits de l'enfant, les droits de personnes âgées, l'intégration des personnes handicapées, le droit de négociation et d'actions collectives, le droit d'accès aux services de placement, la protection en cas de licenciement, les conditions de travail justes et équitables, l'interdiction du travail des enfants et la protection des jeunes au travail, une vie familiale et la vie professionnelle ; la sécurité sociale et l'aide sociale, la protection de la santé, l'accès aux services d'intérêt économique général, la protection de l'environnement, la protection des consommateurs.

La citoyenneté est consacrée par un 4ᵉ chapitre qui reconnaît plusieurs droits : le droit de vote et d'éligibilité aux élections au Parlement européen, le droit de vote et d'éligibilité aux élections municipales, le droit à une bonne administration, le droit d'accès aux documents, le Médiateur, le droit de pétition, la liberté de circulation et de séjour, la protection diplomatique et consulaire.

Enfin les principes de la justice sont posés : le droit à un recours effectif et à accéder à un tribunal impartial, la présomption d'innocence et les droits de la défense, le principe de la légalité et de la proportionnalité des délits et des peines, le droit à ne pas être jugé ou puni pénalement deux fois pour une même infraction.

94 La Convention européenne propose d'intégrer cette Charte dans la future Constitution européenne comme deuxième partie du texte constitutionnel européen. Elle s'y intégrera parfaitement et prendra alors toute sa place juridique comme le préambule proposé le montre bien : « Considérant que l'Europe est un continent porteur de civilisation ; que ses habitants, venus par vagues successives depuis les premiers âges de l'humanité, y ont développé progressivement les valeurs qui fondent l'humanisme : l'égalité des êtres, la liberté, le respect de la raison. S'inspirant des héritages culturels, religieux et humanistes de l'Europe dont les valeurs, toujours présentes dans son patrimoine, ont ancré dans la vie de la société sa perception du rôle central de la personne humaine et de ses droits inviolables et inaliénables, ainsi que du respect du droit » (préambule du projet de traité établissant une Constitution pour l'Europe adopté par consensus par la Convention européenne). Le traité établissant une constitution pour l'Europe, adopté le 18 juin 2004, intègre la charte.

### 3. La question constitutionnelle et l'horizon 2004

95 L'histoire de la construction européenne montre qu'il a été relativement aisé de construire des Communautés disposant d'institutions communes tant que la finalité était surtout économique. En revanche, le passage au politique est resté beaucoup plus délicat du fait de l'absence de volonté politique suffisante des États d'aller au-delà, par crainte de disparaître dans un ensemble incontrôlable. L'Union européenne préfigure cette dimension politique, mais pas encore de manière suffisante.

Aujourd'hui, l'Union européenne se trouve à un moment crucial de sa jeune histoire. Deux destins se présentent, soit l'affirmation croissante d'une puissance européenne reconnue et respectée, soit sa dilution progressive dans un espace économique mondialisé. Ce passage de l'espace économique à la puissance politique suppose un approfondissement de la conception même de cette puissance, évidemment une puissance démocratiquement organisée dans une logique qui ne fasse pas disparaître les États qui la composent. La voie reste très étroite dans la mesure où les États membres n'imaginent pas un État fédéral supérieur à eux.

La question constitutionnelle est bien à l'ordre du jour pour plusieurs raisons. D'abord, la voie économique ne suffisant plus au processus d'intégration, on assiste à une forme de constitutionnalisation rampante de la construction européenne qui n'est pas suffisamment compréhensible par les Européens. Il semble alors indispensable d'arriver à un processus constitutionnel plus transparent. Cela suppose a minima une clarification et une simplification de l'ensemble des traités. Ensuite, à l'origine de cette construction, il s'agissait surtout d'organiser l'intégration économique de six États pour un marché commun, aujourd'hui il s'agit de structurer une démocratie à l'échelle du continent européen acceptée par l'ensemble des peuples d'Europe. Enfin, il devient peut-être indispensable de donner naissance à une nouvelle puissance politique dans un monde uni-polaire.

La Convention européenne pour l'avenir de l'Europe a justement eu la responsabilité de rédiger un projet de traité établissant une Constitution pour l'Europe. Elle a donné corps aux orientations des déclarations de Nice et de Laeken. Avant que des propositions constitutionnelles soient faites par la Convention, il y avait déjà à l'œuvre une constitutionnalisation rampante de l'Union européenne qu'il est important d'analyser.

### a) La constitutionnalisation rampante de l'Union européenne

96 La constitutionnalisation de l'Europe est déjà en route, mais elle est rampante et diffuse (voir David Blanchard, *La constitutionnalisation de l'Union européenne*, éd. Apogée, 2001). Elle est en quelque sorte cachée, discrète, mais réelle sur plusieurs points. D'une certaine manière, les attributs d'une charte constitutionnelle existent déjà. Le fonctionnalisme s'est aussi glissé dans le domaine constitutionnel sans forcément une volonté délibérée de l'atteindre. La Cour de justice des communautés européennes considère d'ailleurs les traités comme une charte constitutionnelle (CJCE aff.294/83 Les verts c/ Parlement, *Rec.*1986 p. 1339).

L'introduction explicite du principe de subsidiarité dans le traité sur l'Union européenne peut être qualifiée comme une démarche de nature politique et constitutionnelle. En effet, ce principe a pour fonction essentielle de délimiter les compétences entre l'Union européenne et les États membres selon une logique fédérale. « Dans les domaines qui ne relèvent pas de sa compétence exclusive, la Communauté n'intervient, conformément au principe de subsidiarité, que si et dans la mesure où les objectifs de l'action envisagée ne peuvent être réalisés de manière suffisante par les États membres et peuvent donc, en raison des dimensions ou des effets de l'action envisagée, être mieux réalisés au niveau communautaire » (article 5 CE). Dans les traités de Maastricht et d'Amsterdam, les compétences communautaires ont été augmentées, mais dans un cadre limité par le principe de subsidiarité. En plus, l'action communautaire doit être justifiée par des raisons de légitimité et d'efficacité collective.

Le droit communautaire, outil remarquable d'intégration, interprété comme tel par la CJCE, est de nature fédérale dans sa mise en œuvre. Il prime sur le droit des États membres sous le contrôle de la CJCE qui peut être assimilée, par beaucoup d'aspects à une cour suprême dans l'ordre juridique communautaire, donc dotée d'une dimension constitutionnelle. Le système institutionnel peut-être qualifié lui-même de système constitutionnel, comme ne manquent pas de le faire d'éminents auteurs de la doctrine (voir Denys Simon, *Le système juridique communautaire*, PUF, 1998). On peut aussi relever l'existence d'une citoyenneté de l'Union, des droits de l'homme et des libertés fondamentales dans l'Union, sans oublier le drapeau et l'hymne européens.

La souveraineté est de plus en plus partagée justement pour l'exercice commun de compétences dans le cadre de l'Union. Parler de souveraineté partagée est un bon moyen de comprendre la gestion commune de compétences traditionnellement régaliennes, comme la monnaie aujourd'hui ou la défense demain. Les révisions des constitutions nationales pour poursuivre la construction européenne montrent aussi les effets de plus en plus constitutionnels des traités. On assiste à la naissance progressive d'une forme de souveraineté européenne avec des éléments d'une démocratie supranationale, une puissance exécutive, législative et juridictionnelle au niveau européen (voit Florence Chaltiel, *La souveraineté de l'État et l'Union européenne, l'exemple français, recherches sur la souveraineté de l'État membre*, LGDJ, 2000). Par un transfert volontaire, les souverainetés étatiques se différentient en souveraineté partagée, ou exercées en commun dans le cadre de l'Union européenne, pour certaines compétences et souveraineté exclusive, donc strictement nationale, pour d'autres. L'organisation d'une vie politique européenne ou d'une société civile européenne participent de cette constitutionnalisation de l'Union européenne.

97 Néanmoins, cette constitutionnalisation reste rampante et insuffisamment transparente. Au lieu d'avancer masquée, ou de manière technique, elle devrait se faire dans la clarté et la transparence pour être mieux comprise par les Européens eux-mêmes. L'Union européenne reste perçue comme une entreprise relativement hermétique, surtout réservée à des spécialistes lointains ou à des initiés.

Il s'agit alors a minima de toiletter et de simplifier l'existant pour le rendre plus lisible, donc plus compréhensible pour tous. La déclaration n° 23 du traité de Nice évoque la nécessité de simplifier les traités pour les rendre plus clair, mieux compris sans en changer le sens. Il suffit, dans ce cas, d'aboutir à une forme de codification intelligente et intelligible des traités, mais à droit constant. Ce travail a été entrepris par l'Institut européen de Florence à la demande de la Commission. On peut aussi signaler les réflexions du professeur Jean Touscoz qui présente lui aussi un projet de traité fondamental faisant la synthèse de l'existant. Cette première démarche est prometteuse et surtout peu perturbante pour tous les États membres. Elle peut bien correspondre à une Europe qui limite ses ambitions à une gestion convenable de l'espace européen et du grand marché intérieur. Elle répond convenablement à une Europe espace.

D'autres démarches plus ambitieuses et plus résolument constitutionnelles sont possibles, comme le montrent les travaux de la Convention européenne sur l'avenir de l'Europe.

### b) « Une Constitution européenne » pour une démocratie européenne à l'échelle d'un continent renaissant

98 Si l'Europe est une plus grande ambition politique, s'il s'agit de donner corps à une Europe puissance politique et plus seulement espace, la Constitution devient alors une étape incontournable. Car, elle cherche à donner un sens démocratique et politique à sa construction. La confection d'une démocratie européenne appelle une Constitution. Car, c'est de refondation du projet européen dont il est question, donc de quête d'une plus grande légitimité (voir Jean-Louis Quermonne, *L'Europe en quête de légitimité*, Presses de Sciences Po, 2001).

- *La nouvelle problématique constitutionnelle*

En effet, il n'est plus seulement question, comme il y a plus de cinquante ans, d'empêcher définitivement la guerre entre l'Allemagne et la France en établissant une paix durable et de construire des Communautés à vocation économique, mais d'organiser pour près de 30 États une puissance démocratique européenne. Le changement de taille et l'affirmation d'une finalité politique induisent des adaptations plus globales.

L'enjeu est bien d'une autre nature : organiser le continent européen en s'appuyant sur le désir d'une Europe structurée aussi bien par les États que par les peuples. Cette organisation n'est viable, et aujourd'hui concevable que si elle respecte les identités des États-Nations qui la composent. De ce point de vue, il faut tirer tous les enseignements de l'histoire des immenses fédérations ou des organisations politiques à l'échelle d'un continent. Ainsi, la vie et l'implosion de l'Union soviétique montrent qu'une fédération très centralisée a une espérance de vie de moins d'un siècle. On doit aussi regarder avec attention l'histoire de l'empire romain. D'un autre coté, l'expérience des États-Unis démontre au contraire qu'un type de fédération peut aussi être durable et efficace pour 50 États membres.

Le passage d'une Europe-espace à une Europe-puissance suppose aussi des révisions géostratégiques sur la place de l'Europe dans un monde mono-polaire dominé par une seule super-puissance. Pour cela il faudrait passer de l'agrégation, parfois seulement statistique, des économies à une intégration économie plus réelle. Après tout la monnaie unique y conduit. L'Europe est dorénavant perçue de l'extérieur comme une zone euro organisée et non plus comme un émiettement monétaire national. Une politique de défense commune peut aller aussi dans le même sens. Organiser cette Europe-là ne peut se faire sans les citoyens européens. Il s'agit en effet de créer une démocratie à l'échelle du continent et non pas de développer une « eurocratie » déconnectée des citoyens. Cela suppose une série d'évolutions essentielles, mais avec des recherches théoriques pour penser un espace démocratique de cette importance. Nous sommes dans l'après (ou au-delà de) État-Nation pour reprendre la formule de Jürgen Habermas (*Après l'État-Nation, une nouvelle constellation politique*, Fayard, 2000 ; voir aussi Philippe Herzog, *L'Europe après l'Europe, les voies d'une métamorphose*, De Boeck Université, 2002).

99 La confection d'une Constitution pour l'Europe est alors un enjeu considérable, car cela ne s'est jamais produit pour un tel espace, dans une telle configuration démocratique. Il faut inventer une histoire démocratique pour le continent européen. Penser européen, au-delà de l'espace national n'est pas forcément ni facile, ni naturel. Pourtant, les projets ne manquent pas, soit au cours du XXᵉ siècle, soit ces dernières années. Nous avons déjà évoqué la CED et la CPE, ainsi que les projets constitutionnels de 1984 et 1994. Dans une période plus récente, le Président Chirac a fait des propositions remarquées lors d'un discours au Bundestag à Berlin le 27 juin 2000, notamment de doter l'Europe d'une Constitution. De même, le ministre allemand des Affaires étrangères Joska Fischer, dans une importante intervention a suggéré d'évoluer vers une fédération européenne (Discours de Berlin du 12 mai 2000, *Le Monde*, 15 mai 2000). On peut aussi relever les souhaits des Premier ministres français sur l'avenir de l'Union européenne autour d'une « fédération d'États-Nations » (Discours de Lionel Jospin sur l'avenir de l'Europe élargie du 28 mai 2001, L'Europe de Lionel Jospin, *Le Monde*, 29 mai 2001 ; Discours de Jean-Pierre Raffarin lors de la journée de l'Europe du 9 mai 2003).

Les débats sont largement ouverts. Mais en même temps, la réflexion est contrainte par le fait que les États membres ne veulent pas d'un État fédéral qui leur soit supérieur sur le modèle des États-Unis d'Amérique. Il faut donc rester original, ne pas forcément puiser dans les systèmes existants, se garder de copier simplement les modèles classiques, mais imaginer des innovations constitutionnelles et institutionnelles. Les concepts les plus en vogues, aujourd'hui sont ceux de « Fédération d'États-Nations », de « Fédération d'États » ou de « fédéralisme intergouvernemental ». Dans ces hypothèses, le principe fédéral est à l'oeuvre sans création d'un État fédéral classique. En effet, l'Union européenne a besoin des États membres pour exister, mais les États membres ont eux aussi besoin de l'Union européenne pour permettre à l'Europe d'exister au niveau mondial. Cela suppose de confectionner une Union européenne continuant de s'appuyer sur les outils communautaires d'intégration et sur le principe de subsidiarité. Le système de gouvernement à multiples niveaux reste indispensable pour éviter de créer un monstre politique et administratif, c'est-à-dire une bureaucratie européenne ingérable et inutile. Il faut donc définir de manière suffisamment précise les compétences essentielles de l'Union européenne en laissant les autres compétences à la charge des États membres. Il s'agit aussi de définir convenablement les contours et le statut des États membres. Cette démarche complexe est de nature constitutionnelle.

100  Le plus étonnant de cette nouvelle problématique constitutionnelle pour l'Europe est justement le recours généralisé à cette notion de constitution qui est apparue comme la plus adaptée pour qualifier l'objectif de la réflexion en cours. Or, l'application de cette notion à la construction européenne n'est pas sans soulever de nombreuses interrogations, notamment sur le plan juridique. En effet, par tradition, la doctrine juridique réserve le terme de constitution à la règle juridique suprême des États et non pas à une organisation internationale. En plus dans un régime démocratique, la Constitution est généralement confectionnée par les représentants du peuple, souvent réunis en assemblée constituante. Lorsqu'il s'agit d'une organisation internationale, on a recours à un traité international qui devient la loi entre les États concernés et non à une constitution. Ce qui est en cause aujourd'hui pour l'Union européenne est de nature hybride, un traité établissant une Constitution, c'est-à-dire un « traité constitutionnel » qualifié de monstre juridique (« Traité constitutionnel », un monstre juridique, Dominique Rousseau, *Le Monde*, 22 octobre 2002).

Et pourtant, la voie empruntée est pour l'instant la plus réaliste et la plus adaptée par rapport à l'objectif recherché. Penser à une Constitution sans État et sans mettre en place une assemblée constituante est pour le moment la seule voie étroite, mais réaliste qui peut être empruntée pour poursuivre la construction de l'Europe. Il sera par la suite éventuellement possible d'aller au-delà.

- *La Convention européenne sur l'avenir de l'Europe et le projet de constitution européenne*

101  Un processus constitutionnel est dorénavant enclenché au travers des travaux de la Convention européenne. Conscients de ces enjeux constitutionnels, les États membres ont justement adopté, lors du sommet de Nice, une déclaration (n° 23) relative à l'avenir de l'Union. À partir de ce nouvel engagement, repenser l'avenir de l'Europe, les États ont organisé des réflexions collectives sous la forme de débats ou de forum. En France, ils ont donné lieu sur l'ensemble du territoire à des débats asso-

ciant toutes les composantes de la société civile et abouti à un rapport « Ensemble dessinons l'Europe » (Groupe Débat sur l'avenir de l'Europe, Premier ministre, Présidence de la République, 2001). Des idées de constitutions et des réflexions fondamentales fleurissent souvent avec talent (voir Robert Badinter, *Une Constitution européenne*, Fayard, 2002 ; Renaud Dehousse (s/d), *Une Constitution pour l'Europe?*, Presses de Sciences Po, 2002 ; Paul Magnette (s/d), *La Constitution de l'Europe*, Université de Bruxelles, 2000).

Le Conseil européen de Laeken de décembre 2001 a adopté, dans le droit fil de celui de Nice de 2000, une déclaration sur l'avenir de l'Union européenne appelée « *Déclaration de Laeken* ». A cette occasion, le Conseil européen, constatant que l'Union européenne abordait un tournant décisif de son existence, dresse un bilan de l'état de l'Union européenne et des nouveaux défis qu'elle doit relever et des perspectives qui doivent être envisagées. Il souligne que l'Union européenne est à un carrefour de son histoire, face à des choix fondamentaux. La déclaration de Laeken propose d'avancer simultanément dans quatre domaines : « organiser une meilleure répartition des compétences dans l'Union européenne ; simplifier les instruments juridiques de l'Union ; instaurer plus de démocratie, de transparence et d'efficacité dans le fonctionnement de l'Union ; aller vers une Constitution pour les citoyens européens. Cette Constitution devrait contenir « des éléments essentiels comme : les valeurs auxquelles l'Union est attachée, les droits fondamentaux et les devoirs des citoyens, les relations des États membres dans l'Union ».

Le Conseil européen de Laeken décide de convoquer une Convention européenne sur l'avenir de l'Europe, sur le modèle de celle qui avait permis d'élaborer la Charte des droits fondamentaux. Cette nouvelle Convention caractérise une synthèse de plus en plus recherchée entre la démocratie représentative et la démocratie participative. Le choix ne s'est pas porté sur la mise sur pied, à la fois plus classique et politiquement plus complexe, d'une Assemblée constituante. La démocratie participative est valorisée pour mieux associer à cette réflexion préparatoire à la nouvelle conférence intergouvernementale, le plus grand nombre de participants. En effet, la déclaration de Laeken insiste sur la nécessité d'un large débat très ouvert aux propositions de toutes les parties intéressées : les représentants de l'ensemble des milieux qu'ils soient économiques, professionnels, sociaux, culturels ou académiques ; les organisations non gouvernementales ; de manière générale les représentants des composantes de la société civile européenne. La démocratie représentative n'est pas négligée avec les représentants des parlements nationaux et du parlement européen.

102 Présidée par Valéry Giscard d'Estaing, entouré par deux vice-présidents Giuliano Amato et Jean-Luc Dehaene, cette Convention européenne était composée de représentants des gouvernements des États (15 pour les États membres, 13 pour les États candidats), représentants des parlements nationaux (30 pour les États membres, 26 pour les États candidats), représentants du Parlement européen (16), de représentants de la Commission (2) et d'observateurs (le Médiateur européen, 2 pour le Comité économique, 6 pour le Comité des régions, 2 pour les partenaires sociaux européens). La Convention a travaillé 17 mois du 1$^{er}$ mars 2002 au 13 juin 2003 pendant lesquels se sont tenues 26 sessions ouvertes au public et 52 jours de séances plénières. La composition inhabituelle de la Convention n'a été un handicap qu'au début de son fonctionnement. Un esprit conventionnel a soufflé pour aboutir à un texte adopté par consensus (voir les comptes rendus d'un conventionnel français Olivier Duhamel, *Pour l'Europe, le texte intégral de la Constitution expliqué et commenté,* Seuil, 2003). « Ces seize mois d'expression libre sur l'Europe ont beaucoup fait progresser la conscience qu'on peut avoir de l'Europe réelle d'aujourd'hui, telle qu'elle est vécue, souhaitée, rejetée ou ignorée par les Européens eux-mêmes... La Convention a contribué à faire surgir l'Europe réelle des années 2000, bien différente des préjugés, des schémas et des redites. Cette identification progressive a entraîné les conventionnels en direction d'un consensus final, impossible à imaginer à l'origine » (Valéry Giscard d'Estaing, *La Constitution pour l'Europe,* Albin Michel, 2003, p. 18). En plus, c'est un des rares lieux où se sont retrouvés, dans une même assemblée, presque à égalité des représentants des gouvernements et des peuples des États membres et de tous les États candidats.

La Convention semble avoir gagné par la qualité de ses débats et de ses travaux son brevet de légitimité européenne. Elle a adopté un projet de traité établissant Constitution pour l'Europe. Elle a achevé ses travaux le 13 juin 2003 et remis, de manière solennelle, son projet, le 18 juillet 2003 au président en exercice du Conseil européen, le président du Conseil italien, M. Silvio Berlusconi. Ce projet de Constitution est devenu la base de travail de la Conférence intergouvernementale réunie à partir du 4 octobre 2003.

103 Ce projet de Constitution comprend 465 articles complétés par 5 protocoles et 3 déclarations. Après un préambule, le texte est divisé en 4 parties. La première partie est consacrée à la nature, aux objectifs, aux institutions et aux règles générales de fonctionnement de l'Union européenne. La seconde partie est consacrée à la charte des droits fondamentaux de l'Union. La troisième partie se préoccupe des politiques et du fonctionnement de l'Union. Enfin, la quatrième partie vise les dispositions générales et finales.

Même si ce projet est loin d'être parfait et suffisamment lisible, y compris sur un plan formel, il constitue un réel progrès par rapport aux textes existants. Il est un texte de compromis entre les fédéralistes et les intergouvernementalistes. Pourtant, son existence même sous la forme d'un projet de traité établissant une Constitution pour l'Europe est déjà en soi une grande avancée.

Ce projet apporte de nombreuses innovations et avancées par rapport à l'existant dont il est utile de donner une petite énumération, avant d'en détailler certains de ses aspects, dans le reste du livre. Il propose donc :
– la reconnaissance de la personnalité juridique à l'Union européenne
– la fusion des traités dans un seul texte, traité établissant une Constitution pour l'Europe, avec la disparition de la distinction entre les Communautés et l'Union européenne et donc celle des piliers
– l'insertion de la Charte des droits fondamentaux dans la Constitution
– la clarification de la répartition des compétences, entre compétences exclusives, compétences partagées et compétences d'appui
– l'institutionnalisation supplémentaire du Conseil européen et la création d'une présidence plus durable issue d'une élection pour un mandat de deux ans et demi
– l'élection du président de la Commission européenne par le Parlement européen à la tête d'une Commission restreinte avec un commissaire pour tous, mais en distinguant les commissaires et les commissaires adjoints
– un Conseil des ministres renforcé et restructuré dans ces formations
– la clarification des instruments juridiques de l'Union européenne avec l'introduction de la loi européenne
– la quasi-généralisation de la procédure de codécision

- la création d'un ministre des Affaires étrangères de l'Union européenne nommé par le Conseil européen et ayant aussi la fonction de vice-président de la Commission.

104 Ce premier compromis est déjà une réussite. Il ne séduit pas forcément tous les États, ni tous les partis politiques. Des débats se font jour, par exemple en France à l'intérieur même des partis politiques, y compris de ceux qui ont traditionnellement joué un rôle déterminant dans la construction européenne. Ils s'attachent notamment aux fondements idéologiques du projet proposé, sans forcément voir qu'il est très largement le résultat d'un compromis, y compris entre des tendances politiques parfois opposées. Il est aussi salué positivement comme une réussite et donne lieu à de nombreux commentaires (voir Jacques Ziller, *La nouvelle Constitution européenne*, La Découverte, 2004; Etienne de Poncins, *Vers une Constitution européenne*, documents 10/18, 2003; Christian Philip, *La Constitution européenne*, PUF, 2004).

De son coté, la Commission a, elle-même, proposé un projet de Constitution à l'issue du travail spécifique du groupe « Pénélope » à l'initiative du Président Prodi (voir A. Mattera (s/d), « Pénélope » *Projet de Constitution de l'Union européenne*, Clément Juglar, 2003). Ce projet moins connu a contribué au débat, même s'il a été perçu comme concurrent de celui de la Convention.

Les États ont eu du mal à se mettre rapidement d'accord sur le projet de la Convention. Ainsi, le Conseil européen de Bruxelles des 12 et 13 décembre 2003 n'a pas réussi à transformer l'essai compte tenu de divergences persistantes entre les États, notamment sur leur poids respectif dans les institutions européennes. Le traité de Nice et ses équilibres contestables a laissé des traces politiques. Des tensions se sont avivées, à cette occasion, entre les anciens et les nouveaux États membres, entre les États moyens (Espagne, Pologne) et les grands États (France, Grande-Bretagne et Allemagne).

À l'issue de plusieurs mois de négociations, notamment compte tenu des changements politiques intervenus en Espagne et en Pologne au début de 2004, le Conseil européen de Bruxelles de juin 2004, sous présidence irlandaise, a néanmoins réalisé un compromis historique en adoptant à l'unanimité le traité établissant une Constitution pour l'Europe (« Constitution européenne : l'accord historique du 18 juin », *Le Monde* 20 et 21 juin 2004).

Ce nouveau texte reprend la grande majorité des propositions du projet de la Convention. Il s'en éloigne, pour des raisons de compromis politique, sur d'autres comme l'organisation de la majorité qualifiée au Conseil, la composition de la Commission et celle du Parlement, le maintien de la règle de l'unanimité dans plusieurs domaines (la fiscalité, la politique sociale ou la politique extérieure et de sécurité commune). Ce nouveau traité sur la Constitution pour l'Europe doit maintenant faire l'objet de ratifications dans les vingt-cinq États membres avant de pouvoir entrer effectivement en application. Il représente une nouvelle étape décisive dans la construction d'une démocratie européenne à l'échelle d'un continent.

## III. De l'Europe des six à l'Europe des vingt-cinq et au-delà

105 La construction des Communautés européennes n'a d'abord concerné que les six États fondateurs. Même s'ils avaient, dès l'origine, invité d'autres États à y participer, ils sont restés ce noyau dur initial plusieurs *une* années, de 1958 à 1972. Plusieurs élargissements se sont produits ensuite. L'Union européenne comprend aujourd'hui vingt-cinq États membres depuis le 1ᵉʳ mai 2004. D'autres candidatures sont en attente. Cette augmentation très importante du nombre des États membres est non seulement un changement quantitatif, mais aussi qualitatif pour l'Union européenne. À chaque fois, l'élargissement a été choisi par les États membres en même temps que l'approfondissement de la construction européenne. Chaque élargissement a apporté son lot d'interrogations, de doutes et de satisfactions. Il est important d'en analyser la succession tous en distinguant les étapes, comme il est indispensable de prendre la mesure des nouveaux élargissements et de ceux qui sont programmés.

## A. Les débuts des Communautés européennes et les anciens élargissements

106 On peut distinguer plusieurs périodes : « l'Europe à six » (1958-1972), le premier élargissement de 1972 ou « l'Europe à neuf » (1972-1981), le second élargissement ou « l'Europe à dix » (1981-1986), le troisième élargissement ou « l'Europe à douze » (1986-1995) et le quatrième élargissement ou « l'Europe à quinze » (1995-2004).

## 1. L'Europe à six (1958-1972)

107 Les traités sont mis en œuvre au cours des années 1958-1959, c'est-à-dire au moment même où la France change de République, de Constitution et aussi de gouvernants. Le général De Gaulle revient aux affaires comme nouveau Président de la République. Il n'est pas porté par nature et par conviction politique vers la construction européenne dans la mesure où il y voit un risque majeur pour la souveraineté française. En même temps, il souhaite redresser l'économie française et donc ne pas l'enfermer dans l'étroitesse de ses frontières. Le Plan Rueff-Armand en matière économique est plutôt en phase avec le développement d'un marché commun fondé sur le libéralisme économique. Ainsi, la France honore sa signature et participe à la mise en place de la Communauté européenne, bien que le chef de l'État français ne soit pas enthousiasmé par cette forme d'Europe. Plusieurs faits marquants de cette Europe des six États fondateurs de 1958 à 1972 sont à souligner.

### a) La mise en œuvre des traités et des institutions

108 Le marché commun se met en place relativement vite. Le 1er janvier 1959, on assiste à une première baisse de 10 % des droits de douane à l'intérieur de la Communauté qui sera suivie très rapidement d'autres. Le 1er septembre 1961, c'est le premier règlement sur la libre circulation des travailleurs, le 1er janvier 1962, le premier règlement communautaire sur la politique agricole commune. Le 20 juillet 1963 est signée la Convention de Yaoundé entre la Communauté économique européenne et plusieurs États africains.

Chacune des Communautés instituées (CECA, CEE, CEEA) dispose de son système institutionnel avec : une Haute autorité pour la CECA et une Commission distincte pour les deux autres traités ; un Conseil pour chaque traité ; un seul Parlement pour les trois traités ; une Cour de justice pour les trois traités. Le traité complémentaire du 8 avril 1965, dit traité de fusion, amène une réelle simplification de l'ensemble du dispositif tout en continuant à distinguer chacune des communautés avec : une commission unique, un conseil unique, un statut unique pour les fonctionnaires européens et une unification budgétaire même s'il reste des fonds spécialisés par communauté. Grâce à ce traité de fusion, une relative unité fonctionnelle est réalisée.

Les six États membres prennent progressivement l'habitude de vivre ensemble, c'est la période ou se réalisent de grandes avancées jurisprudentielles pour la confection du droit communautaire grâce aux grands arrêts de la Cour de justice des communautés européennes.

### b) Les crises de croissance de l'Europe des six

109 Des crises de croissance apparaissent, aussi pendant cette période, notamment du fait de la politique conduite par le général De Gaulle et des préoccupations françaises pour la politique agricole commune.

Il s'agit d'abord de la politique étrangère de la France et de la volonté d'indépendance y compris par rapport à nos alliés. Cette politique a des conséquences sur la construction européenne. La recherche d'une politique autonome peut difficilement se concilier avec des évolutions supranationales des Communautés, surtout de nature fédérale. La conception gaulliste est plus tournée vers une Europe des États que vers une intégration européenne. L'idée d'une Europe fédérale est considérée comme une chimère dangereuse, d'où le concept différent d'une « Europe de l'Atlantique à l'Oural » forme de vaste confédération sans aucune diminution de souveraineté entre les États membres, une autre forme de chimère surtout au moment de l'existence d'une puissante Union Soviétique. Le chef de l'État français fustige aussi régulièrement les fonctionnaires de Bruxelles, ces eurocrates, à ses yeux, sans aucune légitimité politique. Il a le souci sourcilleux d'une plus grande indépendance de la France à l'égard des États-Unis. Cela se traduira d'abord par la décision de doter le pays d'une force nucléaire de dissuasion autonome et performante non liée à celle des États-Unis, ensuite par celle du départ de la France du volet militaire de l'alliance atlantique en 1966. Cette attitude explique les veto français, au moins jusqu'au départ du général De Gaulle, pour l'entrée du Royaume-Uni dans les Communautés européennes compte tenu de la trop grande proximité de ce pays à l'égard des États-Unis. À l'inverse, la constitution d'un axe franco-allemand, par la signature d'un traité d'amitié en 1963, consacre durablement le rôle fondamental de ces deux pays dans la construction européenne. Ainsi, la politique étrangère de la France influencera assez profondément l'évolution des Communautés.

L'autre sujet de discorde concerne les évolutions de la politique agricole commune. Au début des années soixante, la Commission considère que cette question devrait être traitée selon des procédures associant mieux le Parlement aux décisions et surtout reposant plus sur des votes à la majorité qu'à l'unanimité. Cette orientation est en totale contradiction avec les positions françaises toujours opposées à des démarches jugées supranationales. Cela aboutit à une crise en 1965, qualifiée de crise agricole. De juin 1965 à janvier 1966, la France pratique la politique « de la chaise vide » en n'assistant plus aux travaux communautaires, notamment en ne siégeant plus au Conseil des ministres. Cette grave crise politique et institutionnelle fait craindre pour l'avenir de l'Europe communautaire. La France souhaite le maintien du vote à l'unanimité. Cette crise se conclut par un accord entre les États au travers du compromis de Luxembourg le 29 janvier 1966. Ce compromis valorise le vote à l'unanimité et réduit le vote à la majorité. D'une certaine manière, l'Europe des États prévaut sur l'Europe intégrée ou pré- fédérale. Cet accord prévoit un mécanisme qui s'apparente à un droit de veto étatique qui fonctionne ainsi : lorsqu'un État considère qu'un intérêt majeur le concernant est en cause, il peut demander que le vote redevienne un vote à l'unanimité et donc ne soit plus à la majorité. Ce compromis marque aussi durablement l'esprit de fonctionnement des Communautés.

## 2. La succession des élargissements de 1972 à 1995 et leurs conséquences

110 De 1972 à 1995, une succession d'élargissement a fait passer les Communautés et l'Union européenne de six à quinze États membres. C'est quasiment l'ensemble de l'Europe de l'Ouest qui est, à la fin, concerné, par ce processus d'intégration. Les questions posées par tous ces États étaient à peu près de même nature, ce qui est assez différent du dernier élargissement de 2004.

### a) La problématique générale de l'élargissement

111 L'Europe a toujours connu un débat dialectique entre l'élargissement à de nouveaux États membres et l'approfondissement de son fonctionnement. La question de l'élargissement est elle-même liée à une certaine conception de l'Europe à la fois comme projet politique et comme espace géographique ou géopolitique.

Les Communautés européennes d'abord, l'Union européenne ensuite, ont toujours eu une réelle capacité d'attraction sur de nouveaux États européens au-delà des six États fondateurs. De manière générale, cette attraction s'explique pour des raisons politiques, soit intérieure comme la stabilité démocratique, soit extérieure comme la volonté d'appartenir à un pôle géo-politique de paix et d'équilibre dans le monde. Cette attraction se justifie aussi par la recherche d'un plus grand développement économique, d'une part, en bénéficiant d'un espace économique européen très prometteur, d'autre part, en devenant destinataire des financements communautaires. Enfin, l'existence d'un état de droit européen et d'un espace européen de liberté est aussi très attractive pour argumenter une candidature.

La justification de la demande d'intégration dans l'Union européenne est différente suivant l'État demandeur et son histoire. Par exemple, pour certains, la quête de la stabilité démocratique est déterminante, ce fut le cas de l'Espagne et du Portugal, comme c'est le cas aujourd'hui pour les anciens pays communistes de l'Europe de l'est. Pour d'autres, la dimension économique est plus importante, ce fut le cas du Royaume-Uni, de la Suède de la Finlande et de l'Autriche. Pour d'autres encore, la dimension globalement géopolitique est essentielle comme pour la Turquie. Les États demandeurs doivent aussi se préparer à enregistrer plusieurs conséquences importantes. Ils doivent adapter leur système économique et leur appareil productif à l'ouverture des frontières. Cela est souvent facilité, soit par leur appartenance préalable à une organisation internationale comparable, comme ce fut le cas avec l'Association Européenne de Libre-échange (AELE) ou l'Espace Économique Européen (EEE), soit grâce à un accord d'association avec l'Union européenne. Ils doivent aussi adapter leur législation pour intégrer, relativement rapidement « l'acquis communautaire », c'est-à-dire les règlements et les directives communautaires en vigueur au moment de leur adhésion. Ils seront ainsi contraints de respecter les exigences du droit communautaire. S'ils bénéficient des politiques communautaires, ils doivent aussi participer au fonctionnement des Communautés et de l'Union, notamment dans sa partie budgétaire et financière. L'ensemble de ces conséquences explique la nécessité de longues périodes de transition pour les nouveaux États au moment de leur adhésion.

Pour les États membres, plusieurs questions se posent. Sur le plan juridique, tout État européen peut demander à devenir membre de la Communauté européenne, et maintenant de l'Union européenne. Cette demande doit être faite au Conseil de l'Union qui se prononce à l'unanimité après consultation de la Commission et après avis conforme du Parlement européen qui se prononce à la majorité absolue de ses membres. Le dossier de candidature est donc préalablement examiné par la Commission européenne. Cette procédure a été mise en œuvre à chaque fois, comme récemment pour les pays candidats d'Europe centrale et orientale.

Sur le plan politique, l'examen des candidatures se réfère à une certaine conception de l'Europe. On a pu voir ainsi un équilibre géopolitique de l'Europe, d'abord vers le sud et la Méditerranée avec l'Espagne, la Grèce et le Portugal, ensuite vers le Nord avec la Suède et la Finlande, enfin vers l'Est, d'abord l'Autriche et ensuite vers les PECO (Pays d'Europe Centrale et Orientale). Enfin, sur le plan institutionnel, l'arrivée de nouveaux États suppose des adaptations, notamment en terme d'équilibres entre les institutions. Le dernier traité de Nice a été largement consacré à cette préoccupation pour la composition de la Commission, du Conseil et du Parlement.

### b) Le premier élargissement de 1972 pour le Danemark, l'Irlande et le Royaume-Uni

112 Le premier élargissement est intervenu en 1972. Il est surtout marqué par un processus très long par sa maturation largement due au refus français symbolisé par les non successifs du général De Gaulle à l'entrée du Royaume-Uni dans la Communauté économique européenne. Le Royaume-Uni a historiquement toujours hésité entre le continent et le grand large selon la formule très imagée de Winston Churchill. Cette hésitation découle à l'évidence de son caractère insulaire. Cela marque sa politique étrangère, ses relations avec les États-Unis et les pays du Commonwealth.

Néanmoins, le Royaume-Uni souhaite aussi influencer l'avenir de l'Europe et ne pas laisser l'axe franco-allemand dominer la construction communautaire. Il présente donc une première candidature en 1961. Le Premier ministre Mac Milan justifie cette demande par plusieurs raisons : le succès incontestable du marché commun et la forte croissance des économies des États membres ; l'isolement économique du Royaume-Uni malgré l'Association européenne de libre échange (AELE) dont il a pris l'initiative ; la supranationalité moins nette de la construction communautaire ; le changement de statut mondial de ce pays. Cette candidature est néanmoins assortie de diverses conditions, dont celle d'une renégociation des traités fondateurs.

Les négociations qui se déroulent tout au long de l'année n'aboutiront pas compte tenu du refus de la France exprimé par la voix du général De Gaulle. Il oppose son veto, de manière spectaculaire lors d'une conférence de presse le 14 janvier 1963. Plusieurs arguments justifient aux yeux du chef de l'État français cette attitude : l'inadaptation de l'économie britannique au système du marché commun, la nature de ses relations hors d'Europe et surtout les relations privilégiées avec les États-Unis. Sur ce dernier point, cette relation étroite est renforcée lors d'une rencontre entre le Premier ministre britannique et le Président des États-Unis, à Nassau en décembre 1962, à propos des fusées Polaris et de la force nucléaire britannique. Le veto français est presque un affront pour le Royaume-Uni, mais il est compris par nos partenaires des Communautés européennes. Au même moment, l'Allemagne et la France se rapprochent au travers du traité d'amitié franco-allemand du 22 janvier 1963. Le veto français clôt les négociations.

Le 2 mai 1967, le Premier ministre britannique, Harold Wilson annonce que le Royaume-Uni est à nouveau candidat à l'entrée dans les Communautés européennes, bien que les travaillistes soient globalement plutôt défavorables à cette adhésion. Cette nouvelle candidature est plus justifiée par la raison que par la passion. Le chef de l'État français expose, dans une conférence de presse le 16 mai 1967, une nouvelle fois que la France reste opposée à l'entrée du Royaume-Uni dans les Communautés européennes. Il le confirmera tout au long de cette année 1967. Cette fois-ci, l'attitude française n'est pas partagée par nos partenaires qui n'admettent pas le maintien de cette réticence. Cela apparaît nettement dans le compte rendu du conseil des ministres du 19 décembre 1967 : « Un État membre estime que le processus d'assainissement de l'économie britannique doit être mené à terme pour que la demande de la Grande-Bretagne puisse être reconsidérée. De ce fait, il n'y a pas au stade actuel d'accord au sein du Conseil pour la poursuite de la procédure ». La position de la France sera la même jusqu'au départ du Général De Gaulle.

La candidature britannique est donc permanente. Le 10 juillet 1969, le nouveau Président français, Georges Pompidou, indique qu'il souhaite une relance de la construction européenne et qu'il ne voit pas d'obstacle à l'entrée du Royaume-Uni dans le marché commun. La France ne peut s'opposer indéfiniment à une évolution des Communautés. La conférence de La Haye de décembre 1969 décide l'ouverture des négociations d'adhésion avec le Royaume-Uni, mais aussi l'Irlande, le Danemark et la Norvège. Les négociations commencent effectivement en juin 1970. Le Royaume-Uni présente un certain nombre de conditions, jugées souvent difficilement acceptables par les États membres comme : une très longue période de transition ; une participation réduite au budget communautaire ; le maintien des liens commerciaux privilégiés avec les pays du Commonwealth ; un statut particulier pour la Livre Sterling. La relation directe entre Georges Pompidou et Edward Heath permet de trouver le compromis indispensable. Un accord est trouvé à Luxembourg en juin 1971 entre les ministres des Affaires étrangères.

Le traité d'adhésion est signé à Bruxelles le 22 janvier 1972. Après une ratification par chaque État, l'élargissement prend effet à compter du 1ᵉʳ janvier 1973. Les Communautés européennes passent de six à neuf États membres et non pas dix compte tenu du vote négatif des Norvégiens lors du référendum organisé dans ce pays le 27 septembre 1972. En France, surtout pour des raisons de politique intérieure, un référendum est aussi organisé à la demande du Président Pompidou en avril 1972 sur cet élargissement. Il recueille 68 % de oui par rapport aux suffrages exprimés, mais connaît un fort taux d'abstention de 39 %. *date*

113 Ce premier élargissement a eu de nombreuses conséquences surtout du fait de l'entrée de la Grande-Bretagne. En effet, ce pays a toute suite, et de manière durable, pris une place particulière dans la Communauté européenne. Son attitude est en fait assez paradoxale. En effet, le Royaume-Uni n'est pas un mauvais élève de l'Europe, comme il est souvent présenté en France. Il respecte le droit communautaire qui s'impose à lui. Il est très présent dans les différents circuits décisionnels communautaires, y compris dans l'administration européenne. Il a aussi la préoccupation de former convenablement ses cadres administratifs aux réalités européennes. Mais, en même temps, il a une certaine idée du devenir de l'Europe qui n'est pas fédérale, mais plus libre-échangiste. Il le manifeste de manière claire lors des négociations des traités, comme ce fut le cas pour celui de Maastricht. Il défend toujours de manière très précise ses intérêts. On peut donc parler aussi de l'exception britannique. Peu de temps après son adhésion, la Grande-Bretagne met en avant ses spécificités pour

justifier des diminutions de sa contribution financière au budget communautaire : ses réseaux commerciaux avec les pays du Commonwealth ; le rôle de Londres comme place financière : l'importance de la Livre Sterling ; la moindre importance de l'agriculture britannique par rapport à la politique agricole commune. Cela donne lieu à un premier compromis sur la question de la contribution britannique au budget communautaire, à Dublin le 11 mars 1975. Ce compromis est approuvé par un référendum le 5 juin 1975 avec 67 % de votes positifs.

Dès son arrivée aux affaires, Margaret Thatcher, montre une opposition constante et farouche à certaines politiques communautaires, notamment à la politique agricole commune (PAC), en ce qui concerne la préférence communautaire pour les achats agricoles et son souhait de maintenir des relations privilégiées avec l'Australie et la Nouvelle Zélande par exemple pour les moutons et le beurre. Elle souhaite aussi que la Grande-Bretagne se maintienne encore à l'écart du système monétaire européen (SME) compte tenu du rôle de la Livre Sterling. On peut remarquer que cela dure avec l'euro auquel ce pays ne participe pas encore aujourd'hui. Elle demande à son tour un allégement de la contribution britannique au budget communautaire, ce qui aboutit à une nouvelle crise européenne en avril 1982 au moment de la fixation, comme chaque année, des prix agricoles. L'accord de Fontainebleau de juin 1984 réalise un compromis sur un allégement de la contribution britannique grâce en grande partie à l'habileté politique de François Mitterrand et aussi à l'effort financier consenti par l'Allemagne notamment dans le cadre de la ressource TVA.

De manière générale, on peut dire que l'attitude britannique oblige souvent les autres États membres à réexaminer certaines politiques en fonction de leurs retombées pour eux-mêmes. En plus, la Grande-Bretagne, quel que soit le parti politique au pouvoir, a toujours manifesté une grande réticence à une évolution fédérale de l'Europe communautaire. De ce point de vue, sa conception de l'évolution de l'Europe n'est pas très éloignée de celle du général De Gaulle dans les années soixante.

Même si le pays est moins important sur le plan géopolitique, il ne faut mésestimer le Danemark qui se montre toujours comme un pays très préoccupé par sa souveraineté et par le fonctionnement démocratique de l'Europe. Il le montrera plusieurs fois, notamment au moment du traité de Maastricht.

Au-delà de la question britannique, le passage d'une Europe à six à une Europe à neuf n'est pas qu'un changement qualitatif. Il suppose des changements d'habitude et d'équilibre dans les procédures de décision, des évolutions budgétaires et une extension du droit et des politiques communautaires à de nouveaux États. La période entre ce premier élargissement et les autres sera très propice à de remarquables *auspicieuses* évolutions institutionnelles initiées depuis plusieurs années et confirmées par l'Europe des douze avec l'apparition de réunions au sommet des chefs d'État ou de gouvernement sous la forme d'un Conseil européen. L'un des souhaits du président Georges Pompidou est que l'Europe dispose d'une structure suprême de décision, souhait suivi par les autres États. Le sommet de Paris du 10 décembre 1974 institutionnalise le Conseil européen. C'est aussi la volonté des États de donner une meilleure assise démocratique à la construction européenne en procédant à l'élection des membres du Parlement européen au suffrage universel, avec la décision du 20 septembre 1976.

### c) Le deuxième élargissement de 1981 à la Grèce et le troisième élargissement de 1986 à l'Espagne et au Portugal

114 Le premier élargissement réalisé, de nouveaux États sont candidats, la Grèce, l'Espagne et le Portugal. Ces trois pays méditerranéens posent des problèmes spécifiques, mais relativement comparables. On peut ainsi présenter les arguments favorables et les oppositions à ces nouveaux élargissements invoqués au moment des négociations. Les demandes proviennent de trois pays revenus à la démocratie après des régimes autoritaires, la Grèce des colonels, l'Espagne du franquisme et la Portugal du salazarisme. Cette adhésion est susceptible de renforcer durablement la démocratie renaissante. En plus, leur système économique pourra être consolidé. Cette adhésion devra confirmer la vocation européenne des Communautés sans exclusive. Ainsi, l'Europe du Sud peut équilibrer l'Europe du Nord. Des arguments négatifs sont aussi avancés : un niveau très différent de développement économique aussi bien pour l'agriculture que pour l'industrie, une inquiétude des agriculteurs français devant les concurrences potentielles et la remise en cause de la politique agricole commune, les risques de dysfonctionnements institutionnels et budgétaires par un passage à douze. Néanmoins, l'élargissement est préféré par les États membres.

115 La Grèce est déjà liée aux Communautés européennes par un accord d'association. Elle présente sa candidature en juin 1975 qui reçoit un avis favorable de la Commission en 1976. De longues négociations commencent en juillet 1976. Elles aboutissent à la signature du traité d'adhésion d'Athènes le 28 mai 1979. L'entrée de la Grèce est effective le 1er janvier 1981 après la ratification du traité. De longues périodes de transition sont organisées, l'une de 5 ans pour les aspects industriels, l'autre de 7 ans pour une série de domaines (l'agriculture, la libre circulation des travailleurs, le système monétaire...).

116 L'Espagne présente sa demande d'adhésion en juillet 1977. Cette candidature est plus délicate compte tenu de l'importance de ce pays en Europe. La Commission donne un avis favorable en novembre 1978. Les négociations commencent à l'automne 1979. Elles durent jusqu'en 1985. Le traité d'adhésion de Madrid est signé le 12 juin 1985. Il entre en vigueur effectivement le 1er janvier 1986 à l'issue du processus de ratification. Au cours de ces négociations, les Présidents français manifesteront toujours une opinion très favorable à l'entrée de ce pays dans les Communautés tout en étant parfaitement conscients des enjeux, notamment en matière agricole. Pour le Président Giscard d'Estaing, « la présence de l'Espagne dans l'Europe est conforme à la nature des choses et à l'intérêt de l'Europe » (Madrid, 1978). Pour François Mitterrand, « personne ne peut tourner le dos à l'histoire » (La Haye, 1985). De longues périodes de transition sont mises en place aussi bien pour l'union douanière, la libéralisation des échanges que l'agriculture. Il s'agit en général de période de 7 ans, parfois même de dix ans en matière agricole. Ces périodes de transition sont propices à des adaptations ou des modernisations du système économique, monétaire, administratif, budgétaire ou fiscal de l'Espagne.

117 Le Portugal présente sa demande d'adhésion en mars 1977. La Commission donne un avis favorable en mai 1978. Les négociations commencent en octobre 1979. Elles durent jusqu'en 1985. Le traité d'adhésion de Lisbonne est signé le 12 juin 1985. Il entre en vigueur effectivement le 1er janvier 1986 à l'issue du processus de ratification. De longues périodes de transition sont mises en place aussi bien pour l'union douanière, la libéralisation des échanges que l'agriculture. Il s'agit en général de période de 7 ans, parfois même de dix ans en matière agricole. Ces périodes de transition sont propices à des adaptations ou des moderni-

sations du système économique, monétaire, administratif, budgétaire ou fiscal du Portugal.

Les Communautés européennes comprennent alors douze États membres. L'Europe communautaire dispose de 2,2 millions de km$^2$ et d'une population de 320 millions d'habitants. Là encore cet élargissement est aussi bien quantitatif que qualitatif.

### d) Le quatrième élargissement de 1995 à l'Autriche, la Norvège et la Suède

118 La politique d'élargissement poursuit son cours avec toujours la même interrogation : Faut-il élargir à d'autres États ? Faut-il approfondir avant d'élargir ? Après de nombreuses discussions et réflexions, la même réponse est toujours donnée : il faut élargir en ayant le souci de l'approfondissement. Le même scénario se répète à nouveau avec les candidatures de la fin des années quatre-vingt. Néanmoins, elles présentent des particularités dans un contexte historique totalement renouvelé, du fait des mutations des pays de l'Europe de l'Est et de la fin du mur de Berlin. Les pays candidats présentent des similitudes. Il s'agit de pays développés, plutôt de l'Europe du Nord qui sont déjà liés à l'Europe communautaire par l'intermédiaire de l'Espace économique européen puisqu'ils appartiennent à l'AELE. Ces pays sont l'Autriche, la Finlande, la Norvège et la Suède.

119 L'Autriche est officiellement candidate le 17 juillet 1989. La Commission donne un avis favorable en 1991 en soulevant simplement la question de la neutralité autrichienne qui ne doit pas être un obstacle à la marche de la Communauté vers l'Union européenne. Pour la Commission l'Autriche remplit les conditions politiques et économiques pour devenir un nouvel État membre. Le statut de neutralité n'a pas été considéré comme un obstacle rédhibitoire par les États membres. Les Autrichiens sont consultés par référendum le 12 juin 1994, ils se prononcent favorablement par 66,69 % de oui.

120 La Suède est officiellement candidate le 1$^{er}$ juillet 1991. La Commission donne aussi un avis favorable dans la mesure où la situation économique et politique de ce pays correspond au développement des Communautés et de l'Union. La question de la neutralité de la Suède, évoquée dans les mêmes termes que pour l'Autriche n'induit pas d'incompatibilité avec la construction européenne. Les Suédois sont consul-

tés par référendum le 13 novembre 1994, ils se prononcent favorablement par 52,20 % de oui.

121 La Finlande est officiellement candidate le 18 mars 1992. La Commission donne un avis favorable dans la mesure où ce pays est devenu plus libre d'agir sur le plan international du fait de l'implosion de l'Union soviétique. Son dossier de candidature se présente donc très favorablement. Les Finlandais sont consultés par référendum le 16 octobre 1994, ils se prononcent favorablement par 57 % de oui.

122 La Norvège et la Suisse sont aussi candidates le 26 mai 1992. Ses deux pays se présentent dans une situation très particulière. La Norvège a déjà été candidate au début des années soixante-dix. Son adhésion acceptée a échoué du fait d'un référendum négatif en 1972. Elle est à nouveau candidate, sorte de suite logique dans un contexte de candidatures de tous les États scandinaves. Les négociations se déroulent de manière positive. Les Norvégiens sont à nouveau appelés à se prononcer par voie de référendum le 28 novembre 1994. Une nouvelle fois le non l'emporte par 52,2 % des voix. La spécificité norvégienne, les questions de la pêche et du pétrole restent plus déterminantes qu'une intégration dans l'ensemble communautaire. Pour la Suisse, les choses s'arrêtent plus vite du fait du référendum négatif de 1992 pour l'entrée de ce pays dans l'Espace économique européen. Ce premier refus rend une entrée dans l'Union européenne encore plus problématique. Les Suisses maintiennent une fois de plus une attitude de rejet de toute forme d'intégration dans un ensemble plus vaste.

Le traité d'adhésion des nouveaux États du 24 juin 1994 entre effectivement en application le 1ᵉʳ janvier 1995 pour trois pays, l'Autriche, la Finlande et la Suède. Les institutions des Communautés et de l'Union européenne s'adaptent à ce quatrième élargissement.

## B. Le cinquième élargissement et les élargissements envisagés : les défis et les enjeux

123 Le rythme et le nombre des demandes d'adhésions s'accélèrent. En effet, on assiste au milieu des années quatre-vingt-dix à une augmentation considérable des candidatures : dix pays d'Europe centrale et orientale (les PECO) et les États baltes c'est-à-dire la Bulgarie, l'Estonie, la Hongrie, la Lettonie, la Lituanie, la Pologne, la République Tchèque, la Rou-

manie, la Slovaquie, la Slovénie; deux îles méditerranéennes Chypre et Malte; et enfin la Turquie. Cet afflux de candidatures soulève un grand nombre de questions, d'une part pour chacune d'entre elles, d'autre part en terme de stratégie globale pour l'Union européenne qui pourrait passer de 15 à vingt-sept ou vingt-huit États membres.

Plusieurs sommets européens ont cette grande question à leur ordre du jour, comme ceux de Cologne en 1999, Helsinki en 1999, Nice en 2000 ou Copenhague en 2002. Ils statuent sur les choix politiques face à ces candidatures, sur les calendriers et le contenu des négociations d'adhésion. De son côté la Commission examine chaque candidature pour s'assurer des capacités d'adhésion des États candidats.

## 1. Le choix politique d'un grand élargissement de l'Union européenne

124 Les sommets d'Helsinki en 1999 et de Copenhague en 2002 ont fait un choix géopolitique majeur en acceptant le principe d'un très large élargissement à l'ensemble des candidatures. L'Union européenne ne se présente donc pas comme un club réservé à quinze États. Elle doit pouvoir accueillir tous les États européens candidats lorsqu'ils seront prêts, y compris éventuellement la Turquie. C'est donc le choix à terme d'une Union européenne à 28 États de près de 550 millions d'habitants. Cette décision géostratégique et politique est fondamentale. Elle trace les contours d'une Europe démocratique à l'échelle de la quasi-totalité du continent européen. C'est l'ambition politique d'organiser une Europe intégrée de l'Atlantique à la Mer noire entre des États partageant les mêmes valeurs de démocratie, de pluralisme politique, d'État de droit, de droits de l'homme et de libertés fondamentales. Il s'agit donc de soutenir les efforts dans ce sens des pays candidats tout en reconnaissant leurs spécificités et leurs différences. En même temps, cette ouverture vers le continent européen est aussi un autre engrenage vers d'autres pays susceptibles d'être un jour candidat comme par exemple le Bélarus, l'Ukraine, la Moldavie, l'Arménie ou l'Azerbaïdjan ou encore d'autres au bord de la Mer noire comme la Géorgie. Déjà de nouveaux États sont candidats, la Croatie depuis avril 2003 et la République de Macédoine depuis mars 2004. Évidemment, cela fait rejaillir la question des frontières ultimes du conti-  nent européen : comment les fixer définitivement ? Selon quels critères incontestables ? (Jean-François Drevet, *L'élargissement de l'Union européenne,*

*jusqu'où ?* L'Harmattan, 2001 ; Elie Barnavi, *Mille ans de construction euro-péenne*, in *Les frontières de l'Europe*, De Boeck, 2001). La même question s'est posée pour l'intégration de nouveaux membres au sein du Conseil de l'Europe.

125 Ce grand choix politique est à la fois quantitatif et qualitatif. En effet, accepter autant de nouveaux États aura à terme des conséquences sur la nature de l'Union européenne. Il est normal que la problématique constitutionnelle survienne en même temps que celle de cet énorme élar-gissement. Les scénarios se multiplient. On peut envisager une Europe intégrée pour tous s'appuyant sur l'acquis communautaire et poursui-vant cette logique. Cette Europe pourrait aller vers une Europe puis-sance politique au même titre que la puissance américaine avec une évo-lution vers un fédéralisme européen. On peut aussi imaginer une Europe à géométrie variable avec, d'un côté un noyau dur d'un petit nombre d'États plus avancés dans l'intégration et développant en plus des coopé-rations renforcées et de l'autre des États membres soumis à moins d'exi-gence d'intégration ou de coopération. Enfin, un tel élargissement peut aussi valoriser beaucoup plus la simple coopération intergouvernemen-tale et beaucoup moins la logique de l'intégration. Chaque scénario sym-bolise une certaine conception de l'Europe. Leur réalisation dépend lar-gement des volontés politiques des anciens États membres comme des nouveaux États ou des candidats à l'adhésion.

On peut aussi s'interroger sur les finalités réelles des demandes actuelles d'adhésion. Elles semblent plus justifier par des raisons éco-nomiques que par le partage de l'idéal européen des pères fondateurs. Le choix américain de conduire, en 2003, une guerre en Irak de manière préventive, sans s'appuyer sur une décision de l'ONU a divisé les gou-vernants des États européens, et par là même confirmer les divergences sur les conceptions de l'avenir de l'Europe (Dix pays d'Europe signent une lettre en faveur de la campagne de Washington contre Bagdad, *Le Monde*, 7 février 2003).

## 2. L'organisation de ce nouvel élargissement

126 Ce nouvel élargissement pose plusieurs questions. Les nouveaux États et les candidats sont-ils suffisamment prêts à intégrer l'Union européenne ? L'Union européenne est-elle suffisamment organisée pour bien intégrer dans son fonctionnement ces nouveaux États ?

Les États candidats doivent remplir plusieurs critères d'adhésion. Il revient à la Commission d'examiner de manière minutieuse la situation de chaque État candidat afin de préparer les futures adhésions. Lors du sommet de Cologne de juin 1999, une stratégie par vagues successives a été adoptée: une première vague d'adhésions en 2003, pour l'Estonie, la Pologne, la Slovénie, la République Tchèque, la Hongrie et Chypre; une seconde vague d'adhésions, plus tard, pour la Bulgarie, la Lettonie, la Lituanie, la Roumanie, la Slovaquie et Malte. Au contraire lors du sommet d'Helsinki de décembre 1999, cette stratégie a été abandonnée au profit d'un élargissement au fur et à mesure de l'évaluation de la qualité de la préparation des États candidats, en acceptant de donner aussi à la Turquie le statut d'État candidat. À l'issue du sommet de Copenhague de 2002, les premières échéances pour l'intégration des nouveaux États sont bien fixées pour 2004.

Si dix des États candidats sont officiellement devenus le 1er mai 2004 dix nouveaux États membres, il est important de rappeler quels critères, qualifiés de « critères de Copenhague », ils ont dû satisfaire pour entrer dans l'Union européenne. Ces critères demeurent la base de la discussion pour les candidats actuels et les futurs autres. Le premier critère est politique. L'État candidat doit avoir des institutions démocratiques et stables qui respectent l'État de droit, les droits de l'homme et les droits des minorités. Le second critère est économique. L'État candidat doit fonctionner selon une économie de marché basée donc sur le libéralisme économique. Il doit pouvoir faire face aux exigences des règles de la concurrence dans le cadre du grand marché. Le troisième critère est celui de la reprise de l'acquis communautaire c'est-à-dire intégrer dans son droit l'ensemble des règlements et des directives auxquels les États membres sont astreints. Ainsi le nouvel État doit être capable d'assumer toutes les obligations d'un État membre, notamment de souscrire aux objectifs de l'Union politique, économique et monétaire.

127 Au-delà de ces critères généraux indispensables à remplir pour tous les États candidats, il faut relever des spécificités par État ou catégorie d'États.

D'abord pour les États baltes et les Pays d'Europe Centrale et Orientale (PECO), les changements de régime politique ont facilité et rendu possibles les adhésions. La plupart de ces États avait déjà commencé des adaptations administratives, économiques, juridiques et politiques. Ils appartenaient aussi déjà, d'une part au Conseil de l'Europe, d'autre part à la Convention européenne des droits de l'homme. Ils souhaitaient aller vers l'intégration européenne, pour des raisons démocratiques de stabilisation du régime politique, pour des raisons économiques liées au libéralisme du grand marché intérieur et pour des raisons de cohésion économique et sociale attachées aux retombées des politiques communautaires. En plus, ils sont sans conteste possible des États européens qui souhaitent respecter les valeurs de la démocratie, des droits de l'homme et des libertés fondamentales. Leur candidature s'inscrit dans la suite logique de leur rapprochement de l'Union européenne par un traité d'association. Seules la Roumanie et la Bulgarie ne sont pas apparues suffisamment prêtes pour être admises comme nouvel État membre au même moment que les autres. La Turquie est dans une situation presque similaire.

128 Ensuite, pour les îles de Chypre et de Malte, elles sont bien européennes par leur situation. Malte a historiquement de nombreux liens avec l'Europe. Chypre est dans une situation plus délicate compte tenu de sa partition résultat d'un désaccord persistant entre la Grèce et la Turquie à propos de la séparation des deux communautés de cette île. La partition de l'île de Chypre ayant été maintenue à l'issue du dernier référendum du 24 avril 2004, seule la partie grecque est entrée dans l'Union européenne le 1er mai 2004. Néanmoins, la candidature des deux îles s'inscrit dans la suite logique de leur rapprochement avec l'Union européenne par un traité d'association.

129 La Turquie reste un cas plus problématique à plus d'un titre. Elle est candidate depuis le 14 avril 1987. L'examen définitif de cette candidature a été régulièrement reporté par les Communautés et l'Union européenne. Jusqu'au sommet d'Helsinki de 1999, la Commission a toujours émis un avis défavorable à sa candidature. Lors de ce sommet, le Conseil européen précise : « La Turquie est un pays candidat, qui a vocation à rejoindre l'Union sur la base des mêmes critères que ceux qui s'appliquent aux autres pays candidats ». Elle a donc bien le statut d'un pays candidat qui peut bénéficier d'une stratégie de pré-adhésion. Néanmoins, plusieurs questions se posent de manière récurrente et entraînent des débats dans les États membres (« L'intégration de la Turquie : un problème épineux pour l'Union européenne », *Le Monde*, 26 avril 2004). La première question qui continue de se poser est son appartenance ou pas au continent européen. Une faible partie de son territoire est en Occi-

dent, la plus grande partie est en Orient. Pourtant, elle est considérée comme européenne du fait de son appartenance très ancienne au Conseil de l'Europe, à l'OCDE ou même à l'OTAN. Elle est aussi un État associé à la Communauté européenne depuis 1963. Il est vrai que cette question d'appartenance géographique à l'Europe pose immédiatement celle des frontières ultimes de l'Union européenne, comme nous l'avons déjà évoqué plus haut. La seconde question est celle du respect des droits de l'homme et des libertés fondamentales. La Turquie n'a pas dans ce domaine une bonne réputation. Elle a été souvent condamnée par la Cour européenne des droits de l'homme pour le fonctionnement de sa justice et de son système pénitentiaire. Pourtant elle fait quelques progrès dans ce domaine. Par exemple, elle vient de procéder à l'abolition de la peine de mort dans son arsenal pénal. La troisième question est le niveau de développement économique de la Turquie qui n'est pas une spécificité de ce pays par rapport aux autres États européens de la nouvelle génération de membres. La dernière question, plus délicate, est l'importance de la religion musulmane. Si le régime est constitutionnellement laïc, la religion musulmane est dominante. Est-ce que l'Europe majoritairement chrétienne peut intégrer en son sein un pays majoritairement musulman, lorsqu'on sait la place du fait religieux en Europe ? Cela montre à quel point, l'adhésion ou pas de la Turquie est une question politique qui renvoie à la conception même de l'Union européenne. C'est pour cela que le choix politique du sommet d'Helsinki de 1999 d'accepter la position de candidate de la Turquie est fondamental, même si son examen est décalé par rapport aux autres candidats, comme l'ont bien montré les travaux des sommets de Nice de 2000 et de Copenhague de 2002. En même temps, les Turcs ont participé aux travaux de la Convention européenne sur le projet de Constitution pour l'Europe.

130  Pour l'ensemble des candidats, des aides de pré-adhésion ont été mises en place. Elles le sont d'autant plus facilement que tous ces candidats disposaient, et disposent encore, du statut d'État associé à l'Union européenne ou lié par une Union douanière. Des financements spécifiques existent pour la période 2000-2006 à hauteur de 21 milliards d'Euros. Cela comprend un programme communautaire adapté, comme le programme PHARE, pour 10 milliards d'Euros. Ces financements font partie de l'Agenda 2000, ils sont donc inclus dans les prévisions budgétaires de l'Union européenne. Parmi ces financements, il y a notamment une

aide au développement agricole pour 3,5 milliards d'Euros et des aides structurelles de 7 milliards d'Euros pour se rapprocher des normes communautaires en terme d'infrastructures, de transports ou d'environnement. Afin d'associer le mieux possible les États candidats aux travaux de l'Union européenne, des conférences européennes regroupant les États membres et les États candidats ont été régulièrement organisées.

131 De son côté, l'Union européenne a préparé ses structures pour pouvoir accueillir le mieux possible ce grand nombre de nouveaux États membres. Cela était indispensable pour éviter un mauvais fonctionnement de l'ensemble. Cette adaptation des structures a été réalisée par le traité de Nice de 2000. Il organise chaque grande institution pour accueillir progressivement 27 États membres (donc pas encore la Turquie). Nous examinerons ces évolutions en évoquant le système institutionnel de l'Union européenne. De même, les questions budgétaires et financières, pour la période 2000-2006, ont été traitées en incluant cette augmentation prévisible du nombre d'États membres.

132 En fonction de ses exigences, le Conseil européen de Copenhague des 12 et 13 décembre 2002 a décidé d'accueillir les États suivants comme membres au 1er mai 2004 : Chypre, la République tchèque, l'Estonie, la Hongrie, la Lettonie, La Lituanie, Malte, la Pologne, la République slovaque et la Slovénie. Il se donne comme objectif d'accueillir la Bulgarie et la Roumaine en tant que nouveaux États membres de l'Union européenne en 2007. Il décide aussi que si, en décembre 2004, la Turquie satisfait aux critères politiques de Copenhague, l'Union européenne ouvrira des négociations d'adhésion avec ce pays. À partir de cette décision politique et compte tenu des avancées des discussions d'adhésions, le traité d'adhésion est préparé et signé à Athènes le 16 avril 2003.

Les États retenus pour 2004 ont organisé chacun un référendum pour confirmer cette adhésion. Ces référendums ont tous été positifs : en Slovénie le 23 mars 2003 ; à Malte le 8 avril 2003 ; en Hongrie, le 8 avril 2003 ; en Lituanie, le 11 mai 2003 ; en République slovaque, le 17 mai 2003 ; en Pologne, le 8 juin 2003 ; en République Tchèque, le 14 juin 2003 ; en Estonie, le 14 septembre 2003 ; en Lettonie, le 20 septembre 2003. Seul Chypre a adopté la voie parlementaire pour la ratification compte tenu de la perspective du référendum de 2004 pour la question de la partition de l'île en deux zones. L'entrée officielle des dix nouveaux États membres dans l'Union européenne s'est réalisée le 1er mai 2004.

# CHAPITRE 2

# Les institutions de l'Union et des Communautés européennes

133 *Les institutions communautaires participent aussi à l'intégration des peuples et des États, car elles permettent, d'une part de les représenter dans toutes leurs composantes, d'autre part de diriger l'Union et les Communautés européennes. Les traités ont mis en place un véritable système institutionnel intégré qu'il est plus clair d'appeler le système politique européen pour reprendre les termes de Jean Louis Quermonne (Le système politique de l'Union européenne, Montchrestien, 5ᵉ éd., 2002). Le système institutionnel des Communautés et de l'Union européennes évoque éventuellement celui d'un État, mais il en reste néanmoins assez différent. La distribution des fonctions est proche de celle d'un État avec une présidence de l'Europe par le Conseil européen, un gouvernement pour l'Europe avec le Conseil de l'Union et la Commission européenne, un parlement pour l'Europe avec le Parlement européen et un juge communautaire, la Cour de justice des Communautés européennes. Donc, on peut irrésistiblement penser aux trois pouvoirs l'exécutif, le législatif et le judiciaire. Mais la comparaison s'arrête là, car la distribution des rôles n'est justement pas celle d'un État même fédéral. Il faut éviter d'abuser des comparaisons faciles avec un système étatique, dans la mesure où l'Europe n'est justement pas un État et n'a pas pour l'instant vocation à l'être.*

134 *Une autre approche générale est possible, la voie de la représentation, donc de la légitimité des composantes de l'Union et des Communautés européennes. Le système institutionnel a été construit pour assurer une bonne représentation de tous. La représentation des États membres et de leurs gouvernements est ainsi assurée, notamment par l'intermédiaire du Conseil européen et du Conseil de l'Union. La représentation des peuples est assumée par le Parlement européen dont les membres sont élus au suffrage universel. La représentation des forces vives et des collectivités territoriales des États membres trouve sa place au sein du Comité économique et social et du Comité des régions. La représentation de l'intérêt général communautaire est attribuée à la Commission européenne. Enfin, le droit communautaire, donc l'intérêt général communautaire, est défendu par la Cour de justice des communautés européennes. On peut en déduire l'organisation d'une forme originale de démocratie pour l'Europe. La recherche d'un traité constitutionnel, donc d'une constitution pour l'Europe met en avant la question de la pluralité des représentations,*

*sans copier sur le système étatique. Cette volonté de représentation peut difficilement admettre la critique récurrente du déficit démocratique des institutions communautaires.*

135 *Enfin, une dernière approche peut être envisagée, par l'application des théories de l'intégration ou de la coopération au système institutionnel, en distinguant les institutions qui permettent la défense des intérêts des États avant la réalisation du compromis européen et celles qui ont vocation à valoriser l'intérêt général communautaire. Plusieurs institutions sont intégrées dans leur composition, leur fonctionnement et leurs compétences comme la Commission européenne, le Parlement européen ou la Cour de justice des communautés européennes. Il en est de même pour la Banque centrale européenne. D'autres institutions sont beaucoup plus intergouvernementales, là encore si on observe leur composition, leur fonctionnement et leurs compétences, comme le Conseil européen pour le Conseil de l'Union.*

136 *Avant de commencer à décrire les institutions ou les organes communautaires, il est essentiel de rappeler que le traité instituant la Communauté européenne ne considère, dans son article 7, comme institution que le Conseil de l'Union, la Commission européenne, le Parlement européen, la Cour de justice des Communautés européennes et la Cour des comptes. Le Conseil européen n'est pas au sens des traités une institution. Dans le projet de Constitution pour l'Europe, il est proposé qu'il le devienne. Les autres structures sont donc des organes et non des institutions au sens juridique du terme. Pour présenter ces institutions et ces organes, il nous paraît intéressant de distinguer ceux qui participent à la décision en Europe de ceux qui effectuent le contrôle juridique, financier ou administratif du fonctionnement des Communautés de l'Union européennes.*

# I. Les institutions de décision

137 Plusieurs institutions contribuent à la décision européenne, soit sur un plan politique, soit sur un plan juridique. Elles participent au processus de décision qui aboutit à l'adoption de normes communautaires applicables sur le territoire des États membres. Chacune apportant une contribution spécifique.

## A. Le Conseil européen
## ou « la présidence de l'Union européenne »

138 Il n'est pas de tradition de traiter le Conseil européen dans les institutions de décision, car cette instance a un statut un peu à part dans le processus de décision. En effet, il ne s'agit pas d'une institution au sens du traité, mais plus d'une réunion au sommet des plus hautes autorités des États membres. Néanmoins ces orientations politiques sont décisives pour les institutions proprement dites. Le Conseil européen ne fait pas partie du fameux triangle institutionnel que constituent le Conseil, la Commission et le Parlement. Mais, sa fonction contribue aux évolutions les plus importantes de l'Union européenne. C'est pour cette raison, qu'il nous paraît important de l'évoquer dans ce chapitre. Parler, pour le Conseil européen, de présidence de l'Union européenne est peut-être un peu excessif, car l'Union n'est pas un État, pourtant cela exprime bien une réalité institutionnelle de l'Europe.

Le Conseil européen est une instance très spécifique. Il est le résultat d'une longue pratique des sommets européens souvent utilisés pour débloquer politiquement des difficultés majeures dans la construction communautaire. Le sommet de La Haye en 1969 fut le premier sommet fonctionnel de cette nature. Il sera suivi de beaucoup d'autres. C'est celui de Paris de 1974 qui décide d'organiser de manière régulière ce type de réunion au niveau des chefs d'État ou de gouvernement accompagnés des ministres des affaires étrangères. La conférence de Paris avait d'ailleurs précisé la fonction générale de ce Conseil : « Reconnaissant la nécessité d'une approche globale des problèmes internes que pose la construction européenne et de ceux avec lesquels l'Europe est confrontée à l'extérieur, les chefs de gouvernements estiment qu'il y a lieu d'assurer le développement et la cohésion d'ensemble des activités de la Communauté et des travaux de la coopération politique... de se réunir en Conseil des Communautés et au titre de la coopération politique ».

De son côté la Déclaration de Stuttgart de 1983 assignait assez précisément des fonctions au Conseil européen de la manière suivante : « Dans la perspective de l'Union européenne, le Conseil européen : donne à la construction européenne une impulsion politique générale ; définit les orientations favorisant la construction européenne et donne des lignes directrices d'ordre politique général pour les Communautés européennes et la coopération politique européenne ; délibère des questions relevant de l'Union européenne dans ses différents aspects en veillant à leur cohérence ; ouvre à la coopération de nouveaux secteurs d'activité ; exprime de manière solennelle la position commune dans les questions de relations extérieures. Lorsque le Conseil européen agit dans les matières relevant des Communautés européennes, il le fait en tant que Conseil au sens des traités ».

Le Conseil européen est introduit expressément dans les traités, à partir de l'Acte unique en 1987. En vertu de l'article 4 du traité sur l'Union européenne, le Conseil européen réunit les chefs d'État ou de gouvernement des États membres ainsi que le président de la Commission. Ceux-ci sont assistés par les ministres chargés des affaires étrangères des États membres et par un membre de la Commission. La France est l'un des rares pays qui soit représenté au Conseil européen par son président de la République, accompagné par le Premier ministre suivant l'existence ou pas d'une situation politique de cohabitation. Depuis la déclaration n° 4 du traité sur l'Union européenne, le président du Conseil européen peut inviter les ministres des affaires économiques et des finances à participer aux sessions du Conseil européen lorsque ce dernier examine les questions relatives à l'union économique et monétaire.

139 Le Conseil européen se réunit au moins deux fois par an, sous la présidence du Chef d'État ou de gouvernement de l'État membre qui exerce la présidence du Conseil. Ces réunions se déroulent souvent dans les villes de l'État membre concerné. Néanmoins, il a été décidé lors de la Conférence intergouvernementale de 2000 qu'à partir de 2002 une réunion par présidence se tiendra à Bruxelles et que toutes les réunions se tiendront à Bruxelles lorsque l'Union comptera au moins 18 membres. Cette décision vise à rationaliser le fonctionnement de cette conférence au sommet en évitant le nomadisme, même si cela diminue le pittoresque des déplacements et les initiatives nationales lors des réceptions du Conseil européen.

Le Traité sur l'Union européenne fixe de manière assez générale le rôle et les fonctions du Conseil européen dans plusieurs dispositions. « Le Conseil européen donne à l'Union les impulsions nécessaires à son développement et en définit les orientations politiques générales » (article 4 du TUE). « Le Conseil européen définit les principes et les orientations générales de la politique étrangère et de sécurité commune, y compris pour les questions ayant des implications en matière de défense. Il décide des stratégies communes qui seront mises en œuvre pour l'Union dans des domaines où les États membres ont des intérêts communs importants » (article 13).

Le Conseil européen apparaît, de plus en plus comme une forme de présidence de l'Union européenne compte tenu de la légitimité de ses membres, mais aussi de sa vocation à traiter l'ensemble des affaires européennes. Conçu dès sa création comme une instance d'impulsion politique, le Conseil européen a démontré son utilité sans remettre en cause le processus décisionnel communautaire. En général, l'ordre du jour distingue les questions strictement communautaires dans une première demi-journée des questions relevant de la politique étrangère et de sécurité commune lors de la deuxième demi-journée. Le déroulement des séances laisse une large place aux relations directes entre les chefs d'État ou de gouvernement ce qui facilite les décisions en élevant les débats parfois enlisés dans des considérations techniques. Ainsi, les réunions régulières du Conseil européen constituent souvent des étapes décisives pour les avancées de la construction de l'Union européenne. Elles donnent lieu à des conclusions publiées et diffusées (notamment via le site Internet de l'Union européenne) à l'issue des discussions. « Ces conclusions sont préparées par la présidence du Conseil européen avec le concours du secrétariat général du Conseil de l'Union et sont discutées lors de la dernière séance plénière. Elles sont établies sous la responsabilité de la présidence et contiennent un état des travaux de la réunion et des documents de nature diverse : déclarations, décisions… » (Jean-Paul Jacqué, *Droit institutionnel de l'Union européenne*, Dalloz, 2001, p. 285).

En vertu de l'article 4, le Conseil européen présente au Parlement européen un rapport à la suite de chacune de ses réunions, ainsi qu'un rapport écrit annuel concernant les progrès réalisés par l'Union. L'habitude a été prise de permettre au président du Parlement européen d'assister au début des travaux du Conseil européen pour qu'il puisse indiquer l'opinion du Parlement sur les points à l'ordre du jour. Néanmoins, il ne participe pas aux délibérations.

« Le Conseil européen est devenu aujourd'hui un élément irremplaçable de la construction de l'Union. Par ses orientations générales, il trace les perspectives d'évolution et d'action de l'Union. Par ses arbitrages, il élimine les blocages éventuels dans l'activité de l'Union. Par les échanges qu'il permet régulièrement entre les chefs d'État ou de gouvernement, il contribue à former une conscience commune » (Jean-Paul Jacqué, déjà cité, p. 288 ; pour aller plus loin, B. Taulègne, *Le Conseil européen*, PUF, 1993).

Au moment où se réalise un grand élargissement, beaucoup s'interrogent sur l'efficacité du Conseil européen. Déjà lors de ses réunions à Barcelone et à Séville en 2002, le Conseil européen, à la suite d'un rapport de la présidence, souhaite que des réformes soient entreprises afin qu'il puisse convenablement remplir sa mission « avec l'autorité, la cohérence et l'efficacité que l'on est en droit d'attendre de l'instance politique suprême de l'Union » (voir Philippe de Schoutheete et Helen Wallace, « Le Conseil européen », *Études et recherches* n° 19, *Notre Europe*, septembre 2002, p. 19).

140 Le projet de Constitution de la Convention européenne et le traité constitutionnel adopté à Bruxelles le 18 juin 2004 transforment le Conseil européen en une véritable institution. Ce Conseil aura la fonction de donner à l'Union les impulsions nécessaires à son développement et de définir ses orientations et ses priorités politiques générales sans disposer de la fonction législative. Il devra se prononcer par consensus. L'innovation la plus remarquable porte sur le président du Conseil européen. Il est proposé qu'il soit élu par le Conseil européen à la majorité qualifiée pour une durée de deux ans et demi, renouvelable une fois, ce président ne pouvant pas exercer de mandat national. Cette fonction devenue permanente permettrait à ce président d'exercer au-delà de la présidence et de l'animation des travaux du Conseil européen, une véritable représentation de l'Union, notamment extérieure pour les matières relevant de la politique étrangère et de sécurité commune. Cela serait une forme de personnalisation de la présidence de l'Union européenne.

# B. Le Conseil de l'Union ou « le gouvernement de l'Union »

141 Le Conseil de l'Union préfigure une forme de gouvernement de l'Union et des Communautés européennes, même s'il n'en a pas vraiment toutes les caractéristiques. Cette institution est investie du réel pouvoir de décision. Le Conseil de l'Union exerce le pouvoir législatif et le pouvoir bud-

gétaire, seul ou avec le Parlement européen. Il dispose aussi du pouvoir exécutif. Dans le cadre de la politique étrangère et de sécurité commune, comme dans celui de la coopération judiciaire et policière en matière pénale, le Conseil de l'Union a un rôle déterminant dans la mesure où le Parlement européen et la Commission européenne voient leur fonction très limitée. Le Conseil de l'Union recherche en permanence un compromis entre les intérêts nationaux que chaque État membre défend par l'intermédiaire de ses représentants et l'intérêt de l'Union européenne. En définitive, il participe lui aussi à dégager l'intérêt général communautaire. Ce n'est évidemment pas un gouvernement intégré de l'Europe, même si les modes de vote qu'il pratique, le rapprochent progressivement de cette fonction.

## 1. La composition du Conseil de l'Union

142 « Le Conseil est formé par un représentant de chaque État membre au niveau ministériel, habilité à engager le Gouvernement de cet État membre. La présidence est exercée à tour de rôle par chaque État membre du Conseil pour une durée de six mois » (article 203 TCE). Cette composition particulière permet évidemment aux États unitaires d'envoyer un ministre, mais aussi aux États fédéraux de désigner éventuellement pour les représenter un ministre d'un État fédéré ou d'une institution infra-étatique en vertu de la répartition interne des compétences, comme pour l'Allemagne, l'Autriche ou la Belgique. Cette dernière formule semble peu utilisée par ces États. Dans la très grande majorité des cas, les États sont représentés par un ministre de leur gouvernement. Ce ministre peut être assisté de fonctionnaires parmi lesquels se trouve notamment le représentant permanent ou le représentant permanent adjoint de l'État membre. Assistent aussi au Conseil, des membres de la Commission européenne et le secrétaire général du Conseil de l'Union. La présence de la Commission est précieuse car cela lui permet de présenter son point de vue sur les textes examinés et de défendre ses propositions et ses positions, par exemple sur des amendements à ses textes initiaux.

Si le Conseil est une institution unique, sa composition varie de manière fonctionnelle en relation avec les compétences exercées. Le traité ne fait pas référence à cette diversité concrète de composition. Le Conseil « affaires générales » a fixé les différentes formations spécialisées du Conseil de l'Union lors d'une réunion du 10 avril 2000. Ainsi, on distingue aujourd'hui 16 formations du Conseil de l'Union avec, à chaque fois, les ministres compétents des États membres : Conseil affaires générales ; Conseil agriculture ; Conseil affaires économiques et financières, Conseil environnement ; Conseil Transports et télécommunications ; Conseil emploi et politique sociale ; Conseil pêche ; Conseil industrie et énergie ; Conseil justice, affaires intérieures et protection civile ; Conseil marché intérieur, consommation et tourisme, Conseil recherche ; Conseil budget ; Conseil culture ; Conseil développement ; Conseil éducation et jeunesse ; Conseil santé. Cette division fonctionnelle du Conseil de l'Union ne peut que soulever des problèmes de coordination entre ses formations.

Le Conseil de l'Union est, en vertu de l'article 207 (TCE) assisté d'un secrétariat général doté d'une administration d'environ 2000 fonctionnaires. Ce secrétariat général est placé sous la responsabilité d'un secrétaire général, Haut représentant pour la politique étrangère et la sécurité commune, assisté d'un secrétaire général adjoint chargé de la gestion du secrétariat général. Ces deux responsables sont nommés par le Conseil statuant à l'unanimité. Le Conseil décide de l'organisation du secrétariat général. Par ailleurs, le comité des représentants permanents des États membres (COREPER) a la charge de préparer les travaux du Conseil et d'exécuter les mandats qui lui sont confiés par celui-ci. Nous examinerons, plus précisément le COREPER, un peu plus loin dans le livre.

143 Le projet de Constitution de la Convention européenne et le traité constitutionnel adopté à Bruxelles le 18 juin 2004 proposent des simplifications et des clarifications dans la composition et les formations du Conseil des ministres. Cette qualification clarifiée de Conseil des ministres est aussi une amélioration de la lisibilité. Il est suggéré de distinguer, dans le texte de la Constitution proposée, trois types de formations du Conseil des ministres afin de mieux en identifier et opérationnaliser les activités : le Conseil législatif et des affaires générales, le Conseil des affaires étrangères, les formations spécialisées déterminées par le Conseil européen (article 23 du projet).

## 2. Le fonctionnement du Conseil

144 Le Conseil se réunit soit à la demande de ses membres, soit à celle de son Président, soit à la demande de la Commission. Les réunions sont fréquentes et parfois longues en fonction des sujets. On parlait ainsi autrefois souvent des « marathons agricoles » pour les réunions du Conseil

des ministres de l'agriculture. Les réunions ont lieu à huis clos, ce qui assez logique afin de laisser aux représentants des États une liberté dans les négociations indispensables pour dégager un compromis communautaire. Cette tradition de la confidentialité est en même temps en contradiction avec la quête d'une plus grande publicité et transparence des travaux des institutions de l'Union européenne. Ces nouvelles préoccupations visent à améliorer la démocratie européenne. La déclaration n° 17 du traité de Maastricht relative au droit d'accès à l'information demande à la Commission de proposer au Conseil un rapport sur des mesures visant à accroître l'accès du public à l'information dont disposent les institutions. Le Conseil européen d'Édimbourg de 1992 suggère des évolutions dans trois domaines : l'information sur le rôle du Conseil, l'ouverture des travaux au public et l'amélioration de la clarté et de l'accessibilité à la législation communautaire. Les articles 207 et 255 fixent le cadre général de l'organisation de cette transparence des travaux du Conseil de l'Union. « Le Conseil détermine les cas dans lesquels il doit être considéré comme agissant en sa qualité de <u>législateur</u> afin de permettre un meilleur accès aux documents dans ces cas, tout en préservant l'efficacité de son processus de prise de décision. En tout état de cause, lorsque le Conseil agit en sa qualité de législateur, les résultats et les explications des votes, ainsi que les déclarations inscrites au procès-verbal, sont rendus publics » (article 207 § TCE).

• *L'ordre du jour du Conseil de l'Union*

145 La préparation de l'ordre du jour est l'une des responsabilités de la présidence du Conseil qui l'assume en concertation avec le COREPER qui a le rôle de préparer les sessions du Conseil. Cet ordre du jour est divisé en trois catégories : les points A, les points B et les points divers. La partie A de l'ordre du jour est définie par l'article 3 § 7 du règlement intérieur du Conseil : « Sont inscrits en point A les points pour lesquels une approbation par le Conseil est possible sans débat, ce qui n'exclut pas la possibilité pour chacun des membres du Conseil et pour la Commission d'exprimer leur opinion à l'occasion de l'approbation de ces points et de faire des déclarations au procès-verbal ». L'inscription à cette partie A permet a priori un vote sans débat dans la mesure où un accord est déjà intervenu entre les représentants permanents des États membres. La partie B de l'ordre du jour est définie par l'article 3 § 2 du règlement intérieur du Conseil : « l'ordre du jour indique également

nessecite d'avoir une discussion avant le vote

les points sur lesquels la présidence, un membre du Conseil ou la Commission peuvent demander un vote ». L'inscription à cette partie B permet d'envisager des débats suivis aussi d'un vote.

• *Les modes de votes au sein du Conseil de l'Union*

146 « La question de la procédure de votation au sein du Conseil est depuis des années au cœur du débat européen et alimente les discussions entre partisans et adversaires du recours systématique à la majorité qualifiée » (Jean-Paul Jacqué, déjà cité, p. 264). Le système de votes est fixé par l'article 205 (TCE). Les modes de vote au Conseil sont très variés. Le traité (CE) prévoit, suivant les domaines concernés, un vote soit à l'unanimité, soit à la majorité, soit à la majorité qualifiée.

147 Le vote à l'unanimité est requis dans un certain nombre de cas, étant entendu que les abstentions des membres présents ou représentés ne font pas obstacle à l'adoption des délibérations du Conseil qui requièrent justement l'unanimité. Cela concerne d'abord les questions de nature constitutionnelle : la procédure d'élection du Parlement européen (article 190 TCE) ; les dispositions relatives à la Cour de justice (article 222 TCE) ; les dispositions relatives à la Cour des comptes (article 247 TCE) ; les accords d'association (article 300 TCE) ; les accords d'adhésion (article 49 du TUE) par exemple pour admettre un nouvel État membre ou pour un accord d'association. Cela s'applique ensuite à des questions que les États membres considèrent comme mettant en cause des questions de souveraineté nationale, notamment : les ressources communautaires (article 269 TCE) ; les dispositions touchant à la fiscalité indirecte (article 93 TCE) ; le fonctionnement des fonds à finalité structurelle (article 161 TCE), avec des perspectives d'évolution vers le vote à la majorité qualifiée à l'horizon du 1ᵉʳ janvier 2007 ; les questions environnementales (article 175 TCE).

148 Le vote à la majorité est le vote de droit commun, sauf dispositions contraires du Traité. Ce vote doit permettre de dégager une volonté politique majoritaire commune aux États membres. C'est à ce moment qu'apparaît une réelle intégration européenne. Il caractérise bien la nature de l'Union européenne. Il est rarement prévu par le traité qui lui préfère le vote à la majorité qualifiée. Dans la pratique, il n'est que très rarement utilisé. Ainsi, il est prévu pour l'adoption du règlement intérieur du Conseil (article 207 TCE) ou pour les demandes faites par le Conseil à la Commission de procéder à toutes études

qu'il juge opportunes pour la réalisation des objectifs communs *juin 2007*
(article 208 TCE).

149 Le vote à la majorité qualifiée est le mode de vote le plus fréquemment
retenu par les traités, car il permet de réaliser un compromis entre les
souhaits des États et la nécessité de dégager l'intérêt général européen.
Il repose sur une pondération des voix attribuées à chaque État. Jusqu'à
l'entrée des dix nouveaux États membres, cette pondération était la suivante : Luxembourg, 2 voix ; Danemark, Finlande, Irlande, 3 voix par
État ; Autriche, Suède, 4 voix par État ; Belgique, Grèce, Pays-Bas, Portugal 5 voix par État ; Espagne, 8 voix ; Allemagne, France, Italie,
Royaume Uni, 10 voix par État. Cela représentait un total de 87 voix.
Les délibérations étaient acquises, si elles recueillaient au moins 62 voix.
Ces 62 voix suffisaient lorsque les délibérations devaient être prises sur
proposition de la Commission. Ces 62 voix devaient exprimer le vote
favorable d'au moins dix États membres dans les autres cas. Ces chiffres
découlaient à la fois du fameux compromis de Ioannina sur la question
de la minorité de blocage et de l'adhésion en 1995 de trois États.

Lors de la négociation du traité de Nice, ce mode de vote a fait
l'objet d'importantes tractations et modifications afin de préparer convenablement l'élargissement de l'Union à de nouveaux États. Il fallait tenir
compte du poids démographique des États, tout en maintenant un certain équilibre entre les grands États. Les débats ont été très rudes : la
France très réticente à un décrochage par rapport à l'Allemagne ; la Belgique par rapport aux Pays-Bas ; le souhait de l'Espagne d'être doté d'un *France a*
nombre suffisant de voix, ainsi que la Pologne. Certains États ont accepté *preferee*
plus que d'autres d'importants compromis. La dureté des discussions *la Pologne*
explique que lors de la négociation de la future Constitution plusieurs
n'aient pas voulu une remise en cause des choix adoptés à Nice sur
cette question de la pondération.

Le traité de Nice prévoit de nouvelles pondérations de voix par État
pour la majorité qualifiée, à la fois dans le traité, mais surtout dans le
protocole n° 1 sur l'élargissement de l'Union européenne et la déclaration n° 20 relative à l'élargissement de l'Union européenne. À Nice, de
nouvelles règles ont été choisies. Il n'est pas certain qu'elles soient convain-
cantes par leur simplicité et leur efficacité. La « carte d'identité » de
chaque État change, compte tenu d'une nouvelle pondération de ses voix,
pas forcément en relation stricte avec sa démographie. Les nombres de

voix par État sont : Allemagne, Royaume-Uni, France, Italie 29 voix par État ; Espagne, Pologne 27 voix par État ; Roumanie 14 voix ; Pays-Bas 13 voix par État ; République tchèque, Belgique, Grèce, Hongrie, Portugal, 12 voix par État ; Suède, Bulgarie, Autriche, 10 voix par État ; Slovaquie, Danemark, Finlande, Irlande, Lituanie, 7 voix par État ; Lettonie, Slovénie, Estonie, Chypre, Luxembourg, 4 voix par État ; Malte 3 voix.

Cette nouvelle distribution des voix est l'un des résultats les plus critiquables du sommet de Nice, surtout parce qu'elle crée une forme de droit acquis pour les États. L'Espagne et la Pologne l'ont bien montré en défendant âprement le statu quo lors du sommet de Bruxelles de décembre 2003. C'était d'ailleurs pour remettre un peu de rationalité sur ce point que la Convention sur l'avenir de l'Europe avait fait de nouvelles propositions. La comparaison du poids des États dans le processus de vote entre le Traité de Nice et le projet de Constitution européenne est édifiante : Allemagne pèse 9,04 % des voix après Nice, et 18,22 % avec le projet de Constitution, la France 9,04 % pour l'un 13,09 % pour l'autre, la Pologne 8,42 % pour l'un et 8,58 % pour l'autre (*Le Monde*, 13 décembre 2003).

À 27 États, c'est-à-dire après l'entrée de la Roumanie et de la Bulgarie, le nombre de voix sera de 345, le seuil de la majorité qualifiée sera de 258/ 345, soit 74,78 % du total des voix. On peut remarquer que ce niveau de la majorité qualifié est plus élevé qu'avec 15 États membres. Le seuil d'avant Nice était de 62/87 soit 71,26 %. C'est un obstacle de plus pour le processus décisionnel. Enfin si le Conseil ne suit pas la proposition de la Commission, il faut en plus que les 258 voix recueillies représentent au moins deux tiers des membres.

Le Traité de Nice ajoute, au-delà de ces décomptes de voix, le filet démographique. Ce contrôle démographique peut-être demandé par un État membre qui souhaite que l'on vérifie si la majorité qualifiée représente au moins 62 % de la population totale de l'Union. Il s'agit d'améliorer la légitimité de la décision européenne. Ce filet est aussi une forme de minorité démographique de blocage de 38 %, idée d'un directoire négatif de trois grands États France Allemagne et Grande-Bretagne. Certains ont parlé de droit de veto indirect comparable à celui du Conseil de sécurité des Nations Unies, donc d'un directoire des Nations Unies d'Europe (voir Vlad Constantinesco, « Le processus décisionnel et l'assouplissement des coopérations renforcées », *in Le Traité de Nice, premières analyses*, PUS, 2001).

150 Donc pour résumer, à l'issue de l'élargissement du 1er mai 2004, à 25 États membres, le vote à la majorité qualifiée se présente de la manière suivante : les délibérations du Conseil sont acquises si elles ont recueilli au moins un nombre de voix de 232 sur 321, soit 72,27 % du total des voix, lorsque, en vertu du traité, elles doivent être prises sur proposition de la Commission ; dans les autres cas, les délibérations sont acquises si elles ont recueilli au moins 232 voix exprimant le vote favorable d'au moins deux tiers des membres, c'est-à-dire au moins 17[18] un membre du Conseil peut demander qu'il soit vérifié que les États membres constituant une majorité qualifiée représentent au moins 62 % de la population totale de l'Union (aujourd'hui au moins 279 millions d'Européens). Du fait de cette nouvelle donne, en terme de voix au sein du Conseil, on peut aussi imaginer de très complexes alliances susceptibles de trouver un compromis ou d'arriver à bloquer le fonctionnement du Conseil de l'Union. Comment, à l'avenir, arriver à comprendre et décoder les votes au sein du Conseil de l'Union ?

Enfin, il ne faut oublier le fameux compromis de Luxembourg qui permet de revenir au vote à l'unanimité lorsqu'un État le demande s'il considère qu'un intérêt important est en jeu pour lui. Il s'agit en fait d'une possibilité de veto et de défense ultime d'un intérêt national important.

Les types de vote employés rappellent bien que les États membres peuvent toujours défendre leurs intérêts dans le processus décisionnel. Néanmoins, il est important de rappeler que dans la pratique, « les États membres votent rarement car les dossiers sont déjà instruits lorsqu'ils sont inscrits à l'ordre du jour du Conseil. Le président constate le plus souvent l'existence d'un consensus (absence d'objection) lorsque les dossiers ont fait l'objet d'un accord au COREPER » (Marie-Françoise Labouz, *Droit communautaire européen général*, Bruylant, 2003, p. 91).

Le projet de Constitution européenne envisage, tout en valorisant le vote à la majorité qualifiée, de le simplifier et de généraliser le critère démographique compte tenu de la grande diversité des États membres en terme de populations. Il devrait y avoir pour elle deux types de majorité : soit la majorité des États membres représentant au moins les 3/5 de la population de l'Union, soit les 2/3 des États représentant au moins les 3/5 de la population, si le Conseil ne se prononce pas sur une proposition de la Commission. Il s'agit d'utiliser de manière systématique la règle de la double majorité qui s'adapte bien à une Union d'États. L'accord relatif au traité constitutionnel décide de relever les seuils en considérant que la majorité qualifiée est atteinte lorsqu'elle réunit 55 % des États membres représentant 65 % de la population.

### 3. Les attributions du Conseil de l'Union européenne

151  Les attributions du Conseil montrent qu'il détient la réalité du pouvoir politique et juridique au sein des Communautés et de l'Union européennes bien qu'il se voie limiter par une compétence d'attribution en vue d'assurer la réalisation des objectifs des traités. En effet, compte tenu de l'unicité du cadre institutionnel, le Conseil a, aujourd'hui des compétences dans le cadre de la Communauté européenne, mais aussi de l'Union européenne.

En vertu de l'article 202 (TCE), il assure la coordination des politiques économiques générales des États membres, il dispose du pouvoir de décision et confère à la Commission, dans les actes qu'il adopte, les compétences d'exécution des règles qu'il établit. Le Conseil dispose ainsi d'un pouvoir normatif très large. Il peut prendre des décisions, qualifiées de constitutionnelles, par exemple comme pour l'élection des membres du Parlement européen au suffrage universel. Il peut adopter des règlements et des directives qui sont les actes juridiques déterminants du droit communautaire. Il est ainsi le législateur communautaire. Il cumule des qualités d'un organe gouvernemental, mais aussi celui d'un organe législatif.

L'adoption des normes se fait de plus en plus dans le cadre d'un processus décisionnel qui associe le Parlement européen et la Commission européenne. Néanmoins, le Conseil peut aussi garder le dernier mot, notamment dans la procédure de coopération. Ce pouvoir normatif lui permet de définir et d'organiser des politiques communautaires dans l'ensemble des domaines de la compétence des Communautés européennes. Dans le cadre de son pouvoir normatif, il peut décider de déléguer à la Commission européenne un pouvoir d'exécution de ses actes. Il fixe le statut des fonctionnaires communautaires, comme leurs traitements et indemnités. Il a le pouvoir d'approbation des négociations menées par la Commission pour le compte de l'Union européenne, soit dans le cadre d'autres organisations internationales, du type OMC, soit avec des États.

Là aussi, il est le décideur politique ultime. Il a enfin un pouvoir de décision en matière budgétaire qu'il partage en partie avec le Parlement.

Compte tenu de l'ensemble de ses pouvoirs, on peut considérer que le Conseil de l'Union préfigure une forme de Gouvernement de l'Europe. Mais, il n'en a pas encore toutes les qualités, car il est organisé de manière fonctionnelle. Le Conseil Affaires générales est mal armé pour exercer cette fonction gouvernementale. Les chefs de gouvernement n'apparaissent qu'au niveau du Conseil européen qui a une autre fonction. Avec l'apparition de la monnaie unique, il devient de plus en plus indispensable d'aller vers un gouvernement européen, notamment sur le plan économique. En plus, avec l'élargissement, le Conseil de l'Union va devenir une vaste assemblée délibérante, pléthorique par sa composition. Il n'est toujours pas restructuré pour le rendre plus efficace et pour permettre une division du travail plus claire entre sa fonction législative et sa fonction gouvernementale. Pourtant cela devient de plus en plus indispensable compte tenu de l'évolution peu rassurante de cette institution, comme le souligne Valéry Giscard d'Estaing : « En réalité, l'institution que j'ai trouvée la plus détériorée était le Conseil des ministres. Elle s'expliquait par une lente dérive due à l'accroissement du nombre des participants, à la complexité croissante des sujets traités et au moindre intérêt porté à ses travaux par les grands responsables politiques » (déjà cité, Albin Michel, 2003, p. 60).

La question du gouvernement européen devient centrale pour l'avenir de l'Europe (voir à ce sujet Jean-Louis Quermonne, *Notre Europe*, Études et recherches n° 20, novembre 2002), d'une part du fait des conséquences prévisibles de l'élargissement, d'autre part compte tenu des nécessités spécifiques d'une bonne gestion des affaires européennes.

## C. La Commission européenne : « l'administration de l'Union et des Communautés européennes »

152 La Commission européenne est l'institution la plus originale et la plus intégrée de ce dispositif institutionnel. Cette institution est peu comparable à des institutions nationales. Elle est au carrefour d'un gouvernement, organe politique, et d'un collège de hauts fonctionnaires, organe administratif. Si elle est plus qu'une simple administration de l'Europe, notamment le collège des commissaires, elle n'est pas un véritable gou-

vernement de l'Europe, fonction qui est plus dévolue au Conseil de l'Union. Lorsqu'on examine la Commission européenne, il est important de distinguer la Commission en tant que collège de commissaires et la Commission en tant qu'administration dotée de nombreux services.

## 1. La composition de la Commission

153 La Commission européenne est une institution originale d'abord par sa composition. Cet organe collégial est composé de commissaires nommés, pour cinq ans, d'un commun accord entre les États après l'approbation du Parlement européen. Chaque État a au moins un national à la Commission. Dans la pratique, il a été décidé que les grands États (Allemagne, Espagne, Italie, France, Royaume-Uni) en aient deux. Ainsi, jusqu'au dernier élargissement, avec quinze États membres, la Commission a disposé de 20 membres. Le nombre des membres de la Commission peut être modifié par le Conseil statuant à l'unanimité.

Ce nombre de commissaires a souvent fait débat, car il ne doit pas être excessif pour une bonne administration de la Commission et de manière plus générale une bonne gouvernance des Communautés et de l'Union européennes. Ce nombre a fait l'objet de discussion lors de l'élaboration du traité de Nice. En effet, il s'agissait d'une part de bien préparer l'élargissement à de nouveaux États, d'autre part de donner de l'efficacité opérationnelle à la Commission européenne. Le traité de Nice prévoit une succession de dispositions pour s'adapter aux évolutions du nombre d'États membres, par des modifications successives de l'article 213 (TCE). Le nombre de membres va donc varier en conséquence avec le passage à 25 États membres : la Commission comprend 30 membres, dix nouveaux membres depuis le 1er mai 2004 ; à partir du 1er janvier 2005, normalement 25 membres ; lorsqu'il y aura 27 États membres, la Commission devrait avoir un nombre de membres inférieur au nombre d'États membres, le choix se fera sur la base d'une rotation égalitaire. Ce choix, un peu compliqué, est là aussi un compromis entre les États dont aucun n'est prêt de renoncer à disposer d'un siège. Cet attachement est paradoxal, car le commissaire n'a pas vocation à représenter son État d'origine. Il y a ici aussi beaucoup de symboles.

Soucieuse notamment d'efficacité de gestion, la Convention européenne sur l'avenir de l'Europe, propose dans son projet de Constitution, une Commission réduite à quinze membres, complétée par des commissaires sans droit de vote afin d'aboutir à ce que tous les États puissent toujours disposer d'un national dans l'ensemble du futur collège. L'accord relatif au traité constitutionnel prévoit que la composition de la Commission, un membre en provenance de chaque État membre, sera maintenue jusqu'en 2014. À partir de cette date, la Commission sera composée d'un nombre de membres correspondant à deux tiers du nombre des États membres. Les membres de la Commission seront alors choisis, selon le système de rotation égalitaire entre les États membres.

« Les commissaires sont choisis en raison de leur compétence générale et offrant toutes garanties d'indépendance. Ils exercent leur fonction en pleine indépendance, dans l'intérêt général de la Communauté » (article 213 TCE). La Commission est donc une institution indépendante des États membres dont la vocation est de faire prévaloir l'intérêt général de la Communauté. « Dans l'accomplissement de leurs devoirs, ils ne sollicitent ni n'acceptent d'instructions d'aucun gouvernement ni d'aucun organisme. Ils s'abstiennent de tout acte incompatible avec le caractère de leurs fonctions. Chaque État membre s'engage à respecter ce caractère et à ne pas chercher à influencer les membres de la Commission dans l'exécution de leur tâche » (article 213 TCE). Les membres de la Commission prennent l'engagement solennel de respecter, pendant la durée de leurs fonctions et après la cessation de celles-ci, les obligations découlant de leur charge, notamment les devoirs d'honnêteté et de délicatesse. Les fonctions de commissaires sont incompatibles avec d'autres activités professionnelles.

Le mode de désignation a été amélioré pour mieux associer le Parlement européen et rendre la désignation plus démocratique. Le traité de Nice apporte lui aussi quelques améliorations au mode de désignation du président et des membres de la Commission. Un nouvel article 214 est en application, il se présente ainsi. Le Conseil, réuni au niveau des chefs d'État ou de gouvernement et statuant à la majorité qualifiée, désigne la personnalité qu'il envisage de nommer président de la Commission. Cette désignation est approuvée par le Parlement européen. Ensuite, le Conseil, statuant à la majorité qualifiée, et d'un commun accord avec le président désigné, adopte la liste des autres personnalités qu'il envisage de nommer membres de la Commission, établie conformément aux propositions faites par chaque État membre. Enfin, le président et les autres membres de la Commission ainsi désignés sont soumis, en tant que collège, à un vote d'approbation par le Parlement européen. Le président et les autres membres de la Commission sont nommés par le Conseil statuant à la majorité qualifiée. Cette désignation, faite en plusieurs temps, associe effectivement directement ou indirectement, le Conseil, les États membres et le Parlement européen. Elle légitime le Président et les membres de la Commission.

Le projet de Constitution de la Convention européenne ainsi que l'accord du 18 juin 2004 proposent que le président de la Commission soit élu par le Parlement européen sur proposition du Conseil européen en tenant compte des résultats des élections du Parlement. Ce mode de désignation devrait renforcer encore, à l'avenir, la légitimité politique et l'autorité du président de la Commission européenne.

## 2. L'organisation et le fonctionnement de la Commission

154 L'année 1999 a été une période très délicate pour la Commission présidé par Jacques Santer, compte tenu de nombreux dysfonctionnements qui ont entraîné une démission collective. Une nouvelle Commission présidée par Romano Prodi a été alors mise en place. Dès sa prise de fonction, le nouveau Président a indiqué qu'il souhaitait procéder à des réformes du fonctionnement de la Commission. Un livre blanc a été adopté en avril 2000 sur la réforme de la Commission. Il prévoyait un important programme de restructuration de l'administration, des modes de fonctionnement et des types de recrutement du personnel. La réforme a été axée sur « les principes d'indépendance, de responsabilité, d'obligation de rendre des comptes, d'efficience et de transparence devant constituer le fondement d'une culture axée sur le service ». Le Conseil ayant pris acte du Livre Blanc, la Commission a entrepris sa réforme administrative et celle de sa politique du personnel. Il faut aussi signaler le travail de la cellule de prospective de la Commission sur la question de la gouvernance de l'Europe qui inclut évidemment le fonctionnement de la Commission et de son administration.

La Commission européenne est un organe collégial qui décide collectivement de son fonctionnement. Elle a une relative autonomie dans son organisation interne. La Commission comprend un président et un ou deux vice-présidents (article 217 TCE). Le président de la Commission définit les orientations politiques générales de la Commission. Le traité de Nice renforce la fonction et l'autorité du Président de la Commission pour assurer aussi une meilleure gouvernance de l'Europe : « La Commission remplit sa mission dans le respect des orientations politiques définies par son président qui décide de son organisation interne afin d'assurer la cohérence, l'efficacité et la collégialité de son action » (art. 217 dans sa rédaction issue du Traité de Nice). Il doit assurer le bon fonctionnement des délibérations de la Commission et veiller au fonctionnement général de l'administration de la commission. Il est assisté par le secrétaire général de la Commission. Il répartit les responsabilités entre les membres de la Commission. Il assume aussi une fonction de représentation extérieure de la Communauté et de l'Union, pas seulement sur le plan protocolaire mais aussi politique.

Longtemps, les commissaires sont restés placés sur un pied d'égalité, y compris à l'égard du président de la Commission qui n'avait pas de supériorité juridique sur eux, même s'il exerçait une supériorité fonctionnelle largement liée à sa personnalité. Le traité de Nice introduit une novation avec l'idée que les commissaires exercent les fonctions qui leur sont dévolues par le président sous l'autorité de celui ci : « Les responsabilités incombant à la Commission sont structurées et réparties entre ses membres par le président. Le président peut remanier la répartition de ces responsabilités en cours de mandat. Les membres de la Commission exercent les fonctions qui leur sont dévolues par le président sous l'autorité de celui-ci » (nouvelle rédaction de l'article 217). Ainsi, chaque commissaire a la responsabilité d'un ou de plusieurs secteurs de compétence de la Communauté, donc d'une ou de plusieurs directions générales. Il est assisté d'un cabinet dirigé par un chef de cabinet et composé de conseillers.

« Les délibérations de la Commission sont acquises à la majorité des membres composant la Commission. Elle ne peut valablement siéger que si le nombre des membres fixé par le règlement intérieur est présent » (article 219 TCE). C'est donc bien le principe de collégialité qui préside au fonctionnement de la Commission. La CJCE a eu l'occasion de rappeler l'importance de cette collégialité pour les décisions emportant des effets juridiques.

De manière transitoire, la Commission comprend 30 commissaires sans que la répartition des secteurs n'ait été modifiée pour éviter des perturbations inutiles pendant cette période de transition, jusqu'à l'avènement d'une Commission à 25 membres à partir de 2005. Dix nouveaux commissaires provenant des dix nouveaux États membres ont ainsi rejoint les vingt commissaires de la Commission en place.

155 La Commission européenne est aussi une importante administration structurée autour d'un secrétariat général, de directions générales et de services assimilés. L'ensemble est divisé en directions, divisions et unités.

## L'ORGANISATION ADMINISTRATIVE ACTUELLE DE LA COMMISSION EUROPÉENNE

### Les services généraux

-Secrétariat général qui comprend six directions : greffe et processus déci-sionnel de la Commission ; relations avec la société civile ; programma-tion et coordination des politiques de la Commission ; ressources et affaires générales ; relations avec le Conseil ; relations avec le Parlement euro-péen, le Médiateur européen, le Comité économique et social, le Comité des régions et les milieux professionnels. Il faut ajouter la Task Force Avenir de l'Union et questions institutionnelles.

-Eurostat ; Office des publications ; Office européen de lutte antifraude ; Presse et communication

### Les directions spécialisées dans les politiques internes de l'Union européenne

Affaires économiques et financières ; Agriculture ; Centre commun de recherche ; Concurrence ; Éducation et culture ; Emploi et affaires sociales ; Énergie et transports ; Entreprises ; Environnement ; Fiscalité et union doua-nière ; Justice et affaires intérieures ; Marché intérieur ; Pêche ; Politique régionale ; Recherche ; Santé et protection des consommateurs ; Société de l'information.

### Les directions en charge des relations extérieures de l'Union européenne

Commerce ; Développement ; Élargissement, Office de coopération ; Office d'aide humanitaire ; Relations extérieures.

### Les services internes

Budget ; Contrôle financier ; Groupe de conseillers politiques ; Personnel et administration ; Services communs interprétations-conférences ; Services d'audit interne ; Service de traduction ; Service juridique ; Inspection géné-rale des services de la Commission

Les effectifs de la Commission comptent, en 2001, 16 999 emplois permanents et 588 emplois temporaires. L'élargissement a entraîné une augmentation naturelle des effectifs de l'administration de la Commission.

## 3. Les pouvoirs de la Commission est un organe de gestion

156 « En vue d'assurer le fonctionnement et le développement du marché commun, la Commission : veille à l'application des dispositions du présent traité ainsi que des dispositions prises par les institutions en vertu de celui-ci ; formule des recommandations ou des avis sur les matières qui font l'objet du présent traité, si celui-ci le prévoit expressément ou si elle l'estime nécessaire ; dispose d'un pouvoir de décision propre et participe à la formation des actes du Conseil et du Parlement européen dans les conditions prévues au présent traité ; exerce les compétences que le Conseil lui confère pour l'exécution des règles qu'il établit » (article 211 TCE). Ainsi, la Commission gère les compétences et les politiques communautaires. Par sa composition, son fonctionnement et ses compétences, la Commission symbolise et réalise une démarche européenne d'intégration institutionnelle, car elle doit faire prévaloir l'intérêt général communautaire. Dans ce cadre, elle a une fonction prospective pour imaginer et tracer l'avenir de l'Union européenne. Elle dispose de nombreux pouvoirs. La Commission a un pouvoir d'initiative, un pouvoir d'exécution, un pouvoir de surveillance et une fonction de représentation.

La Commission est d'abord une institution d'initiative pour la Communauté européenne aussi bien pour les politiques communautaires que pour le droit communautaire. Il s'agit d'une initiative générale dans le cadre des compétences définies par le traité. Cette capacité d'initiative est très large. Elle découle de la mission globale de la Commission de faire émerger et de défendre l'intérêt général communautaire. L'intervention de la Commission est toujours un préalable, notamment, dans le processus décisionnel. Ainsi, le Conseil décide toujours sur proposition de la Commission. De plus, la procédure de vote du Conseil varie suivant qu'il suit ou non la proposition de la Commission. La permanence de la Commission garantit à l'évidence sa présence et son influence. Néanmoins, cette capacité a été en partie érodée compte tenu des critiques régulièrement faites à la Commission par les États. En son temps, le Chancelier Kohl avait parlé de « la furie réglementaire de la Commission ». Le traité sur l'Union européenne en introduisant expressément le principe de subsidiarité a encadré et limité le pouvoir d'initiative de la Commission. De même le développement de « la comitologie » a eu aussi un impact réducteur sur le rôle de la Commission.

*prendre les actions necessaire pour faire une decision*

La Commission est un organe d'exécution des traités et des actes du Conseil. Elle participe à la mise en ouvre des actes du Conseil. Ce dernier peut d'ailleurs lui conférer des pouvoirs d'exécution des actes qu'il adopte. Elle dispose donc d'un pouvoir normatif autonome ou sous forme de délégation du Conseil. La Commission assure la gestion administrative et financière des politiques et des fonds communautaires. Elle assume cette gestion administrative, soit directement par ses services, soit indirectement par l'intermédiaire des administrations des États membres.

La Commission, comme gardienne des traités, a un pouvoir de surveillance. Elle veille à leur application par et dans les États membres. Elle peut exercer cette fonction en s'informant de la manière dont les États mettent en œuvre le droit communautaire originaire et dérivé. Chaque État a une obligation d'information régulière de la Commission. Elle peut vérifier sur place auprès des États, des entreprises ou des particuliers la manière dont le droit communautaire est appliqué. Elle peut donc attirer l'attention sur les risques d'infraction aux règles communautaires par l'intermédiaire de communication aux États. Elle peut poursuivre les infractions au droit communautaire. « Si la Commission estime qu'un État membre a manqué à une obligation qui lui incombe en vertu du présent traité, elle émet un avis motivé à ce sujet, après avoir mis cet État en mesure de présenter ses observations. Si l'État en cause ne se conforme pas à cet avis dans le délai déterminé par la Commission, celle-ci peut saisir la Cour de justice » (article 226 TCE). L'étape suivante est la saisine de la Cour de Justice dans une procédure en manquement. À l'issue de la constatation de manquement et devant le refus de l'État de prendre les mesures nécessaires pour faire cesser le manquement, la Commission peut continuer en saisissant la Cour de justice en indiquant le montant de la somme forfaitaire ou de l'astreinte à payer par l'État concerné qu'elle estime adapté aux circonstances (article 228 TUE). *contractual* *damages* *e saisir le fonds*

Enfin, elle a un pouvoir de représentation de la Communauté. La Commission exerce ainsi un droit de légation actif par l'intermédiaire de ses délégations auprès des États membres (article 282 TCE). Il revient aussi à la Commission de mener, dans le cadre des directives du Conseil, les négociations en vue de la conclusion d'accords entre la Communauté et un ou plusieurs États ou des organisations internationales.

# D. Le Parlement européen

157 L'élection au suffrage universel, depuis 1979, des membres du Parlement européen a incontestablement renforcé la légitimité de cette institution qui peut être véritablement qualifiée d'intégrée. Les peuples des États membres de l'Union européenne ont ainsi leurs représentants issus de leurs votes. La voix des peuples des États membres peut ainsi être effectivement entendue. Le Parlement européen est une assemblée de plus en plus parlementaire et de plus en plus représentative (voir Jean-Louis Burban, *Le Parlement européen,* PUF, Que sais-je ?).

## 1. La composition du Parlement européen

158 À l'origine, les membres du Parlement européen provenaient de délégations des parlements nationaux. Par la décision du Conseil du 20 septembre 1976, il a été choisi de procéder à leur élection au suffrage universel direct. Le Conseil européen de Luxembourg de 1978 décide que la première élection aura lieu au mois de juin 1979.

Ce changement de mode de désignation avait entraîné quelques interrogations, notamment en France, sur cette mutation du Parlement européen et les risques de supranationalité de la nouvelle assemblée. Le Conseil constitutionnel, saisi par le Président de la République, rend une décision le 30 décembre 1976. Il considère que la décision européenne du 20 septembre 1976 est conforme à la Constitution pour les raisons suivantes : « l'élection au suffrage universel des représentants des peuples des États membres à l'Assemblée des Communautés européennes n'a pas pour effet de créer ni une souveraineté, ni des institutions dont la nature serait incompatible avec le respect de la souveraineté nationale, ni de porter atteinte aux institutions de la République ; cette élection et son organisation ne portent pas atteinte aux principes de l'indivisibilité de la République ». Cette décision autorise donc, pour la France, une participation au changement de mode de désignation des parlementaires européens. Néanmoins, en même temps, elle empêche une construction européenne, par glissements successifs, d'un système fédéral comme le soulignent les commentaires de cette décision (Décision 76-71 des 29 au 29 décembre 1976, *Rec.*15, Louis Favoreu et Loïc Philipp, *RDP*, 1977, p. 129).

Les premières élections ont lieu en 1979. On a pu dire que « l'Europe des peuples » se réalisait en contre poids de « l'Europe des experts ».

Les élections se sont succédé ensuite en 1984, 1989, 1994, 1999 et 2004. Les parlementaires européens sont élus au suffrage universel direct à la représentation proportionnelle dans le cadre d'une circonscription nationale dans tous les États membres. Néanmoins, pour l'élection européenne de 2004 en France, en vertu de la loi du 11 avril 2003 la France est découpée en 8 grandes circonscriptions (dont une pour l'Outre-Mer) afin de rapprocher les électeurs et les élus, du fait de cette forme de « régionalisation » de l'élection européenne.

Jusqu'au dernier élargissement, et depuis le 1er janvier 1995, le nombre de membres du Parlement est de 626 répartis de la manière suivante entre les États membres : Allemagne, 99 ; Royaume-Uni, 87 ; France, 87 ; Italie, 87 ; Espagne, 64 ; Pays-Bas, 31 ; Grèce, 25 ; Belgique, 25 ; Portugal, 25 ; Suède, 22 ; Autriche, 21 ; Danemark, 16 ; Finlande, 16 ; Irlande, 15 ; Luxembourg, 6.

Le Traité de Nice organise les conséquences de l'élargissement et prévoit des évolutions de la composition du Parlement européen en fonction de l'entrée de nouveaux États membres, notamment dans la déclaration relative à l'élargissement de l'Union européenne. Plusieurs principes ont été fixés : une limite maximum de membres du Parlement fixé à terme à 732 pour une Europe à 27 ; une diminution des représentations de certains États membres actuels sauf pour l'Allemagne et le Luxembourg ; une nouvelle répartition des sièges en fonction des élargissements réalisés lors de l'élection de 2004 ; un dispositif complètement applicable pour les élections de 2009. Il s'agissait de représenter convenablement les peuples des États en fonction de leur importance démographique et de permettre un fonctionnement efficient et démocratique du Parlement à l'issue des élargissements.

159  Le nombre de membres du Parlement est donc au terme des élargissements (actuels) de 732, pour 25 États membres, réparti de la manière suivante entre les États : Allemagne, 99 ; Royaume-Uni, 78 ; France, 78 ; Italie, 78 ; Espagne, 54 ; Pologne, 54 ; Pays-Bas, 27 ; Grèce, 24 ; République Tchèque, 24 ; Belgique, 24 ; Hongrie, 24 ; Portugal, 24 ; Suède, 19 ; Autriche, 18 ; Slovaquie, 14 ; Danemark, 14 ; Finlande, 14 ; Irlande, 13 ; Lituanie, 13 ; Lettonie, 9 ; Slovénie, 7 ; Estonie 6 ; Chypre, 6 ; Luxembourg, 6 ; Malte, 5. Cette composition a été mise en œuvre pour les élections de 2004.

Le traité établissant une Constitution pour l'Europe fixe finalement le nombre maximal de sièges au Parlement européen à 750. Les sièges seront attribués aux États membres de façon dégressivement proportionnelle à leur population, avec un minimum de six et un maximum de quatre-vingt seize sièges. Le nombre précis des attributions de sièges sera décidé avant les élections européennes de 2009.

Actuellement, les députés sont élus pour un mandat de cinq ans. Ils disposent d'un statut protecteur pour leur fonction. Ils peuvent cumuler leur mandat avec un mandat parlementaire national, mais ne peuvent pas le cumuler avec d'autres fonctions communautaires. Ils bénéficient de privilèges et d'immunités comme l'inviolabilité et l'irresponsabilité pour toutes les poursuites à l'occasion des opinions et des votes émis dans l'exercice de leur fonction. Ils perçoivent des indemnités et sont assujettis au régime fiscal en fonction de leur législation nationale. Le Parlement verse à ses membres des indemnités liées aux charges de mandat.

L'élection au suffrage universel a eu indéniablement de nombreuses conséquences sur la légitimité politique du Parlement européen, sans que cela aille jusqu'à l'émergence d'une souveraineté nationale européenne. En effet, chaque peuple choisit séparément sa représentation. Il ne s'agit donc pas du peuple ou de la nation européenne qui choisit collectivement sa représentation. Il existe un parallélisme et une indépendance des votes nationaux, les circonscriptions restent nationales. Pourtant, une fois élus, les parlementaires s'attachent à défendre l'intérêt général européen et plus vraiment un intérêt national. Cette élection explique et justifie une association de plus en plus fréquente du Parlement européen à la prise de décision communautaire au travers de la consultation, de la coopération et de la codécision. C'est aussi le cas pour l'adoption du budget communautaire.

On peut aussi souligner le lien étroit entre l'existence d'une citoyenneté européenne et la démocratie européenne représentée par le Parlement européen. En même temps, on peut regretter que les campagnes électorales nationales pour cette élection restent souvent cantonnées à des préoccupations de politiques internes et peu européennes. La participation électorale demeure faible dans tous les États. Elle n'a cessé de diminuer d'élection en élection. Le taux de participation a été, au niveau de la Communauté, successivement de 63 % en 1979, de 61 % en 1984, de 58,5 % en 1989, de 56,8 % en 1994 et de 49,8 % en 1999 et 45,6 %

en 2004. On peut néanmoins voir des différences de taux entre les États membres. « Il est vrai que ce taux est comparable à celui que connaissent les élections fédérales aux États-Unis » (Jean Paul Jacqué, déjà cité, p. 202). Cette modeste participation s'explique en grande partie parce que les citoyens européens mesurent encore mal la fonction de ce Parlement.

160 La composition politique du Parlement européen est une image assez fidèle du multipartisme qui anime les démocraties des États membres. Il est une synthèse de la vie politique européenne. Le traité insiste sur le rôle des partis politiques, notamment des partis politiques au niveau européen, dans la construction de l'Europe. « Les partis politiques au niveau européen sont importants en tant que facteur d'intégration au sein de l'Union. Ils contribuent à la formation d'une conscience européenne et à l'expression de la volonté politique des citoyens de l'Union » (article 191 TCE). Le traité de Nice donne au Conseil le pouvoir de fixer le statut des partis politiques au niveau européen, et notamment les règles relatives à leur financement. Néanmoins, les partis politiques sont encore peu organisés au niveau européen car ils n'ont choisi que la mise en place de structures souples de confédérations de partis nationaux. Actuellement, ce sont presque exclusivement les partis politiques nationaux qui proposent des candidats aux élections européennes.

Le Parlement européen présente un multipartisme, tempéré par l'existence de deux grands groupes politiques. À l'issue des élections de 2004, la composition politique du Parlement est la suivante :
– groupe du parti populaire européen et des démocrates européens (PPE-DE), 279
– groupe du parti des socialistes européens (PSE), 199
– groupe du parti européen des libéraux, démocrates et réformateurs (ELDR), 67
– groupe des Verts (V), 40  42
– groupe confédéral de la gauche unitaire européenne et de la gauche verte nordique (GUE/NGL), 39
– groupe de l'Union pour l'Europe des Nations (UEN), 27
– groupe de l'Europe des démocraties et des différences (EDD), 15
– non-inscrits (NI), 66

## 2. L'organisation et le fonctionnement du Parlement européen

161 L'organisation et le fonctionnement du Parlement européen le font de plus en plus ressembler à un Parlement national avec ses structures internes comme les commissions, les groupes politiques transnationaux et les sessions. Le Parlement définit lui-même son règlement intérieur qui a subi de récentes modifications le 13 novembre 2001.

162 La direction du Parlement comprend : le Président, les vice-présidents, le collège des questeurs et la conférence des présidents. L'élection des membres du bureau a lieu pour une période de deux ans et demi. Cette durée permet de donner une meilleure assise au Président et aussi de favoriser l'alternance entre des tendances politiques et des nationalités. Un accord politique entre les deux plus importants groupes politiques du Parlement européen a abouti, dans presque tous les cas, à un processus d'alternance pour la présidence du Parlement européen. Ainsi, Madame Nicole Fontaine élue en 1999 a cédé sa place le 15 janvier 2002 à Monsieur Pat Cox à la présidence du Parlement européen.

Le Président du Parlement européen a la fonction interne de veiller au bon fonctionnement de l'ensemble des activités du Parlement, de présider effectivement les débats de l'assemblée et de contribuer à l'adoption du budget européen et de constater que le budget est définitivement arrêté. Il a la fonction externe de représenter le Parlement aussi bien dans ses relations avec les autres institutions que sur le plan international. Il est le seul de ce genre dans le monde puisqu'il préside une assemblée représentant aujourd'hui 25 peuples.

Le Parlement comprend 17 commissions permanentes qui préparent les délibérations pour les séances plénières comme les commissions : des affaires étrangères, des droits de l'homme, de la sécurité et de la politique de défense ; des budgets ; de contrôle budgétaire ; économique et monétaire ; de l'industrie, du commerce extérieur, de la recherche et de l'énergie ; de l'agriculture et du développement rural ; juridique et du marché intérieur ; de l'emploi et des affaires sociales ; de la politique régionale ; des transports et du tourisme ; de l'environnement, de la santé publique et de la politique des consommateurs ; de la culture, de la jeunesse, de l'éducation et des sports ; du développement et de la coopération ; des libertés et des droits du citoyen, de la justice et des affaires intérieures ; des affaires constitutionnelles ; de la pêche ; des droits de la femme et de l'égalité des chances; des pétitions. Le Parlement peut aussi créer des commissions temporaires ou spéciales.

La durée de la législature est de cinq ans. Le Parlement est maître de son ordre du jour, de la fréquence et de la durée de ses réunions. Il se réunit, en période de sessions ordinaires, chaque mois. Il peut aussi être convoqué en session extraordinaire à la demande d'une majorité de ses membres, du Conseil ou de la Commission. Les sessions se tiennent normalement à Strasbourg, mais les sessions additionnelles peuvent avoir lieu à Bruxelles.

### 3. Les pouvoirs du Parlement

163 Les pouvoirs du Parlement européen ont été progressivement agrandis lors des révisions successives des traités fondateurs. Le Parlement peut contrôler l'activité des autres institutions, notamment des exécutifs communautaires, c'est-à-dire du Conseil ou de la Commission. Ce contrôle politique s'est accru au travers de l'approbation des nominations des commissaires comme du président de la Commission. En plus, d'abord institution de consultation, le Parlement a été associé, de manière plus importante, au processus décisionnel par l'intermédiaire des procédures de coopération, de codécision ou d'avis conforme. (Pour aller plus loin, voir Olivier Costa, *Le Parlement européen, assemblée délibérante*, Presses de l'Université de Bruxelles, 2001). Afin d'éviter de fractionner la présentation du Parlement européen, entre sa fonction de contrôle et sa fonction délibérative, il a été choisi de les présenter dans une même partie.

• *Le contrôle politique*

Ce contrôle politique se décompose en un pouvoir d'approbation, un contrôle d'investigation et un contrôle de censure.

• *Le pouvoir d'approbation des nominations des membres des institutions*

164 Le contrôle d'approbation permet au Parlement européen d'être associé au choix du Président et des membres de la Commission européenne, comme nous l'avons déjà évoqué lors de l'étude de la composition de la Commission. Il est demandé au Parlement de procéder à une approbation, ou pas, successivement de la personne désignée comme futur président de la Commission et du collège pressenti des membres de la Commission. Cela rapproche le Parlement européen des parlements natio-

naux qui se prononcent souvent, dans les régimes parlementaires sur la composition des gouvernements au travers d'une investiture. Cette phase permet au Parlement, d'une part de sonder les positions des futurs membres de la Commission, d'autre part d'affirmer, à l'occasion de leurs auditions, ses propres positions. Cette procédure est assez proche de celle du Sénat des États-Unis à l'égard des nominations d'autorités publiques par le Président. Le Parlement est aussi consulté pour les nominations des membres de la Cour des comptes. Il souhaiterait être associé à celle des membres de Cour de justice des Communautés européennes.

Il est proposé, dans le projet de Constitution de la Convention européenne, d'accroître encore ce rôle du Parlement européen en lui permettant d'intervenir de manière encore plus décisive par l'élection du Président de la Commission européenne. Cela donnera une allure de plus en plus parlementaire au système politique de l'Union européenne, car le Président de la Commission sera l'émanation de la majorité politique du Parlement européen, dégagée à l'issue des élections européennes.

- *Le contrôle d'investigation*

165 Le contrôle d'investigation est un moyen pour le Parlement européen de s'informer le mieux possible sur le fonctionnement général de l'Union et des Communautés européennes. Ce contrôle prend des formes diverses. C'est d'abord le recours aux questions qui peuvent être posées sur les compétences communautaires, mais aussi pour la politique étrangère et de sécurité commune ou les domaines de la coopération judiciaire et policière en matière pénale. Les questions écrites peuvent être posées par tout membre du Parlement à l'institution concernée. Suivant la complexité de la question, un délai de trois à six semaines est donné pour l'intervention de la réponse. C'est surtout la Commission qui est saisie du plus grand nombre de questions, plus de 3000 par an. Les questions orales ne peuvent être posées que par une commission, un groupe politique ou trente-deux membres du Parlement. Il y est répondu en séance. Par ailleurs, un temps des questions a été institué pour donner plus de spontanéité à cet exercice.

Le Conseil de l'Union, le Conseil européen et la Commission européenne ont l'obligation de donner régulièrement un Parlement européen un grand nombre d'informations, sous la forme de rapports. La Commission doit présenter au Parlement plusieurs types de rapports comme : le rapport général annuel d'activités des Communautés, le rapport sur l'application du droit communautaire, le rapport sur la politique de la concurrence, le rapport sur la situation agricole de la Communauté, le rapport sur la politique régionale, le rapport sur les progrès accomplis dans le domaine de la cohérence économique et sociale. Il faut aussi signaler la présentation du programme annuel de la Commission par son président au cours de la session de février ainsi que du programme d'action de toute nouvelle Commission tous les cinq ans (forme de programme de législature). Le Conseil européen et le Conseil de l'Union, doivent rendre compte régulièrement de leurs travaux. Ainsi, le Conseil européen présente au Parlement européen un rapport à la suite de chacune de ses réunions, ainsi qu'un rapport écrit annuel concernant les progrès réalisés par l'Union (article 4 TUE).

Ce contrôle d'investigation passe aussi par la mise sur pied de commissions temporaires d'enquête sur les politiques communautaires. Le traité en prévoit la création et la fonction, ce qui généralise leur existence au-delà du règlement interne du Parlement. « Dans le cadre de l'accomplissement de ses missions, le Parlement européen peut, à la demande d'un quart de ses membres, constituer une commission temporaire d'enquête pour examiner, sans préjudice des attributions conférées par le présent traité à d'autres institutions ou organes, les allégations d'infractions ou de mauvaise administration dans l'application du droit communautaire, sauf si les faits allégués sont en cause devant une juridiction et aussi longtemps que la procédure juridictionnelle n'est pas achevée » (article 193 TCE). Ce contrôle d'investigation peut aussi être aussi alimenté par les pétitions présentées au Parlement par tout citoyen de l'Union sur un sujet relevant des domaines d'activités de la Communauté et qui le concerne directement (article 194 TCE). Le rapport annuel du Médiateur européen, d'ailleurs nommé par le Parlement, sur les résultats de ses enquêtes constitue un autre moyen du contrôle d'investigation (article 195 TCE).

• *Le contrôle de censure*

166 Enfin, le Parlement peut déclencher une censure de la Commission En effet, il peut adopter une motion de censure visant à renverser la Commission en vertu de l'article 201 (TCE). Cette motion de censure, déposée par au moins un dixième des membres du Parlement, doit être approu-

vée par la majorité des deux tiers des suffrages exprimés et la majorité des membres du Parlement. Dans ce cas, la Commission est renversée et ses membres doivent démissionner. Ce type de contrôle n'a jamais été mis en œuvre jusqu'au bout. Utilisée dix fois, aucune motion de censure n'a obtenu la majorité requise. En 1999, le contrôle de la Commission Santer a failli être enclenché de cette manière, mais sa démission, avant le déclenchement de la procédure, a amené le Président du Parlement a opposé une déclaration d'irrecevabilité à la motion de censure. Il est vrai que le Parlement souhaiterait parfois plus renverser le Conseil de l'Union que la Commission européenne qui apparaît plus souvent comme une alliée objective.

### • *La fonction délibérative et normative du Parlement*

167 Le Parlement est associé au processus normatif, ce qui le rapproche des parlements nationaux sans que cela soit totalement comparable. Il a évidemment une fonction délibérative très étendue, non seulement pour toutes les questions relatives aux compétences communautaires, mais aussi pour celles relatives à la politique étrangère et de sécurité commune (titre V TUE) et à la coopération judiciaire et policière en matière pénale (titre VI TUE). Pour ces domaines appartenant aux deuxième et troisième piliers, le Parlement peut adresser des questions et formuler des recommandations à l'intention du Conseil. Il procède chaque année à un débat sur les progrès réalisés dans chacun d'entre eux en vertu des articles 21 et 39 (TUE). Il faut aussi souligner que le Parlement est assez largement associé à la conclusion des accords internationaux (voir notamment l'article 300 TCE).

Il a, par ailleurs, la capacité juridique de participer au processus décisionnel européen. Ce rôle a été successivement amplifié, traité après traité, aussi bien pour le vote du budget que pour celui des règlements et des directives. Il est devenu un véritable co-législateur. Le Parlement européen participe au processus conduisant à l'adoption des actes communautaires, en exerçant ses attributions dans le cadre des procédures définies aux articles 251 et 252, ainsi qu'en rendant des avis conformes ou en donnant des avis consultatifs. Au delà, il peut aussi contribuer à l'initiative législative, en demandant à la majorité de ses membres, à la Commission de soumettre toute proposition appropriée sur les questions qui lui paraissent nécessiter l'élaboration d'un acte communautaire

pour la mise en œuvre du traité. Il ne semble que très peu utilisé cette
capacité d'initiative. — *le traité modificatif renforce cela*

   La procédure budgétaire, grâce au mécanisme complexe de la concertation permet d'associer le Parlement à l'adoption du budget européen.
Le rôle du Parlement est plus important pour les dépenses non obligatoires que les dépenses obligatoires. De manière générale, les procédures
de consultation, de coopération et de codécision permettent une intervention plus ou moins déterminante et donc la prise en considération
de son point de vue pour l'adoption des actes de droit communautaire
dérivé. Nous aurons l'occasion d'examiner le processus décisionnel un
peu plus loin dans nos développements. *n'a pas initiative legislative,*
*c'est à Commission Européenne*

# II. Les institutions et organes de contrôle

168  À côté des institutions de décision, l'Union européenne dispose d'institutions et d'organes de contrôle, soit pour le contrôle juridictionnel avec
la Cour de justice des Communautés européennes, soit pour le contrôle
des comptes avec la Cour des Comptes, soit pour le contrôle administratif notamment avec le Médiateur européen. Il ne faut pas oublier, à
ce niveau, le contrôle politique exercé par le Parlement européen déjà
étudié dans l'analyse de cette institution.

## A. La Cour de justice des Communautés
## européennes

*une système juridictionnelle communautaire*

169  Dès l'origine, les traités communautaires avaient prévu la création d'une
Cour de justice pour assurer le respect du droit communautaire et son
interprétation uniforme dans l'ensemble de l'espace communautaire. Cette
institution a une place de choix dans la construction de l'Europe. Elle
est au cœur de l'ordre juridique communautaire et favorise l'Europe par
le droit. Elle se comporte comme une cour suprême de cet ordre juridique. Elle est gardienne des traités, comme du droit communautaire
dérivé. La Cour de justice constitue l'une des composantes du système
juridictionnel communautaire. « L'organisation juridictionnelle communautaire comporte, d'une part les tribunaux nationaux juges communautaires de droit commun, et d'autre part la Cour de justice des Communautés européennes (CJCE) et le Tribunal de Première Instance (TPI),
tous deux juges communautaires d'attribution » (Marie-Françoise Labouz,

*une Europe par le droit*

*Droit communautaire européen général*, Bruylant, 2003, p. 137). La Cour de justice « n'est en fait que la partie émergée de l'iceberg » (Jean-Paul Jacqué, déjà cité, p. 310). Dorénavant, la Cour de justice et le Tribunal de Première Instance assurent dans le cadre de leurs compétences respectives, le respect du droit dans l'interprétation et l'application du traité (article 220 TCE). Ce système juridictionnel traverse une période de crise dont les causes sont structurelles et institutionnelles, notamment pour des raisons d'encombrement des prétoires de la Cour de justice et du Tribunal de Première Instance. La durée moyenne en 2000 de l'instance devant la Cour de justice est de vingt mois, et de trente mois devant le TPI. Devant cette évolution, la Cour a présenté, en mai 1999, des propositions de réformes dans un important « Document de réflexion sur l'avenir du système juridictionnel de l'Union européenne » (voir F. Bernod, D. Simon et A. Rigaux, « Mutations du système juridictionnel de l'Union », *Europe* 1999, n° 242). La gestation et l'adoption du traité de Nice a été l'occasion d'une réflexion approfondie et d'une réforme de ce système juridictionnel. Les articles consacrés à la Cour de justice ont alors subi de nombreuses modifications auxquelles il faut ajouter le protocole sur le statut de la Cour de justice (Denys Simon et Anne Rigaux, « La réforme du système juridictionnel communautaire, bilan et perspectives », *in Le Traité de Nice Premières analyses*, PUS, 2001, p. 133).

## 1. La composition et l'organisation de la Cour de justice

170 La Cour de justice est composée d'un juge par État membre, donc aujourd'hui de 27 juges, assistés de huit avocats généraux étant entendu que ce dernier nombre peut augmenter à la demande de la Cour. Les juges et les avocats généraux sont choisis, d'un commun accord pour six ans par les gouvernements des États membres, parmi des personnalités offrant toutes les garanties d'indépendance et réunissant les conditions requises pour l'exercice, dans leurs pays respectifs, des plus hautes fonctions juridictionnelles, ou qui sont des jurisconsultes possédant des compétences notoires (article 223 TCE). Les juges désignent parmi eux, pour trois ans le Président de la Cour de justice. Son mandat est renouvelable. Les avocats généraux ont pour rôle de présenter publiquement, en toute impartialité et en toute indépendance, des conclusions motivées sur les affaires soumises à la Cour de justice, en vue d'assister celle-ci dans l'accomplissement de sa mission (article 222 TCE).

De son côté, le Tribunal de première instance est composé d'au moins un juge par État membre, donc au moins aujourd'hui 25 juges, nommés d'un commun accord pour 6 ans par les gouvernements des États membres et choisis parmi les personnes offrant toutes les garanties d'indépendance et possédant la capacité requise pour l'exercice de fonctions juridictionnelles (article 224 TCE). Les juges désignent en leur sein pour trois ans le président du TPI. Son mandat est renouvelable.

En vertu de l'article 2 du protocole sur le statut de la Cour de justice, les juges doivent, avant d'entrer en fonctions, en séance publique, prêter serment d'exercer leurs fonctions en pleine impartialité et en toute conscience et de ne rien divulguer du secret des délibérations.

Le fonctionnement de la Cour de justice est celui d'une véritable juridiction reposant sur une procédure juridictionnelle complète. Localisée à Luxembourg, elle dispose évidemment d'un greffe qui administre le service de la Cour sous l'autorité du président. La Cour de justice comprend plusieurs formations de jugement. Le nouveau protocole sur le statut de la Cour de justice a prévu des évolutions dans les formations de jugement pour tenir compte des effets du nouvel élargissement avec : des chambres de trois à cinq juges, une grande chambre de onze juges et une assemblée plénière. De son côté le TPI siège en chambres, composées de trois ou cinq juges, en formation plénière ou à juge unique.

La procédure devant la Cour comporte une phase écrite et une phase orale. La phase écrite comprend l'échange des mémoires entre les parties. La procédure orale qui suit, comprend la lecture du rapport présenté par un juge rapporteur, l'audition par la Cour des agents, conseils et avocats et des conclusions de l'avocat général, l'audition des témoins et des experts. L'affaire est ensuite mise en délibéré. L'arrêt est rendu sans que soient connus ni le vote des membres de la Cour, ni une éventuelle opinion dissidente.

## 2. Les fonctions de la Cour de justice

171  La Cour est une forme de juridiction suprême de l'ordre juridique communautaire. Elle est une véritable institution intégrée. Ses fonctions sont très larges (voir Renaud Dehousse, *La Cour de justice des Communautés européennes*, Montchrestien, Clefs, 1997 ; Christian Philip, *La Cour de justice des Communautés européennes*, PUF, Que sais-je).

Elle est une juridiction de nature constitutionnelle, comme dans un système fédéral, puisqu'elle se prononce sur la répartition des compétences dans le cadre des recours en carence ou en manquement. Cette fonction constitutionnelle est encore plus nette depuis l'intégration du principe de subsidiarité dans les traités. Elle est une juridiction administrative pour les contentieux des personnels des Communautés et pour le contrôle de la légalité des actes normatifs des autres institutions. Elle est une juridiction internationale pour régler les différents interétatiques susceptibles d'être engendrés par l'application des traités. Elle est, enfin et surtout, une juridiction de régulation pour veiller à l'unité d'interprétation et d'application du droit communautaire. Par sa jurisprudence et sa capacité d'interprétation, elle a construit un véritable pouvoir judiciaire au niveau communautaire. L'existence de ce type de pouvoir est logique dans une Communauté de droit qui a confié au juge communautaire le soin de la garantir. Néanmoins, ce pouvoir n'a pas vocation à permettre au juge de substituer son appréciation à celle du pouvoir politique au risque de pratiquer un gouvernement des juges.

172  De manière plus précise, on peut analyser la fonction juridictionnelle de la Cour de justice autour de trois idées forces : le contrôle de l'action des institutions, le contrôle de l'action des États membres, la coopération entre les juridictions. Le traité de Nice a très fortement augmenté les compétences du Tribunal de Première Instance afin d'alléger la charge de la Cour de justice et en limitant les hypothèses de pourvoi ultérieur devant la Cour. En vertu de l'article 225 (TCE), le TPI est compétent pour statuer en première instance sur la majorité des recours, y compris des questions préjudicielles de l'article 234, dans les matières spécifiques déterminées par le statut. Dans cette dernière hypothèse, le TPI, s'il estime que l'affaire appelle une décision de principe susceptible d'affecter l'unité ou la cohérence du droit communautaire peut renvoyer l'affaire devant la Cour pour qu'elle statue.

« La conception systématique que le juge communautaire se fait de l'ensemble des voies de recours ouvertes par les traités, le conduit à voir dans le dispositif juridictionnel « un système complet de voies de recours et de procédures », au sein duquel chaque recours particulier contribue à assurer le respect du droit dans l'interprétation et l'application des traités et à garantir ainsi le fonctionnement de la Communauté comme « Communauté de droit », ce qui autorise le cas échéant une interprétation constructive des dispositions organisant un recours particulier en vue de veiller à l'efficacité globale du système juridictionnel » (Denys Simon, *Le système juridique communautaire*, PUF, Droit fondamental, 1998, p. 348).

### a) Le contrôle de l'action des institutions communautaires : le contrôle de la légalité et l'action en responsabilité

173 Les institutions et les organes communautaires peuvent commettre des illégalités à l'occasion de leurs activités normatives. Dans ce cadre, la Cour de justice est compétente pour statuer sur les recours en annulation ou les recours en carence. Ces institutions, ainsi que leurs agents dans l'exercice de leurs fonctions, peuvent aussi occasionner des dommages par leurs activités. La Cour de justice est aussi compétente pour statuer sur les recours en indemnité.

• *Le recours en annulation*

174 En vertu de l'article 230 du traité instituant la Communauté européenne, la Cour de justice est compétente pour contrôler la légalité des actes des institutions communautaires. Cela rapproche la Cour de justice des Communautés européennes d'une juridiction administrative comme le Conseil d'État français qui peut contrôler la légalité des actes des institutions administratives nationales. Les modalités du contrôle exercé par la Cour ne sont d'ailleurs pas très différentes de celles du Conseil d'État. L'inspiration française dans la conception initiale des traités communautaires est historiquement une des explications de cette similitude.

Les actes susceptibles de ce type de contrôle sont les actes adoptés conjointement par le Parlement européen et le Conseil, des actes du Conseil, de la Commission, de la Banque centrale européenne et du Parlement européen qui produisent des effets juridiques vis-à-vis des tiers. Cela exclut de ce type de recours les recommandations et les avis, comme ce fut le cas par exemple pour des « orientations internes » de la Commission européenne, relatives au financement des fonds structurels pour lutter contre la fraude aux intérêts financiers (CJCE 6 avril 2000 Espagne contre Commission, aff. C-443/97, Europe 2000 n°166, note F. Berrod).

Deux types de requérants ont la qualité pour agir : les requérants institutionnels, les requérants individuels. Les requérants institutionnels sont : les États membres, le Conseil, la Commission, le Parlement européen, la Cour des comptes et la Banque centrale européenne. Le Parlement est devenu un requérant institutionnel privilégié, au même niveau que les États membres, le Conseil et la Commission, depuis le traité de Nice. La Cour des comptes et la Banque centrale européenne restent des requérants institutionnels « intermédiaires » selon la formule de Jean-Paul Jacqué, dans la mesure où leurs recours doivent viser à la sauvegarde de leurs prérogatives. Les requérants individuels sont : toute personne physique ou morale contre les décisions dont elle est le destinataire et contre les décisions qui, bien que prises sous l'apparence d'un règlement ou d'une décision adressée à une autre personne, la concernent directement et individuellement (article 203 al.4), (voir Paul Cassia, *L'accès des personnes physiques et morales au juge de la légalité des actes communautaires*, Dalloz, 2002).

Le recours doit être formé dans un délai de deux mois à compter, suivant le cas, de la publication de l'acte, de sa notification au requérant ou, à défaut, du jour où celui-ci en a eu connaissance.

Les moyens de l'annulation représentent les cas d'ouverture, comme cela se passe pour le recours pour excès de pouvoir en France. Ces moyens sont de plusieurs ordres : l'incompétence de l'auteur de l'acte ; la violation des formes substantielles comme le défaut de motivation de l'acte ou l'absence de consultation obligatoire du Parlement européen ; la violation du traité et de toute règle de droit relative à son application, en vertu de la hiérarchie du bloc de la légalité communautaire ; le détournement de pouvoir.

Il s'agit bien d'un contrôle de la légalité et non pas d'un contrôle de l'opportunité de l'acte afin de laisser aux institutions et aux organes un pouvoir discrétionnaire suffisant pour agir dans l'intérêt, soit des Communautés et de l'Union européennes en général, soit dans la sauvegarde de leurs propres prérogatives. L'intensité du contrôle varie donc en fonction de la nature du pouvoir détenu par ces institutions et ces organes. On retrouve aussi l'idée d'une erreur manifeste d'appréciation ou de dépassement manifeste des limites du pouvoir d'appréciation reconnu aux institutions.

Si le recours est fondé, l'effet de l'arrêt de la Cour est que l'acte contesté est déclaré nul et non avenu, sauf si l'annulation de l'acte n'est que partielle. Toutefois, en ce qui concerne les règlements, la Cour de justice indique, si elle l'estime nécessaire, ceux des effets du règlement annulé qui doivent être considérés comme définitifs (article 232 TCE). Les institutions dont émane l'acte annulé sont tenues de prendre les mesures que comporte l'exécution de l'arrêt de la Cour de justice (article 233 TCE). La Cour ne peut aller au-delà de l'annulation, elle n'a pas compétence pour adresser des injonctions aux institutions.

- *Le recours en carence*

175 Par ce type de recours prévu à l'article 232 (TCE), il s'agit de sanctionner éventuellement l'inaction d'une institution communautaire. Cela concerne l'abstention du Conseil, de la Commission, du Parlement et de la Banque centrale européenne. Pour que le recours soit recevable, il est indispensable que les institutions aient été préalablement invitées à agir. Ce n'est qu'à l'issue d'un délai de deux mois à compter de cette invitation, si l'institution n'a pas pris de position, qu'il est possible alors de faire un recours dans un nouveau délai de deux mois.

Le recours en carence est ouvert aux requérants institutionnels comme aux requérants individuels. Les requérants institutionnels sont: les États membres, le Conseil, la Commission, le Parlement européen, la Cour des comptes et la Banque centrale européenne. Les requérants individuels sont: toute personne physique ou morale pour faire grief à l'une des institutions de la Communauté d'avoir manqué de lui adresser un acte autre qu'une recommandation ou un avis.

L'intensité et les effets du contrôle dépendent largement de la nature des obligations qui pèsent sur les institutions. Lorsque l'institution a une compétence liée, elle est tenue d'agir, son inaction peut être alors considérée comme une carence à laquelle il doit être mis un terme. Au contraire, en cas de pouvoir discrétionnaire, son éventuelle carence ne doit être appréciée qu'au regard d'un détournement de pouvoir ou d'une violation du traité.

Les institutions dont l'abstention a été déclarée contraire au traité sont tenues de prendre les mesures que comporte l'exécution de l'arrêt de la Cour de justice (article 233 TCE). Il n'appartient pas au juge de donner des injonctions aux institutions défenderesses qui néanmoins doivent mettre fin à la carence en adoptant les mesures appropriées dans un délai raisonnable.

- *Le recours en indemnité*

176 Ces recours interviennent dans plusieurs hypothèses de contentieux, celui de la responsabilité contractuelle (article 288-1 TCE) et celui de la respon-

sabilité extra-contractuelle (article 288-2 TCE). La responsabilité contractuelle de la Communauté est régie par la loi applicable au contrat en cause.

En ce qui concerne la responsabilité extra-contractuelle, la Communauté doit réparer, conformément aux principes généraux communs au droit des États membres, les dommages causés par ses institutions ou par ses agents dans l'exercice de leurs fonctions. Cela s'applique aussi aux dommages causés par la Banque centrale européenne ou par ses agents dans l'exercice de leurs fonctions. Il ne faut pas oublier que la responsabilité des agents envers la Communauté est réglée par les dispositions fixant leur statut ou le régime juridique qui leur est applicable.

L'imputation de la responsabilité est différente suivant les situations. L'imputation est directe envers la Communauté si la faute découle directement d'elle. Elle est celle de l'agent dans le cas d'une faute personnelle ou celle de l'État membre lorsque cela découle de la non application du droit communautaire dans son territoire.

Les requérants sont ceux qui ont subi un dommage imputable à la Communauté ou à ses agents dans l'exercice de leurs fonctions. Cela concerne les personnes physiques ou morales ou les États. Le fondement de la responsabilité peut être une faute de service, c'est-à-dire une mauvaise organisation du service, une gestion négligente ou un défaut de surveillance. Il peut être une faute dans l'action normative, c'est-à-dire une illégalité fautive. Il pourrait être enfin une forme de responsabilité sans faute du fait d'un préjudice anormal et spécial. Pour que la responsabilité soit effectivement engagée, il est indispensable qu'il y ait un préjudice par la lésion d'un droit ou d'un intérêt légitime et un lien de causalité, c'est-à-dire un lien direct et immédiat entre le fait générateur et le dommage (pour aller plus loin, voir Jean Luc Sauron, *Droit et pratique du contentieux communautaire*, Documentation française, réflexe Europe, 2000).

### b) Le contrôle de l'action des États membres:
### le recours en manquement d'État

177 Il s'agit ici pour la Cour de réaliser par ses arrêts un contrôle de l'action des États membres au regard des exigences du droit communautaire et des politiques communautaires.

Le recours en manquement est une originalité sur le plan international car il vise à surveiller le respect du droit communautaire par les États membres. Il permet en plus de déterminer la portée exacte des obligations des États membres. Cette surveillance fait suite à l'engagement que les États ont pris en vertu de l'article 10 de prendre toutes les mesures générales ou particulières propres à assurer l'exécution des obligations découlant du traité ou des actes des institutions de la Communauté. Le manquement de l'État peut être constitué aussi d'une abstention que d'un comportement positif. Les manquements les plus fréquents se situent dans le cadre de la mise en œuvre des directives, ils concernent plus de 75 % des procédures en manquements et des arrêts en manquement d'État: transposition tardive, mauvaise transposition ou absence de transposition. La France est régulièrement condamnée sur ce fondement. *i.e. la chasse)*

Le recours en manquement suppose d'abord le déroulement d'une procédure précontentieuse qui donne à la Commission européenne une position déterminante (sur les aspects d'administration de la lettre de la mise en demeure et de l'avis motivé, voir Jean-Luc Sauron, déjà cité, p. 58). En effet, si la Commission estime qu'un État membre a manqué à des obligations qui lui incombent en vertu du traité, elle émet un avis motivé, après avoir mis cet État en mesure de présenter ses observations. Ce n'est que si l'État ne se conforme pas à cet avis dans le délai déterminé par la Commission, que celle-ci peut saisir la Cour de justice. « La lettre de mise en demeure a pour but, d'une part de circonscrire l'objet du litige et d'indiquer à l'État membre qui est invité à présenter ses observations les éléments nécessaires à la préparation de sa défense et d'autre part, de permettre à celui-ci de se mettre en règle avant que la Cour ne soit saisie » (CJCE 13 décembre 2001, Commission c/ France aff. C-1/00, R.2001-1-09969). Il en est de même lorsqu'un État membre souhaite introduire un recours en manquement contre un autre État membre. Dans ce cas, avant qu'il n'introduise un recours, l'État doit saisir la Commission. Cette dernière émet un avis motivé après que les États intéressés aient été mis en mesure de présenter contradictoirement leurs observations écrites et orales. L'échec de la procédure pré-contentieuse peut déboucher sur la phase contentieuse. Mais, « l'on notera aussi que la Commission peut très souvent d'ailleurs par opportunité politique ou économique, différer la saisine de la Cour, parfois

*il y a aussi un manquement sur manquement*

la pêche (France)

5.7 million
tonnes)

de plusieurs années, voire même y renoncer et classer définitivement l'affaire » (Marie-Françoise Labouz, déjà cité, p. 304).

La phase contentieuse intervient dans un deuxième temps avec la saisie de la Cour de justice par la Commission. Elle peut se conclure par un arrêt de manquement prononcé par la Cour de justice. Si elle reconnaît qu'un État membre a manqué à une des obligations qui lui incombent en vertu du traité, cet État est tenu de prendre les mesures que comporte l'exécution de l'arrêt de la Cour de justice. D'ailleurs, l'État ne peut valablement invoquer des difficultés internes d'ordre politique ou administratif pour justifier son manquement. La Cour admet que seule une impossibilité matérielle absolue d'exécution pourrait éventuellement dédouaner un État de son manquement (CJCE, 18 juin 2002 Commission c/ France, aff. C-60/01, note Denys Simon, *Europe* 2002 n°266).

Dans son article 228, le traité prévoit un mécanisme de sanctions et d'astreintes au cas où la Commission estimerait que l'État membre ne se soumet pas à l'arrêt de la Cour. Il s'agit d'arriver si cela est nécessaire, à forcer l'État à prendre les mesures indispensables d'exécution de l'arrêt de manquement. Si la Commission estime que l'État membre n'a pas pris les mesures découlant de l'arrêt de manquement, elle émet un avis motivé précisant les points sur lesquels l'État membre concerné ne s'est pas conformé à l'arrêt de la Cour de justice en lui fixant un délai pour se mettre en conformité. Si l'État persiste dans son attitude en ne prenant pas les mesures exigées, la Commission peut saisir la Cour de justice en indiquant le montant de la somme forfaitaire ou de l'astreinte à payer par l'État membre qu'elle estime adapté aux circonstances. Si la Cour de justice reconnaît cette nouvelle défaillance de l'État, elle peut lui infliger le paiement d'une somme forfaitaire ou d'une astreinte. Pour la première fois, la Cour de justice a condamné la Grèce sur la base de cet article 228 (CJCE 4 juillet 2000 Commission soutenue par Royaume-Uni c/ Grèce, aff. C-387/97, note Denys Simon, *Europe* 2000 n°296, dans cet arrêt).

### c) La coopération entre les juridictions : le renvoi préjudiciel

178 Le renvoi préjudiciel est un recours relativement technique, inclus dans une procédure en cours, mais il a une importance essentielle pour l'application harmonieuse du droit communautaire dans le territoire des États

membres. En effet, il permet de mettre en œuvre une véritable coopération ou un dialogue entre les juridictions nationales et la Cour de justice des communautés européennes pour la bonne application du droit
communautaire (voir Laurence Potvin-Solis, « Le concept de dialogue
des juges en Europe », *in Le dialogue entre les juges européens et nationaux :
incantation ou réalité ?*, Bruylant, 2004, p. 19).

Techniquement, cela se déroule de la manière suivante : une juridiction nationale examine un litige ; elle est confrontée à une délicate
question d'interprétation de droit communautaire qu'elle ne peut trancher elle-même ; elle peut surseoir à statuer et solliciter le juge communautaire sur cette question préjudicielle ; la question éclairée par la
Cour, le traitement national du litige peut reprendre son cours normal,
en appliquant l'interprétation de la Cour.

Le juge communautaire est compétent pour statuer, à titre préjudiciel, sur l'interprétation du traité, sur validité et l'interprétation des
actes pris par les institutions de la Communauté et par la Banque centrale européenne et sur l'interprétation des statuts des organismes créés
par un acte du Conseil, lorsque ces statuts le prévoient. Lorsque ce type
de question se pose devant une juridiction nationale dont les décisions
ne sont pas susceptibles d'un recours juridictionnel de droit interne, cette
juridiction est tenue de saisir la Cour de justice. Cette dernière hypothèse concerne les juridictions suprêmes nationales qui doivent ainsi avoir
le réflexe de modestie juridique afin de saisir la Cour de justice des communautés européennes. On peut observer, avec profit en France, l'attitude de la Cour de cassation et du Conseil d'État face à la procédure
du renvoi préjudiciel. Si par le passé, grâce à la technique de l'acte clair,
le Conseil d'État se dispensait un peu souvent de saisir le juge communautaire, il semble avoir trouvé une pratique moins réticente à cette
saisie. On peut aussi observer des évolutions successives de la Cour de
justice quant à son attitude à l'égard des juridictions de renvoi sur le
point de savoir si la question préjudicielle est en quelque sorte pertinente ou pas. Le renvoi préjudiciel reste un moyen essentiel pour harmoniser l'application du droit communautaire sur le territoire européen.

Par l'ensemble de ces types de recours, la Cour exerce une fonction relativement comparable à celle d'une Cour suprême de l'ordre juridique communautaire, car elle peut avoir le dernier mot lors d'une affaire
mettant en cause une interprétation ou une application du droit com-

munautaire par et dans un État membre. Sa jurisprudence est donc déterminante. C'est le cas sur la question générale de l'interprétation du droit communautaire. Interprète suprême et définitif de toutes les facettes du droit communautaire, le juge communautaire dispose d'un pouvoir de juridiction revêtu de l'autorité de la chose jugée. Par sa jurisprudence, la Cour a donné au droit communautaire une réelle effectivité en confirmant sa primauté sur le droit interne. À son avis, il ne doit pas rencontrer d'obstacles juridiques à son application dans le droit interne des États membres. Cette jurisprudence est donc complémentaire de la logique communautaire d'engrenage pour la mise en œuvre des grandes libertés. Enfin, elle a contribué à la confection d'un droit communautaire jurisprudentiel par la technique des principes généraux du droit communautaire.

## B. La Cour des comptes

179 Cette institution n'était pas prévue à l'origine des traités communautaires. La Cour des comptes a été créée à compter de 1975 lors des modifications des traités sur les questions financières. Elle a ainsi remplacé l'ancienne commission de contrôle CEE et Euratom et le commissaire aux comptes CECA. Elle a accédé au rang d'institution avec le traité sur l'Union européenne. La Cour des comptes exerce une mission générale de contrôle financier des Communautés européennes sans être une juridiction. Il s'agit d'une institution intégrée aussi bien dans son fonctionnement que dans sa composition.

### 1. La composition

La Cour des comptes dont le siège est à Luxembourg, est composée d'un national de chaque État membre, donc de vingt-cinq membres aujourd'hui, choisis par le Conseil pour 6 ans à la majorité qualifiée après consultation du Parlement européen. Le mandat est renouvelable. Les membres sont choisis parmi des personnalités ayant appartenu ou appartenant dans leurs pays respectifs aux institutions de contrôle de cette nature ou possédant une qualification particulière dans ce domaine. Ils doivent présenter des garanties d'indépendance et de compétence. Ils bénéficient de garanties statutaires, comme des immunités, pour protéger leur indépendance et l'exercice de leur mission dans l'intérêt général des Communautés. Les membres ne peuvent solliciter ou accepter d'instructions d'aucun gouvernement. Ils s'abstiennent de tout acte incompatible avec leur appartenance à la Cour des comptes. Ils ne peuvent, pendant la durée de leurs fonctions exercer aucune activité professionnelle rémunérée ou non. Ils prennent l'engagement solennel lors de leur prise de fonctions de respecter les obligations découlant de leur charge, notamment les devoirs d'honnêteté et de délicatesse. Ils disposent d'un traitement et d'une indemnité pour faciliter justement cette indépendance. Les membres de la Cour des Comptes choisissent parmi eux leur président pour un mandat renouvelable de 3 ans.

## 2. Les missions

180  En vertu de l'article 246 (TCE), la Cour des comptes assure le contrôle des comptes. Cette mission est très étendue, comme le fixe l'article 248 (TCE).

D'abord, ce contrôle concerne l'ensemble des comptes de la totalité des recettes et des dépenses des Communautés et de l'Union européennes, ainsi que de tout organisme crée par les Communautés. Elle fournit au Parlement européen et au Conseil une déclaration d'assurance concernant la fiabilité des comptes ainsi que la régularité des opérations. Elle assiste le Parlement et le Conseil dans l'exercice de leur fonction de contrôle de l'exécution du budget.

Ensuite, elle examine la légalité et la régularité des recettes et des dépenses et s'assure de la bonne gestion financière. À cette occasion, elle signale toute irrégularité. Le contrôle des recettes s'effectue sur la base des constatations comme des versements des recettes à la Communauté. Le contrôle des dépenses s'effectue sur la base des engagements comme des paiements.

Enfin, le contrôle est réalisé sur pièces, et le cas échéant sur place, auprès des institutions concernées, des organismes ou des personnes physiques ou morales qui bénéficient de versements provenant du budget communautaire. Pour effectuer ces contrôles, la Cour des comptes s'appuie sur une coopération avec les institutions nationales de contrôle des États membres, dans un climat de confiance et de respect de l'indépendance de chaque institution. Cette coopération est organisée, comme c'est le cas avec la Cour des comptes en France.

Chaque année, la Cour des comptes établit un rapport après la clôture de chaque exercice. Ce rapport est transmis à l'ensemble des institutions des Communautés. Ce rapport est publié au Journal officiel des Communautés européennes (pour aller plus loin sur cette institution, voir Gilbert Orsoni, *La cour des comptes des Communautés européennes,* Economica, 1983 ; Imre de Crouy-Chanel et Christophe Perron, *La Cour des comptes européenne,* PUF, Que sais-je ?).

## C. Le Médiateur européen : un organe

181 Cet organe a été institué par le traité sur l'Union Européenne (article 195 du TCE) en s'inspirant des expériences de même nature dans presque tous les États membres, soit sous la forme d'Ombudsman, comme en Scandinavie, soit sous celle de médiateur, comme en France. Il s'agit de donner la possibilité aux citoyens européens de mieux se faire entendre par les institutions européennes lors de dysfonctionnements administratifs.

Le Médiateur est nommé par le Parlement européen pour la durée de la législature. Le Médiateur est actuellement Nikiforos Diamandouros. Son mandat est renouvelable. Il exerce ses fonctions en toute indépendance. Il ne peut recevoir et solliciter aucune instruction, d'aucun organisme. Il ne peut exercer aucune autre activité professionnelle rémunérée ou non, pendant l'exercice de ses fonctions. Il peut être déclaré démissionnaire par la Cour de justice, à la demande du Parlement européen, s'il ne remplit plus les conditions nécessaires à l'exercice de ses fonctions ou s'il a commis une faute grave.

Le Médiateur reçoit les plaintes émanant de tout citoyen de l'Union ou de toute personne physique ou morale résidant ou ayant son siège statutaire dans un État membre et relatives à des cas de mauvaise administration dans l'action des institutions ou des organes communautaires à l'exclusion de la Cour de justice et du Tribunal de première instance dans l'exercice de leurs fonctions juridictionnelles. Ces plaintes ne peuvent concerner l'application du droit communautaire par les États membres ni le titre V du traité sur l'Union européenne concernant la politique étrangère et de sécurité commune. Il procède aux enquêtes qu'il estime justifiées, soit de sa propre initiative, soit à la suite d'une plainte présentée directement ou par l'intermédiaire d'un parlementaire européen. Dans le cas où il constate une mauvaise administration, il saisit l'institution ou l'organe concerné qui dispose d'un délai de trois mois pour faire tenir son avis. Le Médiateur fait rapport de la difficulté au

code de bonne conduit, adopté par Parl. 2001

Parlement européen et à l'institution ou l'organe en cause. La personne dont émane la plainte est informée du résultat de ces enquêtes.

Chaque année, le Médiateur européen présente un rapport au Parlement européen sur les résultats de ses enquêtes. Ce rapport est largement diffusé y compris au moyen de son site Internet. L'efficacité du Médiateur dépend, d'une part de la contribution des institutions concernées, d'autre part de sa capacité d'influence et de persuasion pour résoudre chaque situation de mauvaise administration. Il a d'ailleurs donné une définition de ce type de situation dans ses rapports annuels. « Il y a mauvaise administration lorsqu'un organisme n'agit pas en conformité avec une règle ou un principe ayant pour lui valeur obligatoire ». Il a aussi contribué à établir un code de bonne conduite administrative adopté par le Parlement européen le 6 septembre 2001 pour préciser de droit à une bonne administration reconnu par la Charte des droits fondamentaux. Ce code sert de guide à l'activité de contrôle du Médiateur européen.

# III. Les organes complémentaires

182 Au-delà des institutions de décision et de contrôle, il existe un grand nombre d'organes communautaires créés par les traités ou à l'initiative de ces institutions. Ses différentes structures ont des fonctions spécifiques. On peut distinguer les organes consultatifs, les organes financiers et bancaires, et les organes administratifs et de gestion. =) indispensable

à fonctionnement d'UE          aussi un trentaine

## A. Les organes consultatifs          d'agences

Des organes consultatifs ont été progressivement mis en place, soit dans le cadre des traités, soit à l'initiative de la Commission. Si les principaux de ces organes sont le Comité économique et social européen ou le Comité des régions, il en existe beaucoup d'autres, comme par exemple, le comité consultatif des transports (article 79 du traité CE) ou le comité du fonds social européen (article 147 du traité CE). Ces différents organes permettent d'associer les représentants des activités professionnelles ou les élus locaux ou régionaux au processus décision européen.

### 1. Le Comité économique et social

183 Le Comité économique et social est un organe consultatif qui est constitué de représentants des différentes composantes à caractère économique

et social de la société civile organisée, notamment des producteurs, des agriculteurs, des transporteurs, des travailleurs, des négociants et des artisans, des professions libérales, des consommateurs et de l'intérêt général (article 257 TCE). Cela permet de disposer d'une représentation plus complète que la seule représentation politique des peuples. Cette démarche rappelle celle de la France avec le Conseil économique et social ou les conseils économiques et sociaux régionaux. C'est aussi la reconnaissance des organisations de la société civile à l'échelle de l'Union européenne.

Depuis le traité de Nice, le nombre des membres du Comité économique et social ne doit pas dépasser trois cent cinquante. Avec le dernier élargissement, ce nombre est de 317 avec la réparation suivante par État : Allemagne, 24 ; Royaume-Uni, 24 ; France, 24 ; Italie, 24 ; Espagne, 21 ; Pologne, 21 ; Pays-Bas, 12 ; Grèce, 12 ; République Tchèque, 12 ; Belgique, 12 ; Hongrie, 12 ; Portugal, 12 ; Suède, 12 ; Autriche, 12 ; Slovaquie, 9 ; Danemark, 9 ; Finlande, 9 ; Irlande, 9 ; Lituanie, 9 ; Lettonie, 7 ; Slovénie, 7 ; Estonie 7 ; Chypre, 6 ; Luxembourg, 6 ; Malte, 5.

Les membres sont nommés, sur proposition des États membres, pour quatre ans, par le Conseil statuant à la majorité qualifiée. Le Conseil adopte la liste des membres établie conformément aux propositions faites par chaque État membre. Leur mandat est renouvelable. Les membres du Comité ne doivent être liés par aucun mandat impératif. Ils exercent leurs fonctions en toute indépendance dans l'intérêt général de la Communauté. Ils bénéficient d'indemnités fixées par le Conseil.

Le Comité choisit son président et son bureau pour une durée de deux ans. Il établit son règlement intérieur et son mode de fonctionnement. Il est convoqué par son président à la demande du Conseil et de la Commission. Il peut également se réunir de sa propre initiative. Il comprend des sections spécialisées au regard des compétences de la Communauté.

Le Comité est obligatoirement consulté, par le Conseil ou par la Commission, pour les projets de règlements, de directives ou de politiques concernant le domaine économique et social dans les cas où le traité le prévoit. Il peut aussi être consulté, par ces institutions dans tous les cas où elles le jugent opportun. Elles ont la possibilité de fixer des échéances pour l'émission de l'avis, un délai qui ne peut-être inférieur à un mois. Le Comité peut être consulté par le Parlement européen. Le Comité peut émettre lui-même un avis dans les cas où il le juge utile.

Le Comité économique et social est bien associé au processus décisionnel communautaire. La société civile apporte de cette manière sa contribution à la construction de l'Union européenne, comme l'attestent les rapports et les avis du Comité. En effet, « malgré son caractère consultatif, le comité n'est pas sans influence sur le pouvoir de décision, cette influence tendant cependant à être plus importante sur la Commission que sur le Conseil » (Joël Rideau, *Droit institutionnel de l'Union et des Communautés européennes*, LGDJ, 2002, p. 442).

## 2. Le Comité des régions

184 Le Comité des régions est un organe consultatif composé de représentants des collectivités territoriales et locales. Il constitue l'une des innovations institutionnelles du traité de Maastricht de 1992. Cette création d'un nouvel organe consultatif répond à une double exigence. Il s'agit d'abord de faciliter l'expression de « l'Europe décentralisée » au côté de l'Europe des États. Il permet ensuite aux institutions communautaires de mieux cerner les demandes des collectivités locales et territoriales de l'Union européenne. Il remplace et amplifie le rôle joué naguère par le conseil consultatif des collectivités locales régionales crée par la Commission en 1988. S'il porte le qualificatif de régions, il ne représente pas que les régions, mais les collectivités territoriales autres que les États membres, c'est-à-dire les communes, les provinces, les départements, les länder, les régions, les communautés, donc bien l'Europe décentralisée.

Le Comité des régions est composé, en vertu de l'article 263 (TCE) issu du traité de Nice, de représentants des collectivités régionales et locales qui sont soit titulaires d'un mandat électoral au sein d'une collectivité régionale ou locale, soit politiquement responsables devant une assemblée élue. Le nombre des membres du Comité des régions ne peut dépasser trois cent cinquante. Avec le dernier élargissement, il comprend actuellement 317 membres répartis de la manière suivante : Allemagne, 24 ; Royaume-Uni, 24 ; France, 24 ; Italie, 24 ; Espagne, 21 ; Pologne, 21 ; Pays-Bas, 12 ; Grèce, 12 ; République Tchèque, 12 ; Belgique, 12 ; Hongrie, 12 ; Portugal, 12 ; Suède, 12 Autriche, 12 ; Slovaquie, 9 ; Danemark, 9 ; Finlande, 9 ; Irlande, 9 ; Lituanie, 9 ; Lettonie, 7 ; Slovénie, 7 ; Estonie 7 ; Chypre, 6 ; Luxembourg, 6 ; Malte, 5.

Les membres du Comité des régions sont nommés, sur proposition des États membres, pour quatre ans, par le Conseil statuant à la majorité qualifiée. Le Conseil adopte la liste des membres établie conformément aux propositions faites par chaque État membre. Leur mandat est renouvelable. Les membres du Comité ne doivent être liés par aucun mandat impératif. Ils exercent leur mandat en toute indépendance dans l'intérêt général de la Communauté. Ils bénéficient d'indemnités fixées par le Conseil. Ainsi pour la France, il revient au ministère de l'intérieur de proposer une composition de la délégation française suffisamment équilibrée pour représenter convenablement les communes, les départements et les régions, aussi bien sur le plan démographique que politique. Ces membres se répartissent ensuite en quatre groupes politiques : le Parti des socialistes européens, le Parti populaire européen, le Parti européen des libéraux, démocrates et réformateurs et l'Alliance européenne.

Le Comité des régions choisit parmi ses membres son président et son bureau pour une durée de deux ans. Il établit son règlement intérieur et son mode de fonctionnement. Le Comité comporte plusieurs commissions spécialisées : 1-Développement régional, Développement économique, Finances locales et régionales ; 2-Aménagement de l'espace, Agriculture, Chasse, Pêche, Forêt, Mer et Montagne ; 3-Transport et Réseaux de communication ; 4-Politiques urbaines ; 5-Aménagement du territoire, Environnement et Énergie ; 6-Education et Formation ; 7-Europe des citoyens, Recherche, Culture, Jeunesse et Consommateurs ; 8-Cohésion économique et sociale, Politique sociale et Santé publique ; et « Affaires institutionnelles ».

Le Comité est convoqué par son président à la demande du Conseil de l'Union et de la Commission européenne. Il peut également se réunir de sa propre initiative. Le Comité est consulté par le Conseil et la Commission. Ces institutions ont la possibilité de fixer des échéances pour l'émission de l'avis, un délai qui ne peut-être inférieur à un mois. Le Comité peut être consulté par le Parlement européen. Les domaines de consultation ont été progressivement augmentés. Dès l'origine du Comité des régions, plusieurs domaines de consultation étaient obligatoires : la cohésion économique et sociale ; les réseaux trans-européens de transports, l'énergie et les télécommunications ; la santé publique ; l'éducation et la jeunesse ; la culture ; la coopération transfrontalière. Le traité d'Amsterdam a ajouté de nouveaux domaines de consultation obliga-

344

toire : l'emploi, la politique sociale, l'environnement, la formation professionnelle et les transports. Le Comité peut aussi émettre lui-même un avis dans les cas qu'il juge opportun.

Le Comité des régions a trouvé sa place dans le réseau institutionnel de l'Union et des Communautés européennes. Il y fait entendre la voie des collectivités décentralisées des États membres. Il se considère à juste titre comme « une chambre de la subsidiarité » ou comme le porte-parole de l'Europe décentralisée, parfois qualifiée d'Europe des régions (pour aller plus loin sur cet organe, voir Pierre-Alexis Féral, *Le Comité des Régions de l'Union européenne*, PUF, Que sais-je ?,1998).

## B. Les organes financiers et bancaires

185 La Communauté européenne s'est d'abord dotée d'instruments financiers adaptés pour mener à bien ses politiques, notamment structurelles pour la cohésion économique et sociale, avec la Banque européenne d'investissement. En adoptant la monnaie unique, l'Euro, l'Union européenne a eu aussi besoin d'un système bancaire adapté. L'euro a donc donné naissance à la Banque centrale européenne.

### 1. La Banque européenne d'investissement = structure bancaire dassique

186 La Communauté européenne dispose d'une banque européenne d'investissement pour aider au développement économique équilibré de l'espace européen. Il s'agit bien d'une banque avec une structure spécifique adaptée à sa mission, qui ne poursuit pas de but lucratif. Son capital est souscrit par les États membres en fonction d'une clé de répartition. Cette banque dispose de la personnalité juridique et d'un statut, objet d'un protocole annexé au traité. Ses membres en sont les États membres.

Son fonctionnement repose sur plusieurs organes. Le conseil des gouverneurs, composé des ministres de l'économie et des finances des États membres, fixe les directives générales relatives à la politique de crédit de la banque et veille à l'exécution des directives. Le conseil d'administration, composé de 25 administrateurs nommés pour une période de 5 ans par le conseil des gouverneurs en fonction d'une clef de répartition entre les États membres, gère la politique de la banque et octroie les crédits. Enfin, la banque est dirigée par un comité de direction de 8 membres, un président et 7 vice-présidents nommés pour une période de 6 ans par le conseil des gouverneurs sur proposition du conseil d'administration. Il assume la gestion quotidienne de la Banque et prépare les délibérations du conseil d'administration.

« La BEI a pour mission de contribuer, en faisant appel aux marchés des capitaux et à ses ressources propres, au développement équilibré et sans heurt du marché commun dans l'intérêt de la Communauté. À cette fin, elle facilite, par l'octroi de prêts et de garanties, sans poursuivre un but lucratif, le financement de projets, dans tous les secteurs de l'économie » (article 267 du TCE).

Elle peut ainsi contribuer au financement de plusieurs types de projets de développement comme :
– les projets de mise en valeur des régions moins développées
– les projets de modernisation d'activités ou de créations d'activités nouvelles dans le cadre du marché intérieur, qui par leur ampleur ou par leur nature, ne peuvent être entièrement couverts par les divers moyens de financement existant dans chacun des États membres
– les projets d'intérêt commun pour plusieurs États.

La BEI apparaît comme un instrument complémentaire de financement en liaison avec les interventions des fonds structurels et des autres instruments financiers de la Communauté.

## 2. La Banque centrale européenne et le système européen des banques centrales

187 La confection de l'Union économique et monétaire s'est opérée au travers de plusieurs étapes permettant d'aboutir à la monnaie unique. La première étape, à partir du traité sur l'Union européenne jusqu'au 31 décembre 1993, a consisté en une libéralisation de la circulation des capitaux en Europe. La seconde étape, du 1er janvier 1994 au 1er juin 1998, a permis la mise en place de l'Institut monétaire européen, la recherche de la convergence des politiques économiques et monétaires des États et la préparation de la future banque centrale. La troisième étape, à partir du 1er juin 1998, visait la réalisation effective de la monnaie unique sur le plan des comptes à partir du 1er janvier 1999 et sur le plan concret des billets et des pièces à partir du 1er janvier 2002 et de ses institutions de fonctionnement comme la Banque centrale européenne qui succède à l'Institut monétaire européen.

La monnaie unique et la politique monétaire de la zone euro reposent d'une part sur le système européen des banques centrales (SEBC), d'autre part sur la Banque centrale européenne.

**Le Système européen des banques centrales** est composé de la Banque centrale européenne (BCE) et des banques centrales nationales. Il est dirigé par les organes de décision de la BCE, c'est-à-dire le conseil des gouverneurs et le directoire. Le SEBC agit conformément au principe d'une économie de marché ouverte où la concurrence est libre, en favorisant une allocation efficace des ressources et en respectant les principes directeurs suivants : prix stables ; finances publiques et conditions monétaires saines ; balance des paiements stable. Ce SEBC a plusieurs fonctions essentielles de : maintenir la stabilité des prix ; définir et mettre en œuvre la politique monétaire de la Communauté ; conduire les opérations de change ; détenir et gérer les réserves officielles de change des États membres, promouvoir le bon fonctionnement des systèmes de paiement (article 103 du TCE). La mise en place du SEBC a eu des conséquences sur les banques centrales nationales, notamment l'adoption de statut valorisant l'indépendance de leur fonctionnement.

188 L'adoption d'une monnaie, l'Euro, commune à plusieurs États membres, aujourd'hui 12 États, a donné naissance à une **Banque centrale européenne**, l'une des plus récentes dans le monde, mais aussi la seule ayant en charge la monnaie partagée par plusieurs États dans une même zone monétaire. Seuls, la Grande-Bretagne, le Danemark et la Suède, n'ont pas encore adopté cette monnaie commune.

La BCE, institution européenne disposant de la personnalité juridique, est dirigée et gérée par deux organes essentiels, le conseil des gouverneurs et le directoire. Son siège est à Francfort.

Le conseil des gouverneurs de la BCE se compose des membres du directoire et des gouverneurs des banques centrales nationales. Le directoire se compose de six membres : le président, le vice-président et quatre autres membres. Les membres du directoire sont nommés d'un commun accord par les gouvernements des États membres au niveau des chefs d'États ou de gouvernements, sur recommandation du Conseil et après consultation du Parlement européen et du conseil des gouverneurs, parmi les personnes dont l'autorité et l'expérience professionnelle dans les domaines monétaire ou bancaire sont reconnues (article 112 du TCE). Leur mandat est d'une durée de huit ans et n'est pas renouvelable. Seuls les ressortissants des États membres peuvent être membres du directoire. La BCE a une grande indépendance dans son fonctionnement découlant d'une certaine conception de la gestion moderne de la monnaie dans un pays, très inspirée du modèle de la Bundesbank allemande.

La mission essentielle de la BCE est la gestion de la monnaie européenne. En effet, elle seule habilitée à autoriser l'émission de billets de banque dans la Communauté. La BCE et les banques centrales nationales peuvent émettre de tels billets qui sont les seuls à avoir cours légal dans la Communauté. Les États membres peuvent émettre des pièces sous réserve de l'approbation, par la BCE, du volume de l'émission. Le pouvoir de battre monnaie est devenu ainsi une souveraineté partagée entre les États membres de la zone euro par l'intermédiaire de la BCE.

## C. Les organes administratifs et de gestion

189 On évoque parfois pour qualifier ce rôle très développé des comités ou commissions, le concept de « comitologie ». Ce néologisme tente de caractériser un système de décision qui associe à l'administration de la Commission des représentants ou des experts des États membres. Néanmoins, la fameuse décision « comitologie » de 1987, remplacée par celle du 28 juin 1999, elle même en voie de modification du fait de la proposition de révision du 11 décembre 2002 concerne exclusivement la question de l'exécution des décisions communautaires. Le traité prévoit actuellement, dans son article 202 (TCE) que l'exécution des législations européennes revient en principe à la Commission dans la mesure où une exécution est nécessaire au niveau de l'Union. Ce pouvoir d'exécution de la Commission a été organisé et encadré par le Conseil au travers de la comitologie. Ainsi, l'adoption des mesures d'exécution de la Commission est soumise à des procédures qui font intervenir trois sortes de comités intergouvernementaux composés de fonctionnaires nationaux: des comités consultatifs, des comités de réglementation et des comités de gestion.

Pourtant, la notion de comitologie, prise au-delà de la décision qui l'organise, semble assez bien adaptée pour comprendre l'ensemble du système de décision et d'exécution au sein de l'Union européenne. Certains des organes administratifs et de gestion méritent d'être évoqués plus particulièrement.

ia Commission utilise souvent les experts

## 1. Le Comité des représentants permanents : le COREPER

190 Le COREPER est un organe institutionnalisé par le traité de la Communauté européenne dans son article 207 de la manière suivante : « un comité composé des représentants des États membres a pour tache de préparer les travaux du Conseil et d'exécuter les mandats qui lui sont confiés par celui-ci. Le comité peut adopter des décisions de procédure dans les cas prévus par le règlement intérieur du Conseil ».

En effet, chaque État membre dispose d'une représentation permanente auprès des Communautés et de l'Union européennes. Cette représentation équivaut à une ambassade dans la mesure où le représentant permanent a rang d'ambassadeur. Cette représentation se compose d'un représentant, d'un représentant permanent adjoint et d'une administration répartie en fonction des compétences européennes. L'ensemble de ces représentants permanents constitue le COREPER qui comprend deux compositions fonctionnelles, soit au niveau des représentants permanents, soit à celui des représentants permanents adjoints.

Le COREPER est un organe essentiel du processus décisionnel. Il joue un rôle d'interface entre les États membres de la Communauté. Il est la liaison permanente et le passage obligé entre les grands acteurs de la construction européenne. Il réalise régulièrement le consensus préalable entre les États et la Communauté. Il est le lieu du fameux compromis européen indispensable entre les administrations nationales et européennes avant le passage au niveau politique. Il prépare techniquement les travaux du Conseil de l'Union y compris pour l'inscription à l'ordre du jour des délibérations. En effet, les questions qui ont fait l'objet d'un accord unanime au sein du COREPER sont inscrites à l'ordre du jour au point A du Conseil de l'Union. Cela signifie qu'il y aura vote sans débat. Les questions qui n'ont pas fait l'objet d'un accord au sein du COREPER sont inscrites à l'ordre du jour au point B du Conseil de l'union. Cela signifie qu'il y aura alors un débat politique avant le vote. Le COREPER permet d'accélérer et de faciliter le travail du Conseil de l'Union (voir pour aller plus loin, Vlad Constantinesco et Denys Simon (s/d), *Le COREPER dans tous ses états*, PUS, 2000).

## 2. Les comités de gestion et de réglementation

191 On a assisté à un développement considérable de ce type d'organes pour l'administration quotidienne des Communautés, notamment à la demande

des États. Le point culminant de l'importance de ces organes est évidemment la fameuse décision « comitologie » qui en confirme le rôle et les fonctions. Ce développement correspond bien à la volonté des États qui souhaitent être régulièrement associés à toutes les étapes de la procédure décisionnelle. Mais ce développement n'est pas sans conséquence sur les équilibres institutionnels des communautés. Ces organes donnent aux États des capacités d'intervention très en amont. Cela complique peut-être le processus, mais montre bien que le fonctionnement de la gouvernance européenne repose sur une forme de co-administration. En même temps, on assiste à une certaine dépossession de la capacité d'initiative de la Commission européenne. La Cour de justice des Communautés européennes a admis leur existence en reconnaissant la légalité de leur création au regard des traités communautaires.

Les comités de gestion sont apparus avec la gestion de la politique agricole commune, notamment pour la question particulière des marchés agricoles. Dans ce domaine, on en dénombre plus de 27 notamment pour chaque catégorie de produits agricoles. Ces comités de gestion, près de 90, sont composés d'experts représentants les administrations des États membres votant avec la même pondération des voix qu'au Conseil de l'Union et présidés par le représentant de la Commission qui en assure le secrétariat. Ainsi, dans le domaine de la PAC, la Commission, avant d'arrêter une mesure doit souvent consulter un comité de gestion et obtenir un avis favorable. Si ce n'est pas le cas, la procédure est ralentie et il est alors nécessaire d'en appeler au Conseil de l'Union. Si on peut penser que ces comités de gestion ne font que limiter le pouvoir d'initiative de la Commission, ils présentent l'avantage de permettre de tisser des liens entre les services de la Commission et les administrations nationales là encore, la notion de communauté ou de dialogue d'administration est très opératoire.

Les comités de réglementation sont construits sur le même modèle. Ils sont composés des experts représentants les administrations des États membres votant avec la même pondération des voix qu'au Conseil de l'Union et présidés par un représentant de la Commission qui en assure le secrétariat. Ces comités, au nombre de plus de 120, interviennent dans des domaines très divers, notamment comme la législation douanière, la politique commerciale, la réglementation vétérinaire ou alimentaire ou l'harmonisation des normes techniques.

1987 - décision comitologie
2006 - d'assurer le Parl. Euro puissent aussi
controler l'exécution de la commission

Il faut aussi signaler les groupes d'expert souvent mis en place pour la gestion des projets de règlements ou de directives. Leur composition est identique aux autres organes : des experts des États membres ou de leur société civile et de représentants de la Commission pour le secteur concerné. Ces groupes d'experts sont coordonnés en fonction des besoins par le COREPER.

*3b̶t̶a̶m̶e̶*

## 3. Les agences et les observatoires

192 Au-delà de ces comités de gestion ou de réglementation, la Commission a éprouvé le besoin de doter les Communautés et l'Union européennes de structures plus durables et plus complètes sous la forme d'Agences européennes. Ce recours aux agences s'explique pour des raisons de bonne administration des affaires communautaires. Elles montrent aussi que l'administration indirecte par le biais de l'administration des États membres n'est pas forcément toujours satisfaisante ou suffisante. Elles portent parfois le nom d'offices. D'autres structures ont été mises en place, comme les observatoires. *4 categories*

Une agence communautaire est un organisme de droit public européen, distinct des institutions communautaires (Conseil, Parlement, Commission, etc.) et possédant une personnalité juridique propre. Elle est créée par un acte communautaire de droit dérivé en vue de remplir une tâche de nature technique, scientifique ou de gestion bien spécifique et précisée dans l'acte constitutif correspondant. Quinze organismes répondent actuellement à cette définition d'agence communautaire, même si les vocables employés pour les désigner sont multiples (Centre, Fondation, Agence, Office, Observatoire) et peuvent être à l'origine d'une certaine confusion, d'autant plus que d'autres organismes utilisant ces mêmes intitulés ne sont pas des agences au sens de cette définition.

Les agences européennes existent dans des domaines très divers. Elles ont été créées à partir de 1975. Elles sont réparties dans l'ensemble des États membres. L'Union européenne les classe en quatre groupes en fonction de leurs missions.

Une première catégorie d'agences concerne celles qui facilitent le fonctionnement du marché intérieur : l'Office communautaire d'harmonisation dans le marché intérieur, créé en 1993, installé à Alicante ; l'Office communautaire des variétés végétales créé en 1994, installé à Angers ; l'Agence européenne pour l'évaluation du médicament, créée en 1994, ins-

*l'agence de contrôle de Pêche — compétence exclusif de UE. la pêche empréene de droit. Ex d'amarkeaw*

*l'orientation de divise et taxonomie*

*la recherche d'un independence de gestion, de compétence*

*handwritten margin notes:*
2e lié au securité, défense · Centre calitaine de UE
3e policiere et judiciaire Europol ; Eurojust
4e agences executives - education culture - energie

tallée à Londres; l'Autorité européenne pour la sécurité alimentaire créée en 2002, installée à Bruxelles; l'Agence européenne pour la sécurité aérienne, créée en 2003, installée pour l'instant à Bruxelles; l'Agence européenne pour la sécurité maritime, créée en 2003, installée pour l'instant à Bruxelles.

La deuxième catégorie concerne les observatoires qui ont pour tâche de rassembler et de diffuser des informations, grâce à un réseau de partenaires, notamment aux institutions concernées: l'Agence européenne pour l'environnement, créée en 1990, installée à Copenhague; l'Observatoire européen des drogues et des toxicomanies créé en 1993, installé à Lisbonne; l'Observatoire européen des phénomènes racistes et xénophobes, créé en 1997, installé à Vienne.

La troisième catégorie regroupe les agences visant à promouvoir le dialogue social au niveau européen: le Centre européen pour le développement de la formation professionnelle créé en 1975, installé à Thessalonique; la Fondation européenne pour l'amélioration des conditions de vie et de travail, créée en 1975, installée à Dublin; l'Agence européenne pour la santé et la sécurité du travail, créée en 1994, installée à Bilbao.

La quatrième catégorie est représentée par des agences qui fonctionnent comme des entités de sous-traitance pour l'administration européenne et sa fonction publique: la Fondation européenne pour la formation créée en 1990, installée à Turin; le Centre de traduction des organes de l'Union européenne, créé en 1994, installé à Luxembourg; l'Agence européenne pour la reconstruction, créée en 1999, installée à Thessalonique.

Il ne faut pas oublier d'autres organes, à dimension administrative ou scientifique, relativement inclassables dans les catégories juridiques classiques comme Europol dans le domaine de la coopération policière en Europe, l'Institut d'études de sécurité de l'Union européenne, le Centre satellitaire de l'Union européenne, l'Observatoire de lutte anti-fraude et bien d'autres (pour aller plus loin sur ces structures, voir Jean-François Couzinet (s/d), *Les Agences de l'Union européenne, recherche sur les organismes communautaires décentralisés*, Presses universitaires de Toulouse, 2002).

# IV. Le système de décision communautaire et la gouvernance européenne

193 Au fur et à mesure de l'augmentation de ses compétences et de ses membres, l'Union européenne a fait évoluer les modalités de sa prise

de décision. La méthode communautaire s'est modernisée et adaptée. Mais, elle s'est aussi complexifiée à tel point qu'on peut parler de « labyrinthe décisionnel » (Jean-Paul Jacqué, *Revue Pouvoirs*, n° 69, 1994, p. 23). En effet, nous ne sommes pas au niveau d'un État dans lequel la division démocratique du travail normatif est organisée de manière relativement transparente, mais d'une organisation internationale inédite qui se vit comme une fédération sans État. La norme européenne vise à s'appliquer à une pluralité d'États et de citoyens européens répartis sur l'immense territoire européen. Elle ne peut donc être que le résultat accepté d'un compromis entre un très grand nombre d'acteurs publics et privés. Cette norme est l'expression de l'intérêt général européen. Elle constitue l'un des meilleurs outils de l'intégration européenne. On a pu parler de l'Europe par le droit.

Le terme de gouvernance est de plus en plus utilisé pour qualifier à la fois le processus formel et réel de prise de décision. Il semble effectivement bien adapté à la réalité des circuits décisionnels de l'Union européenne. Il évoque une pluralité d'acteurs qui est censée participer, chacun à sa place, au gouvernement et à l'administration de l'Union européenne. On évoque aussi les idées de gouvernance multi-niveaux (voir Fritz Scharpf, *Gouverner l'Europe,* Presses de Sciences Po, 2000), de co-gouvernement ou de co-administration. L'image de la verticalité de décision au sommet à une simple exécution à la base n'est plus adaptée. On peut plutôt parler d'un cercle vertueux d'une décision basée sur l'interaction et les réseaux. Ces derniers interviennent aussi bien au moment de la prise de décision qu'à celui de la mise en œuvre. La question qui se pose alors est de savoir si la prise de décision permet une bonne gouvernance de l'Union européenne. *gouvernance multi-niveau*

## A. Le système formel de prise de décision : le triangle institutionnel

194 Les traités ont prévu des procédures spécifiques pour la prise de décision des Communautés et de l'Union européenne. On peut d'ailleurs distinguer une procédure générale et des procédures spéciales, comme pour le budget de l'Union, la politique étrangère ou de sécurité commune (PESC) ou la coopération policière et judiciaire en matière pénale. Nous évoquerons essentiellement la procédure générale qui concerne la

*commission, conseil, Parl = triangle européen*

majorité des compétences communautaires. Le processus de décision permet d'adopter des normes communautaires à respecter par ou dans les États membres de l'Union. C'est un réseau politique visible, connu, facilement identifiable qui le fait fonctionner, le triangle institutionnel.

Les normes communautaires sont adoptées à l'issue d'une procédure formelle qui associe les grandes institutions européennes. « Pour l'accomplissement de leurs missions et dans les conditions prévues au présent traité, le Parlement conjointement avec le Conseil, le Conseil et la Commission arrêtent des règlements et des directives, prennent des décisions et formulent des recommandations et des avis « (article 249 du TCE). Ce triangle institutionnel permet de réaliser l'Europe par le compromis. Un réseau politique européen est à l'œuvre.

Chacune des institutions de ce triangle singulier a un rôle et une fonction qui découlent de sa légitimité particulière. C'est une forme originale de division du travail au sein de l'Union européenne. La Commission européenne, par sa composition, ses pouvoirs et ses moyens administratifs, a une fonction d'initiative indispensable. Cela explique et justifie que le processus décisionnel commence toujours par une proposition formelle de la Commission. Sa légitimité repose sur ses compétences, son niveau d'expertise, donc de sa connaissance des besoins normatifs et politiques nécessaires à l'intégration européennes. Il revient à la Commission de présenter des projets de règlements et de directives. Même si elle est dorénavant limitée dans ses initiatives par le principe de subsidiarité, elle reste la mieux placée pour défendre l'intérêt général européen. Le Parlement européen représente démocratiquement les peuples d'Europe. Il donne au travers de sa participation de plus en plus fréquente au processus décisionnel, l'avis des peuples de l'Union européen. Sa légitimité est démocratique. Le Conseil de l'Union représente les États membres. Il décide au nom d'eux comme de l'Union européenne. Sa légitimité est politique.

Ainsi globalement, on peut considérer que le processus décisionnel européen permet une judicieuse combinaison de l'expertise suffisante, du débat démocratique et de la décision politique. Les procédures de décision permettent de réaliser un compromis entre les trois institutions. Il existe aujourd'hui essentiellement trois procédures générales de décision normative européenne créées au fur et à mesure des modifications des traités communautaires la consultation, la codécision, la coopération.

## 1. La procédure de consultation [la plus ancienne = consulter Parlement]

195 La procédure de la consultation, organisée par l'article 250 du traité de la Communauté européenne peut être facultative ou obligatoire.

Cette procédure connaît plusieurs phases. Il y a d'abord la proposition de la Commission qui est transmise pour avis au Parlement européen avant que le Conseil statue. Ensuite, le Parlement donne son avis en faisant éventuellement des suggestions pour des modifications de la proposition. La Commission doit se prononcer sur l'avis du Parlement. Elle peut modifier en conséquence sa proposition initiale, tant que le Conseil ne s'est pas définitivement prononcé. Enfin, le Conseil décide à la majorité simple, à la majorité qualifiée ou à l'unanimité suivant qu'il suit la proposition définitive de la Commission ou pas. Plus il s'éloigne de cette proposition plus le système de votes est exigeant. On sait bien qu'il n'est pas forcément facile d'obtenir l'unanimité entre les ministres représentants les États membres.

La procédure de la consultation comprend depuis le traité d'Amsterdam plus de 33 hypothèses prévues par le traité comme par exemple : les mesures nécessaires en vue de combattre toute discrimination (art.13 TCE), les mesures relatives à la citoyenneté (art. 19 et 22 TCE), certaines mesures concernant la politique agricole commune (art. 37 TCE), les mesures relatives à la libre circulation de services (art. 52 TCE), les mesures relatives à la politique commune des transports (art. 71 TCE).

## 2. La procédure de codécision

196 La procédure de la codécision, organisée par l'article 251 du traité de la Communauté européenne, a été introduite à l'occasion du traité sur l'Union européenne de 1992. Cette procédure, longue et complexe, permet une plus étroite association du Parlement européen au circuit de décision. En effet, il doit y avoir une réelle co-décision entre les institutions concernées. Dans le cas d'une opposition inconciliable entre elles, il n'y a pas de décision.

Cette procédure comporte plusieurs phases. La première phase est une première lecture de la proposition de la Commission qui est transmise au Parlement pour avis consultatif. À l'issue de cet avis, le Conseil arrête la position commune.

La deuxième phase suppose une nouvelle intervention du Parlement qui est saisi de cette position commune. Lors de cette deuxième lecture, une information plus complète du Parlement est réalisée. Le Parlement se trouve devant plusieurs choix qui doivent intervenir dans un délai de trois mois.

Il peut approuver la position commune. La procédure est alors terminée par l'adoption définitive du texte par le Conseil, les trois institutions partageant le même point de vue. Le Parlement peut rejeter la position commune, à la majorité absolue de ses membres. Le Conseil, devant le refus du Parlement, peut décider de réunir un comité de conciliation. Ce comité, composé de membres du Parlement et de membres du Conseil, doit rechercher un rapprochement des points de vue entre les institutions. Si le comité dégage un projet commun, La procédure peut se terminer positivement. Dans le cas contraire, la proposition est définitivement rejetée. La co-décision n'a pu se réaliser. Le Parlement peut aussi proposer des amendements à la position commune. Ces amendements viennent modifier la position commune. Ils nécessitent une nouvelle intervention de la Commission. Suivant que la Commission admette ou pas les amendements et que le Conseil suive ou pas les avis de la Commission, la procédure de vote au Conseil est plus ou moins exigeante. Si le Conseil ne veut pas suivre les amendements du Parlement, il peut mettre sur pied un comité de conciliation pour trouver un compromis entre lui et le Parlement. L'absence de compromis ne permet pas la co-décision.

Cette procédure a largement pris le pas sur la procédure de coopération à l'occasion du traité d'Amsterdam, mais aussi du traité de Nice, qui en ont renforcé le champ d'application. La procédure de co-décision s'applique dorénavant à plus de 50 % de l'activité normative communautaire. Ainsi de nombreux domaines sont régis par elle comme par exemple : les mesures relatives à l'interdiction de discrimination fondée sur la nationalité (art. 12 TCE) ; les mesures relatives à la libre circulation et au séjour des ressortissants communautaires (art. 18 TCE) ; les mesures relatives à la libre circulation des travailleurs (art. 40 TCE) ; les mesures relatives à la sécurité sociale des travailleurs migrants (art. 42 TCE) ; mais aussi les mesures relatives au marché intérieur (art. 95 TCE), à la coopération douanière (art. 134 TCE), à la politique sociale (art. 137 TCE), à la formation professionnelle (art. 150), à la santé publique (art. 152 TCE), aux consommateurs (art. 153 TCE), ou à la lutte anti-fraude (art. 280 TCE). L'accord relatif au traité constitutionnel prévoit de généraliser cette procédure de co-décision, même si certains domaines

*la plus important*

restent à l'écart comme la fiscalité, la politique sociale et la politique extérieure et de sécurité commune. *processus spéciale : intergouvernemental - à l'étranger et la sécurité policiaire + judiciaire*

## 3. La procédure de coopération

197  La procédure de la coopération, organisée par l'article 252 du traité de la Communauté européenne, introduite par l'Acte unique européen avait été imaginée pour faciliter la mise en œuvre et le fonctionnement du marché intérieur et donc mieux associer le Parlement européen à cette étape. Elle a bien fonctionné, et d'une certaine manière, rodé la participation du Parlement à la prise de décision. Elle connaît les mêmes étapes que celle de la procédure de codécision, mais elle laisse toujours le dernier mot possible au Conseil d'Union qui peut toujours surmonter, pas des votes appropriés, les refus du Parlement européen. Elle ne prévoit pas de mécanismes de conciliation comme pour la procédure de codécision.

Le champ d'application de la procédure de coopération est devenu résiduel depuis la montée en puissance de la procédure de codécision. Elle est surtout cantonnée aujourd'hui aux domaines de fonctionnement de l'union économique et monétaire, comme par exemple : la procédure de surveillance multilatérale (art. 99 TCE) ; les mesures d'interdiction des accès privilégiés des institutions européennes ou des administrations aux institutions financières (art. 102 et 103 TCE) : les mesures relatives à l'émission des pièces par les États membres (art. 106 TCE).

Ces différentes procédures complexes s'expliquent par la volonté des États de construire un subtil dosage entre les différents acteurs de la construction européenne, les États, la Commission européenne et les représentants des peuples d'Europe. Ainsi, les dimensions politique, technique et démocratique sont toutes prises en considération. Cela contribue aussi à diminuer le déficit démocratique régulièrement dénoncé. Mais la complexité de mise en œuvre suppose déjà une très grande maîtrise des processus décisionnels par ces mêmes acteurs, qu'en sera-t-il à 25 États membres ? Des simplifications sont indispensables à prévoir y compris pour améliorer la démocratie de l'Union européenne.

## B. Le système réel de prise de décision

198  Le triangle institutionnel européen ne peut fonctionner sans s'appuyer sur d'autres réseaux que le réseau politique. En effet, la recherche permanente du compromis pour l'adoption des décisions normatives com-

munautaires, ou de « lois communautaires » et la quête d'efficacité du droit et des politiques communautaires suppose remplies les conditions d'une bonne gouvernance européenne. Ces dernières années, la Commission européenne s'est attachée à préciser les critères de la gouvernance européenne dans son livre blanc de 2001. À partir de ce premier document de réflexion, un véritable programme a été mis en œuvre pour réformer la gouvernance européenne comme le montrent les décisions prises par la Commission en 2002. Ces mesures se concentrent notamment sur l'ouverture, l'efficacité et la responsabilité en ce qui concerne la mise en œuvre de la législation européenne. Une bonne gouvernance européenne passe par une maturation suffisante de la décision et par son exécution satisfaisante dans les États membres de l'Union européenne.

## 1. La maturation de la décision

199 Le compromis qu'exprime « une législation communautaire » ne peut être obtenu qu'à l'issue d'une longue maturation de la décision à partir de l'initiative de la Commission européenne. Pour qu'une décision normative envisagée par la Commission européenne puisse surmonter tous les obstacles du processus de décision, il est indispensable que le travail préparatoire ait pu à la fois associer à la réflexion un grand nombre d'acteurs ou d'opérateurs et recueillir le maximum d'expertises préalables. Ces conditions de préparation marquent très fortement la prise de décision européenne. C'est d'une certaine manière le prix à payer à la bonne gouvernance parce qu'il n'y a pas au sens propre du terme de gouvernement. S'il y a quand même un choix politique, il n'est pas vraiment comparable à celui d'une démocratie nationale classique où une majorité impose sa volonté politique à un moment donné.

En effet, l'Union européenne n'est pas seulement basée sur le triangle institutionnel, mais aussi sur un univers d'experts, de lobbies et de représentants de toute nature. Ces derniers fonctionnent sur le modèle du réseau. Ils contribuent, chacun à leur place, à la décision sans la prendre eux-mêmes. Le système décisionnel en est alors obligatoirement complexifié. Il devient même incompréhensible pour les simples citoyens européens. Cela explique la quête permanente d'une plus grande transparence décisionnelle dans l'Union européenne.

200 D'abord, la consultation est un phénomène de grande ampleur, par exemple dans le travail de la Commission européenne. Cette dernière se fait une

*livre vert → livre blanc*

règle de consulter toutes les parties prenantes à la proposition envisagée : les groupes professionnels, les responsables patronaux, les syndicats, les associations, les experts indépendants et les administrations nationales. C'est à partir de cette diversité de consultations qu'elle peut souvent présenter un premier document exploratoire sur un sujet sous la forme d'un « livre vert ». C'est ensuite le recours au « livre blanc », document de proposition. Par cette démarche généralisée de la consultation, la Commission européenne dispose aussi d'une position dominante parce qu'elle est la mieux informée sur le sujet et qu'elle a créé des attentes dans les milieux socio-professionnels. Les lobbies ou les groupes de pression interviennent aussi, à ce niveau. Ils font passer leurs demandes. Ils suggèrent, démontrent ou proposent. « Bruxelles est devenu, après Washington, la deuxième capitale des lobbies au monde » (Michel Clamen, *Bruxelles au jour le jour*, Documentation française, 1996, p. 137). Le lobbying est d'ailleurs lui aussi soumis à un certain nombre de principes déontologiques pour éviter des dérives préjudiciables à une bonne décision.

La consultation est aussi bien officielle qu'officieuse. Le processus décisionnel prévoit la consultation obligatoire de plusieurs organes de l'Union européenne. Le Comité des régions fait régulièrement entendre la voix des collectivités décentralisées. Il est obligatoirement consulté, comme nous l'avons déjà vu dans plusieurs hypothèses prévues par le traité. L'Europe décentralisée peut s'exprimer par son intermédiaire. Les acteurs locaux et régionaux ont ainsi directement ou indirectement accès au processus décisionnel communautaire. De son côté, le Comité économique et social est lui aussi consulté chaque fois que la décision est susceptible de concerner son champ de compétences. Il se considère de plus en plus comme l'expression de la société civile européenne qui n'est donc pas absente du processus décisionnel communautaire.

De manière plus récente, la Commission souhaite ouvrir plus largement la consultation à l'ensemble des citoyens européens (voir la lettre d'information n° 11 sur la gouvernance de l'Union européenne, janvier 2003). Le recours au « Forum Internet » sur de grands sujets politiques est une recherche supplémentaire d'association des citoyens européens à la maturation de la décision. La démocratie participative est à l'œuvre au niveau européen.

201  Ensuite, les institutions communautaires utilisent abondamment les experts et l'expertise. Le livre blanc sur la gouvernance européenne sou-

ligne tous les enjeux de cette confiance dans l'opinion des experts : « Les experts scientifiques et autres jouent un rôle de plus en plus important dans la préparation et le suivi des décisions. De la santé humaine et animale à la législation sociale, les institutions s'en remettent au savoir des spécialistes pour anticiper et cerner la nature des difficultés et des incertitudes auxquelles l'union est confrontée, pour prendre des décisions et pour faire en sorte que les risques puissent être exposés clairement et simplement au public ». Ces experts sont parfois membres de l'administration de la Commission, mais surtout issus des États membres et de leurs administrations. Afin d'éviter les dérives de l'expertise, la Commission va introduire dans le fonctionnement de ces groupes d'experts des principes de transparence, de qualité d'ouverture et d'efficacité.

202   Enfin, la préparation de la décision fait appel à une instance moins connue du grand public, mais au rôle essentiel dans la prise de décision, le comité des représentants permanents nommé plus fréquemment le COREPER. Le règlement intérieur du Conseil du 31 mai 1999 complète cet article en prévoyant que « tous les points inscrits à l'ordre du jour d'une session du Conseil font l'objet d'un examen préalable du COREPER. [...] Le COREPER s'efforce de trouver un accord à son niveau, qui sera soumis à l'adoption du Conseil. [...] Des comités ou des groupes de travail peuvent être institués par le COREPER, ou avec son aval, pour l'accomplissement de tâches de préparation ou d'études préalablement définis ». Ce comité devenu « un rouage essentiel du processus décisionnel communautaire dans la mesure où, soit il règle lui-même à son niveau une partie importante des dossiers qui lui sont soumis, soit il confirme sans débat les accords intervenus au sein des 200 groupes de travail actuellement existants » (Paolo Ponzano, « Le COREPER et la Commission », *in Le Coreper dans tous ses États*, PU Strasbourg, 2000, p. 84). Lorsqu'on sait la place de l'ordre du jour A du Conseil de l'Union, c'est-à-dire les cas où l'accord s'est fait au sein du COREPER, on peut mieux percevoir son rôle de quasi co-législateur communautaire. Cela montre aussi le poids, peut-être excessif, des réseaux administratifs qui concourent à la prise de décision communautaire.

## 2. L'exécution de la décision *ou l'Europe de l'administration*

203   La décision, une fois prise au travers de l'intervention du triangle institutionnel, doit ensuite être mise en œuvre au sein des États membres.

*les états membres ne sont pas absents dans cette phrase*

Ces derniers, réunis au sein du Conseil de l'Union, ont très tôt souhaité rester très largement associés à cette dernière étape du processus décisionnel communautaire. Ils le sont doublement, d'une part au travers du fonctionnement de la « comitologie », d'autre part au travers de l'administration indirecte du droit et des politiques communautaires.

L'institutionnalisation de la « comitologie » est visible quantitative puisqu'il existe plus de 200 comités consultatifs, plus de 120 comités de réglementation et près de 90 comités de gestion, comme nous l'avons déjà observé. Évidemment ce recours systématique à la comitologie alourdit le processus décisionnel. En même temps, « ces procédures de « filet » et de « contre filet » ont un effet ambivalent dans la mesure où elles renforcent les contacts entre l'administration communautaire et les administrations nationales » (Jean-Louis Quermonne, *Le système politique de l'Union européenne*, Montchrestien, 5ᵉ éd., 2002, p. 53). Une nouvelle forme de technocratie européenne est à l'œuvre à l'occasion de ce travail en co-administration.

Consciente, une fois de plus, de la nécessité d'améliorer le processus décisionnel, la Commission européenne propose une comitologie plus équilibrée afin que « chaque institution se recentre sur ses propres missions, sans qu'il y ait de confusion entre la fonction législative et la fonction exécutive » et que « chaque institution assume des responsabilités claires et transparentes à l'égard des citoyens, tout en préservant l'expertise indispensable des autorités nationales dans la phase exécutive » (proposition de la Commission du 11 décembre 2002).

La prise de décision communautaire doit aboutir en fin de parcours à sa mise en œuvre dans les États membres. Le processus décisionnel n'est complet que si le droit et les politiques communautaires sont effectivement mis en œuvre concrètement pour ceux qu'ils concernent c'est-à-dire les citoyens européens. C'est à niveau qu'on peut voir le rôle déterminant des administrations et des juridictions nationales. « En dernière analyse, l'impact des règles de l'Union européenne dépend de la volonté et de la capacité des autorités des États membres d'en assurer la transposition et l'application efficacement, intégralement et en temps utile. Une transposition tardive ou insuffisante et une application non rigoureuse contribuent à donner au public l'impression que l'Union européenne manque à sa mission. La responsabilité première en revient aux administrations et aux juridictions nationales » (Livre blanc sur la Gouvernance européenne, p. 29).

Indépendamment de la pluralité des impacts que produit presque automatiquement sur les États membres leur appartenance à l'Union européenne, ils doivent avoir conscience que de leur implication volontariste dans l'exécution finale des règles communautaires dépend véritablement l'aventure communautaire. La qualité, la performance et l'investissement, notamment des administrations nationales sont les conditions de la réussite de la construction européenne. C'est d'ailleurs pour cette raison que la Commission a incité les États candidats à renforcer leurs capacités administratives. Il en est de même pour la connaissance du droit communautaire et son application par un contrôle toujours plus actif des juridictions nationales.

## C. La Gouvernance européenne et ses évolutions

204 Les traités ont mis en place un édifice institutionnel général original reposant surtout sur trois institutions essentielles appelées le triangle institutionnel : le Conseil de l'Union, la Commission européenne et le Parlement européen. Si on essaye de faire des comparaisons avec les régimes politiques des États membres, on ne retrouve pas vraiment la même division du travail dans l'élaboration des normes sur le plan européen ou sur le plan national, comme le gouvernement et le parlement, c'est-à-dire pouvoir exécutif et pouvoir législatif. Il y a une forme de mélange des genres notamment pour le Conseil de l'Union qui est aussi un législateur. Le processus décisionnel européen semble être le résultat d'une « gouvernance » de l'Europe, et loin d'être celui d'un gouvernement.

Ce terme de gouvernance semble bien adapté à la réalité des circuits décisionnels de l'Union européenne. Il évoque une pluralité d'acteurs qui est censée participer, chacun à sa place, au gouvernement et à l'administration de l'Union européenne. En effet, nous ne sommes toujours pas en présence d'un système étatique avec un État fédéral doté d'une constitution fédérale et d'institutions fédérales qui s'imposent directement aux institutions et aux administrations des États fédérés. Nous ne sommes plus, non plus, en présence d'une simple organisation internationale de coopération, mais face à un processus complexe d'intégration entre des peuples et des États.

On évoque aussi les idées de gouvernance multi-niveaux, de co-gouvernement ou de co-administration. Par exemple, la Commission n'impose pas ses choix à des États soumis, comme tentent de le faire croire les opposants à cette construction européenne, la décision finale est très souvent le résultat d'un compromis entre les États, dans le cadre des institutions européennes, qui ainsi co-gèrent l'Union. De nombreuses études analysent ce fonctionnement en montrant comment les États et leurs institutions sont associés au processus de décision (pour aller plus loin par exemple, Christian Lequesne, *Paris-Bruxelles, Comment se fait la politique européenne de la France?*, Presses de FNSP, 1993; Franck Petiteville, *La face nationale de la gouvernance européenne,* IIAP, 1999; Emmanuelle Saulnier, *La participation des parlements français et britannique aux Communautés et à l'Union européenne,* LGDJ, 2002).

Le modèle hiérarchique classique que l'on trouve dans de nombreux États, comme en France, n'est pas vraiment adapté pour qualifier la réalité du fonctionnement de l'Union européenne. L'idée de la verticalité du sommet de décision à une simple base d'exécution n'est pas non plus la meilleure. On peut plus parler d'un cercle vertueux basé sur l'interaction et les réseaux. Ces derniers interviennent aussi bien au moment de la prise de décision qu'à celui de la mise en œuvre. En même temps, l'observation juridique et politique de la prise de décision montre que cette gouvernance est devenue d'une extrême complexité. Cela valorise souvent « l'Eurosphère » (selon la formule de Dusan Sidjanski, *in* F. d'Arcy et L. Rouban, *De la Ve Rébublique à l'Europe,* Presses de Sciences Po, 1996, p. 279). La quête de la bonne gouvernance est devenue une nouvelle ambition aussi bien pour des raisons de légitimité démocratique que pour des raisons d'efficacité technique.

205 La Commission européenne, consciente de ces nouvelles exigences de gestion démocratique, a développé un programme à partir de son « livre blanc sur la gouvernance européenne » de 2001. Cette réflexion et cette action arrivent à un moment opportun pour plusieurs raisons : l'entrée de nouveaux États, le débat sur l'avenir de l'Europe, la montée des revendications démocratiques des citoyens européens, la recherche d'une meilleure efficacité du processus décisionnel (voir aussi Olivier De Schutter, Notis Lebessis et John Paterson (s/d), *La gouvernance dans l'Union européenne,* Les cahiers de la cellule de prospective, Commission européenne 2001). La Commission européenne détermine des principes jugés

indispensables. La transparence doit être privilégiée dans le fonctionnement des institutions, dans leurs relations avec les États membres ou avec les citoyens européens. Cela passe par une meilleure circulation de l'information et une simplification du droit. La participation doit être favorisée à tous les niveaux, car elle permet d'associer un grand nombre d'acteurs, comme les citoyens européens, les parlements nationaux ou les administrations nationales, au processus décisionnel européen. Le principe de responsabilité de chacun des acteurs est à rappeler régulièrement. L'efficacité et la cohérence de l'action sont incontournables. Enfin, les principes incorporés dans le traité comme la subsidiarité et la proportionnalité doivent être effectivement respectés. La gouvernance et l'administration de l'Union européenne ne peuvent tirer que des bénéfices de l'application de ces principes.

206 La simplification du système de prise de décision est un autre objectif à atteindre. Plusieurs innovations ou transformations sont envisageables pour rendre clair et plus efficace le système de prise de décision, surtout avec 25 États membres et plus. Par exemple, « le remplacement du jeu de l'oie de la codécision » (Jacques Ziller La nouvelle Constitution européenne, La Découverte, 2004, p. 106) ou de la coopération est indispensable. Le projet de constitution de la Convention européenne propose que les lois et les lois-cadres soient adoptées conformément aux modalités de la procédure législative ordinaire en remplaçant la diversité des procédures actuelles. Cette procédure est d'ailleurs présentée, dans le projet de Constitution de manière plus claire et plus compréhensible que celles qui fonctionnent actuellement (Voir l'article III-302 du projet de Constitution). Plusieurs autres propositions visent aussi à introduire une plus grande sécurité juridique. Cette simplification du système de prise de décision peut être induite par la suppression du système des piliers. En effet, l'une des conséquences de la suppression des piliers est que, sauf exception, les mêmes procédures et instruments juridiques s'appliquent à tous les domaines. « Ce n'est pas le moindre mérite de la Convention que d'avoir décidé de clarifier le système en supprimant la structure en piliers. Elle a de ce fait diminué un bon nombre de problèmes liés à la complexité précédente » (Jacques Ziller, déjà cité, p. 98). Cela n'empêche pas que des distinctions demeurent au niveau des règles du vote, par exemple que l'unanimité soit exigée pour les décisions de politique étrangère et de sécurité commune au lieu de la simple majorité même qualifiée.

207 L'élargissement, par son ampleur exceptionnelle, le passage de 15 à 25 États, pose une question cruciale pour l'avenir de l'Union européenne, le système décisionnel actuel, même aménagé par le Traité de Nice est-il efficace pour le fonctionnement de cette grande Europe ? On peut être très dubitatif.

La question centrale qui se pose aujourd'hui est de savoir si la prise de décision dans l'Union européenne continuera à relever de la seule gouvernance, même modernisée, donc à forte dimension technocratique ou facilitera progressivement les choix politiques d'un gouvernement démocratique de l'Europe. À terme, la seule gouvernance ne suffit effectivement pas, il devient de plus en plus indispensable de mieux définir le gouvernement de l'Europe. « Le temps est venu de poser la question du « gouvernement européen ». Plus un pouvoir est éloigné, du fait de l'étendue du territoire sur lequel il s'exerce et du nombre élevé de citoyens concernés, plus grande doit être sa légitimité » comme le suggère très justement Jean Louis Quermonne (déjà cité, *La question du gouvernement européen*, p. 34). Le traité instituant une Constitution pour l'Europe ouvre des pistes relativement intéressantes sans répondre à toutes les questions de gouvernement de l'Europe.

# CHAPITRE 3

# Les moyens d'action
# et les compétences de l'Union
# et des Communautés européennes

208 *L'Union et les Communautés européennes représentent plus qu'une simple organisation internationale, même s'il reste difficile de qualifier précisément cette construction d'un nouveau genre. L'organisation institutionnelle et le processus décisionnel de l'Union européenne le montrent déjà par de nombreux aspects. Les moyens d'action et les compétences de l'Union et des Communautés européennes l'attestent aussi et rapprochent la construction en cause d'une fédération d'États. En effet, elles disposent de moyens d'action sur les plans juridique, administratif et financier ainsi que de compétences. L'Union et les Communautés européennes disposent du droit communautaire, d'un important personnel, d'un budget conséquent et de compétences dont certaines relevaient auparavant de compétences de souveraineté, comme par exemple la monnaie dans la zone Euro. Il apparaît intéressant de présenter ces différents comme un ensemble, pas seulement compte tenu de la taille de ce livre, mais surtout comme un dispositif au service d'un projet politique la construction « d'une Union sans cesse plus étroite entre des peuples d'Europe » selon la formule du préambule du traité sur l'Union européenne. Cela correspond bien au découpage proposé par le projet de Constitution pour l'Europe dans le titre V de la première partie à propos de l'exercice des compétences de l'Union. Nous examinons donc tour à tour, le système juridique de l'Union et des Communautés européennes, les moyens administratifs et financiers et les compétences.*

# I. Le système juridique de l'Union et des Communautés européennes

209 Le droit communautaire représente l'un des instruments les plus intéressants de la construction communautaire, car il est l'expression concrète de l'intégration européenne. On a pu parler à juste titre d'une « Europe par le droit ». Ce droit s'incorpore de plus en plus dans le droit des États membres. Ainsi lorsque de nouveaux États souhaitent entrer dans l'Union européenne, ils doivent intégrer l'acquis communautaire qui représente un des critères de l'adhésion. On est bien face à un système juridique de l'Union et des Communautés européennes.

## A. Les principes du système juridique de l'Union européenne

210 Le droit communautaire constitue un ordre juridique complet avec des sources initiales, les traités, des normes complémentaires et dérivées, les règlements et les directives et des moyens d'interpréter, d'appliquer et de sanctionner. C'est un système juridique d'un genre particulier qui s'est construit progressivement grâce aux interprétations données par la Cour de justice. Elle a précisé au fur et à mesure la nature et le contenu de ce système normatif au regard de volonté des États exprimés dans les traités. Ainsi le fameux arrêt *Costa / ENEL* (CJCE, 15 juillet 1964, aff. 6/64, Rec.p.1141, Louis Dubouis et Claude Gueydan, *Les grands textes du droit de l'Union européenne,* tome 1, Dalloz, 2002, p. 451) reconnaît l'existence d'un ordre juridique spécifique : « Attendu qu'à la différence des traités internationaux ordinaires, le traité de la CEE a institué un ordre juridique propre, intégré au système juridique des États membres ». Quelques années plus tard, la Cour de justice affine son approche des traités et de leurs finalités : « Le traité CEE, bien que conclu sous la forme d'un accord international n'en constitue pas moins la charte constitutionnelle d'une Communauté de droit [...] les traités communautaires ont institué un nouvel ordre juridique au profit duquel les États ont limité dans des domaines de plus en plus étendus, leurs droits souverains et dont les sujets sont non seulement les États membres, mais également leurs ressortissants. Les caractéristiques essentielles de l'ordre juridique communautaire ainsi constitué sont en particulier sa primauté par rapport aux droits des États membres ainsi que l'effet direct de toute une série de dispositions applicables à leurs ressortissants et à eux-mêmes ». (CJCE, 14 décembre 1991, avis 1/91, *Rec.*1-6079, Espace économique européen). Pour Denys Simon, « les expressions ainsi utilisées par le juge constituent autant de révélateurs des caractéristiques structurelles du système normatif communautaire : le nouvel ordre juridique construit par les traités constitutifs se définit ainsi par l'autonomie et la cohérence interne de son système de sources et par la nature spécifique des rapports qu'entretiennent les normes communautaires avec les ordres juridiques des États membres » (Le système juridique communautaire, déjà cité, p. 2001).

211 Il y a donc bien une spécificité du système juridique de l'Union et des Communautés européennes qui le distingue assez profondément de celui

d'une simple organisation internationale. La finalité de ce système est essentielle. Elle vise l'intégration entre des États et des peuples et pas seulement à la coopération. Ainsi, le droit communautaire est assez différent du droit international public classique qui lui ne vise pas vraiment l'intégration entre des États et des peuples. Le droit international public repose seulement sur les conséquences d'un accord de volonté entre des États qui s'engagent réciproquement à respecter le traité. C'est pourquoi le principe de réciprocité est essentiel à ce droit. Le droit communautaire n'a pas besoin de la même manière de la réciprocité pour s'appliquer, surtout pour le droit communautaire dérivé. Le droit communautaire est un instrument d'intégration entre des États membres dans une même communauté, du fait de l'application d'un même droit au même moment sur l'ensemble du territoire européen. Les États se sont d'ailleurs engagés à favoriser cette intégration en mettant leurs administrations et leurs juridictions au service du droit communautaire. Le droit communautaire dispose de ses propres mécanismes de production de normes. En effet, à partir des traités, les institutions communautaires peuvent créer du droit communautaire dérivé selon un processus spécifique de décision. Ce n'est pas tellement la capacité de générer du droit qui est originale, mais la nature du droit ainsi crée. Car, le droit communautaire dérivé n'a pas besoin de procédure de ratification comme pour les traités internationaux classiques. Cette capacité juridique complète de la Communauté européenne a justement permis de réaliser non seulement le grand marché intérieur, mais aussi une harmonisation juridique dans de nombreux domaines.

Le droit communautaire a des attributs qui en permettent une bonne application. Il a souvent un effet direct sur le droit des États membres. Son applicabilité immédiate et directe est rendue possible par l'intermédiaire des autorités publiques nationales qui doivent veiller du fait de leur obligation de collaboration à sa mise en œuvre. Cela s'opère notamment au travers de la transposition des directives. Les États sont d'ailleurs responsables de la bonne application du droit communautaire dans leur territoire. Le droit communautaire qui prime sur le droit des États membres, est d'une logique de nature fédérale très puissante dans ses effets. Il l'emporte sur le droit national. Un fédéralisme d'exécution est ainsi à l'œuvre.

212 Cette finalité d'intégration conduit à une démarche constitutionnelle selon des voies et moyens inhabituels donc en partie déroutantes pour la doc-

trine juridique classique. Pendant longtemps, on a pu penser que cette construction européenne n'était qu'un processus modeste d'intégration visant à la confection d'un espace économique. Or, la démarche mise en route est plus ambitieuse. Le système juridique de l'Union et des Communautés européennes construit une espace politique dans un cadre de nature constitutionnelle. Le traité sur l'Union a renforcé ce cadre notamment avec une série d'attributs, la citoyenneté, la subsidiarité, le processus de décision.

C'est l'existence de cadre constitutionnel, surtout au sens matériel du terme, qui explique la logique emprunté par la Cour de justice pour révéler l'existence d'une « charte constitutionnelle », d'une « Communauté de droit », du « système législatif du Traité » (CJCE 17 décembre 1970, Köester, aff.25/70, *Rec.*1161) « du pouvoir législatif de la Communauté » (CJCE 9 mars 1978 Simmenthal, aff. 106/77, *Rec.* 629) ou du « législateur communautaire » (CJCE, 27 octobre 1992, RFA c/ Commission, aff. C240/90, *Rec.* I-5383). « En l'espace d'un peu plus de quatre décennies, le droit communautaire a enregistré d'énormes progrès. Le système normatif n'est pas resté, loin s'en faut, à l'écart de l'évolution. D'une situation de confusion quasi-totale des fonctions et des organes, on est passé à une clarification progressive à laquelle la jurisprudence de la Cour de justice et la pratique institutionnelle ont largement concouru. Ignorée des textes originaires, la séparation d'une fonction législative et d'une fonction exécutive s'est peu à peu esquissée » (Claude Blumann, *La Fonction législative communautaire,* LGDJ, 1995, p. 143). Pour reprendre les expressions de Denys Simon, on peut considérer qu'il existe déjà une forme de « séparation organique des pouvoirs et de collaboration fonctionnelle des pouvoirs ». Avant même que soit éventuellement adoptée une Constitution pour l'Europe, on assiste bien à un processus juridique de constitutionnalisation (David Blanchard, *La constitutionnalisation de l'Union européenne*, Ed. Apogée, 2001) ou à l'émergence d'un droit constitutionnel pour l'Europe (Voir Jörg Gerkrath, *L'émergence d'un droit constitutionnel pour l'Europe*, Ed. Université de Bruxelles, 1997). « L'ordre juridique communautaire est constitué par un ensemble organisé de normes qui tirent leur validité de la norme juridique de base constitué par les traités. [...] À ce titre, l'ordre juridique communautaire est structuré et hiérarchisé » (Jean Paul Jacqué, déjà cité, p. 417).

213 Deux grandes évolutions se profilent pour transformer le système juridique communautaire. La première évolution consiste modestement à

améliorer la qualité rédactionnelle de la législation communautaire, comme le prévoit la déclaration n° 39 du traité d'Amsterdam, car « la qualité rédactionnelle de la législation communautaire est essentielle, si on veut qu'elle soit correctement mise en œuvre par les autorités nationales compétentes et mieux comprise par le public et dans les milieux économiques ». Il est donc indispensable de fixer des lignes directrices pour cette amélioration qualitative et engager un processus de codification officielle des textes législatifs. La seconde évolution est plus fondamentale. Elle est proposée par le projet de Constitution pour l'Europe. Il s'agit de mieux distinguer au sein des actes juridiques de l'Union les actes législatifs des actes non-législatifs. Les premiers comprennent, la loi européenne et la loi-cadre européenne, les seconds, le règlement européen et la décision européenne. Une nouvelle hiérarchie normative serait mise en place. Derrière cette apparente simplification de technique juridique se dessine la mise en œuvre d'un système proche d'une fédération d'États, surtout avec l'apparition de la loi européenne et son cortège d'effets induits, y compris sur un plan symbolique et de légitimité dans une démocratie européenne. Cela confirmerait que le Parlement européen vote la loi, même s'il resterait encore un « co-législateur » avec le Conseil des ministres.

Au-delà de ces évolutions, il est utile de préciser que le droit communautaire est de plus en plus hybride dans son contenu dans la mesure où il est composé d'apports juridiques provenant des divers États membres. Si à l'origine l'apport du droit français était assez déterminant, progressivement d'autres cultures juridiques ont pénétré le droit communautaire, dont le droit allemand, le droit anglais ou le droit des pays nordiques. La Cour de justice et la Commission ont régulièrement recherché ce qu'il y a de meilleur dans les traditions juridiques des États membres. On assiste ainsi à de véritables compétitions juridiques conceptuelles et à l'élaboration d'un droit réellement commun aux États membres. Le droit communautaire est donc profondément européen dans ses concepts et ses notions. Cette forte interpénétration juridique contribue à la confection de l'Union européenne et de son patrimoine juridique commun.

Enfin, le droit communautaire a par ailleurs permis, dans un mouvement dialectique original, d'une part de donner naissance à de nouveaux droits de niveau européen, d'autre part d'européaniser le droit des États membres dans le cadre des compétences communautaires. Ainsi, on est maintenant au-delà du droit communautaire général face à des droits privé ou public de nature communautaire, comme notamment un droit administratif européen (voir Jürgen Schwarze, *Le droit administratif sous influence de l'Europe, une étude sur la convergence des ordres juridiques nationaux dans l'Union européenne*, Bruylant, 1996), un droit européen des affaires (A. Decocq et G. Decocq, LGDJ, 2003), un droit pénal européen (Jean Pradel, Geert Corstens, Dalloz, 2002) ou un droit bancaire européen (Blanche Sousi-Roubi, Dalloz, 1995).

## B. La structure du système juridique de l'Union européenne

214 Aujourd'hui, le droit communautaire comprend plusieurs sources : le droit communautaire originaire ou le droit primaire, avec les traités fondateurs et leurs suites ; le droit communautaire dérivé, avec notamment les règlements et les directives ; le droit communautaire jurisprudentiel ; le droit des engagements extérieurs de la Communauté et les sources complémentaires du droit communautaire ; le droit des actes adoptés par l'Union européenne dans le cadre de la politique étrangère et de sécurité commune et de la coopération judiciaire et policière en matière pénale.

### 1. Le droit primaire

215 Le droit primaire est constitué par les traités qui ont donné naissance aux Communautés et à l'Union européennes. Ces traités sont à la fois des traités de droit international public par leur forme et les procédures de ratification qu'ils nécessitent et de droit communautaire par le but qu'ils poursuivent. La forme est internationale, la matière est communautaire. En effet, de manière formelle, ils ne se différentient pas des autres traités internationaux, notamment par l'exigence de ratification avant leur mise en œuvre.

Les traités présentent souvent la même organisation. Ils comportent d'abord des dispositions liminaires et des préambules. Ces derniers représentent l'exposé des motifs de l'adoption du traité par les États. Ils expliquent sa finalité et sa logique, les buts politiques poursuivis par les États. La Cour de justice accorde à ces objectifs un caractère impératif pour les institutions communautaires comme pour les États. Leur effet utile ne doit pas être compromis. Ils permettent de justifier des choix de politiques communautaires, même si parfois les compétences ne sont pas formellement exprimées dans le corps du texte du traité. Ce raisonnement a été utilisé, en son temps, pour les questions de politique régionale, d'environnement ou de défense des consommateurs en s'appuyant par exemple sur des formulations du préambule comme : « assignant pour but essentiel de leurs efforts l'amélioration constante des conditions de vie et d'emploi de leurs peuples ». Ces formules générales sont bien pratiques pour justifier certaines politiques communautaires.

Ils contiennent ensuite des clauses institutionnelles qui définissent *clauses matérielles* les institutions et les organes, leur fonctionnement et leurs compétences. Les traités font de ce point de vue une nette différence entre les institutions et les organes. Ainsi, aujourd'hui, le Parlement européen, le Conseil, la Commission, la Cour de justice et la Cour des comptes sont des institutions alors que les autres structures ne sont que des organes de l'union et des Communautés européennes. Enfin, interviennent les clauses matérielles qui sont les plus développées. Elles détaillent les compétences des institutions communautaires et les manières de les mettre en œuvre. Sur ce point, on a tendance à distinguer deux types de traités, les traités lois comme ceux de la CECA et de la CEEA, et les traités cadres, comme celui de la CEE devenue Communauté Européenne. Les premiers sont rédigés comme une véritable législation dans un domaine déterminé, le charbon et l'acier ou l'énergie atomique. Dans les seconds, il s'agit plus de poser un cadre en laissant le soin aux institutions communautaires de déterminer les législations indispensables pour donner vie aux traités, par exemple pour donner un support juridique suffisant aux politiques communautaires.

En dernier lieu, les traités contiennent des clauses finales qui fixent souvent les modalités des engagements des États ainsi que les procédures d'entrée en vigueur ou de révision. Les traités sont aussi complétés par des protocoles ou des déclarations selon des formes variées. Les protocoles constituent des annexes aux traités comme on peut le constater pour les traités de Maastricht, d'Amsterdam et de Nice. Ils permettent de préciser, soit les positions de certains États acceptées par les autres sur certains domaines (voir les protocoles sur le Danemark, sur le Portugal ou sur la Grande-Bretagne lors du traité sur l'Union européenne de 1992), soit les règles de fonctionnement d'une institution ou d'une structure (voir par exemple le protocole sur les statuts du système européen des banques centrales et de la banque centrale européenne, attaché au traité sur l'Union européenne de 1992 ou le protocole sur le statut de la Cour de justice, attaché au traité de Nice de 2001). De leur coté, les déclarations donnent les explications ou les interprétations souhaitées par les États membres de certaines stipulations des traités. Elles peuvent aussi permettre de préciser les évolutions de l'Union européenne, comme la Déclaration relative à l'élargissement de l'Union européenne ou la Déclaration relative à l'avenir de l'Union (attachées au traité de Nice de 2001).

Il y a dorénavant une pluralité de traités communautaires : les traités fondateurs, les traités ou actes modificatifs, les traités d'adhésion des nouveaux États membres.

### a) Les traités fondateurs

216 Les traités fondateurs sont à l'origine des Communautés et de l'Union européennes. Ils ont donné naissance à ce nouveau type d'organisation internationale à vocation fédérale, ou « d'objet politique non identifié » pour reprendre l'expression consacrée de Jacques Delors.

Le traité de Paris du 18 avril 1951 institue la Communauté européenne du charbon et de l'acier (CECA). Il est entré en vigueur le 23 juillet 1952 avec ses annexes et ses protocoles, notamment celui sur le statut de la Cour de justice et celui sur les privilèges et immunités. Ce traité a été créé pour une période de 50 ans à compter de sa mise en œuvre. La CECA a donc cessé d'exister à compter du 24 juillet 2002 après avoir été la première Communauté de ce genre.

Les traités de Rome du 25 mars 1957 instituent la Communauté économique européenne et la Communauté européenne de l'énergie atomique. Ils sont entrés en vigueur le 14 janvier 1958, avec leurs annexes et protocoles, dont le plus important de celui du statut de la Banque européenne d'investissement. On peut aussi signaler les protocoles de Bruxelles du 17 avril 1957 sur les privilèges et immunités et sur la Cour de justice.

Le traité de Maastricht du 7 février 1992 donne naissance à l'Union européenne. Il est entré en vigueur le 1er novembre 1993. Cet important traité avait une double vocation, d'une part créer l'Union européenne, d'autre part compléter les traités sur les Communautés européennes. Il est lui aussi doté de protocoles, notamment celui relatif aux statuts du système européen de banques centrales et de la Banque centrale européenne. Il a donc bien aussi une dimension fondatrice pour l'Union européenne.

**b) Les traités et actes modificatifs des traités fondateurs**

217 Suivant les habitudes de la construction communautaire, les États membres ont toujours choisi de procéder à des modifications des traités fondateurs, sans réécrire l'ensemble du dispositif. Ce choix est politiquement simple, mais aboutit parfois à rendre moins lisible les traités, surtout pour les citoyens européens. C'est pour cela qu'il a été décidé avec le traité d'Amsterdam de changer la numérotation des articles des traités, notamment celui consacré à la Communauté européenne. La démarche générale de rédaction des traités va encore plus évoluer avec l'apparition d'une Constitution européenne qui devrait reprendre l'ensemble du dispositif des traités fondateurs, avec une certaine simplification.

On peut dresser une forme de catalogue des traités ou des actes modificatifs des traités fondateurs :

– le traité de Bruxelles du 8 avril 1965 instituant un Conseil unique et une Commission unique pour l'ensemble des Communautés, entré en vigueur en août 1967

– les traités budgétaires permettant l'accroissement du rôle du Parlement comme le traité de Luxembourg du 22 avril 1970 entré en vigueur le 1er janvier 1971 ou le traité de Bruxelles du 22 juillet 1975 entré en vigueur le 1er juin 1977

– la décision du Conseil relative au remplacement des contributions financières des États membres par des ressources propres aux Communautés du 21 avril 1970 et les suivantes, comme celle du 24 juin 1988.

– la décision du Conseil du 20 septembre 1976 portant élection au suffrage universel direct des membres de l'Assemblée des Communautés européennes entrée en vigueur le 1er juillet 1978.

– l'Acte unique européen signé à Luxembourg et à La Haye les 17 et 28 février 1986, entré en vigueur le 1er juillet 1987

– le traité de Maastricht sur l'Union européenne du 7 février 1992, entré en vigueur le 1er novembre 1993 qui apporte aussi de nombreuses modifications aux traités fondateurs des Communautés européennes

– le traité d'Amsterdam du 2 octobre 1997, entré en vigueur le 1ᵉʳ mai 1999. Ce traité a apporté son lot de protocoles et de déclarations dont certains méritent d'être relevé ici : le protocole intégrant l'acquis de Schengen dans le cadre de l'Union européenne ; le protocole sur le droit d'asile pour les ressortissants des États membres de l'Union européenne ; le protocole sur l'application des principes de subsidiarité et de proportionnalité ; le protocole sur la fixation des sièges des institutions et de certains paganismes et services des Communautés européennes, ainsi que d'Europol ; le protocole sur le rôle des Parlements nationaux dans l'Union européenne ; la déclaration relative à l'Union de l'Europe occidentale

– le traité de Nice du 26 février 2001, entré en vigueur le 1ᵉʳ février 2003. Il est utile de signaler plusieurs des protocoles ou des déclarations apportés par ce traité : le protocole sur l'élargissement de l'Union européenne ; le protocole sur le statut de la Cour de justice ; la déclaration relative à l'élargissement de l'Union européenne, la déclaration relative à l'avenir de l'Union.

### c) Les traités d'adhésion des nouveaux États membres

218 Chaque fois qu'un nouvel État membre est accueilli dans les Communautés et l'Union européennes, un traité est adopté pour organiser cette nouvelle entrée. Ces traités s'imposent aussi à l'ensemble des États membres. On peut en dresser la liste :   *il y a des transitions pour chaque pays*

– le traité d'adhésion du Royaume uni, du Danemark et de l'Irlande du 22 janvier 1972, entré en vigueur le 1ᵉʳ janvier 1973

– le traité d'adhésion de la Grèce du 24 mai 1979, entré en vigueur le 1ᵉʳ janvier 1981

– le traité l'adhésion de l'Espagne et du Portugal du 12 juin 1985, entré en vigueur le 1ᵉʳ janvier 1986

– le traité d'adhésion de l'Autriche, de la Finlande et de la Suède du 24 juin 1994, entré en vigueur le 1ᵉʳ janvier 1995

– le traité d'adhésion de Chypre, la République tchèque, l'Estonie, la Hongrie, la Lettonie, La Lituanie, Malte, la Pologne, la République slovaque et la Slovénie du 16 avril 2003, entrée en vigueur le 1ᵉʳ mai 2004

Les traités communautaires, dans leur ensemble, se situent donc au sommet de la hiérarchie de l'ordre juridique communautaire. Ils constituent le droit constitutionnel communautaire qui s'impose, d'une part

*ils sont comparable à l'acte constitutionnelle*

*le traité de Lisbon de 2007 (décembre), entrer l'application en 2009* au droit dérivé, d'autre part au droit conventionnel complémentaire et ensuite aux traités conclus entre les États membres et parfois aussi aux traités conclus entre les États membres et les États tiers.

## 2. Le droit dérivé

219 La Cour de justice parle du « système législatif du traité » (CJCE 17 décembre 1970 Köster, aff.25/70, *Rec.*1161) ou « du pouvoir législatif de la Communauté » (CJCE du 9 mars 1978 Simmenthal, aff.70/77, *Rec.*1453) à propos de l'article 249 du TCE. Le droit communautaire dérivé contient le règlement, la directive, la décision, la recommandation et l'avis.

Le traité instituant la Communauté européenne précise la structure générale du droit communautaire dérivé : « Pour l'accomplissement de leur mission et dans les conditions prévues au présent traité, le Parlement européen conjointement avec le Conseil, le Conseil et la Commission arrêtent des règlements et des directives, prennent des décisions et formulent des recommandations ou des avis. Le règlement a une portée générale. Il est obligatoire dans tous ses éléments et il est directement applicable dans tout État membre. La directive lie tout État membre destinataire quant au résultat à atteindre, tout en laissant aux instances nationales la compétence quant à la forme et aux moyens. La décision est obligatoire dans tous ses éléments pour les destinataires qu'elle désigne. Les recommandations et les avis ne lient pas. » (article 249 TCE). Le Parlement, le Conseil et la Commission peuvent donc adopter des normes de droit communautaire en fonction de leurs missions, dans le cadre d'une nomenclature d'actes.

### a) Les types d'actes du droit communautaire dérivé

220 Il existe quatre catégories d'actes dans la nomenclature de l'article 249 : le règlement, la directive, la recommandation et l'avis. Cela n'empêche pas l'adoption d'autres types d'actes communautaires considérés comme « hors nomenclature ». Nous examinons d'abord la nomenclature générale.

• *Le règlement communautaire*

221 Le règlement est un « acte de législation de premier ordre » (Pierre-Yves Monjal, *Les normes de droit communautaire*, PUF, Que sais-je ?, 2000, p. 28). « Le règlement a une portée générale ». Il contient des « dispositions générales et impersonnelles » (CJCE 14 décembre 1962 Confédération

nationale des producteurs de fruits et légumes, aff.16 et 17/62, *Rec.*901) applicables non à « des destinataires limités, désignés et identifiables, mais à des catégories envisagées abstraitement » (CJCE 14 décembre 1962 Fédération nationale de la boucherie, aff.19 à 22/61, *Rec.*943). « Il est obligatoire dans tous ses éléments. » Il ne peut donc être appliqué de manière partielle et sélective. Il est interdit aux États toute application incomplète (CJCE 7 février 1973 Commission c/ Italie, aff.39/72, *Rec.* 101).

Le règlement est un pouvoir normatif complet, car il peut non seulement imposer un résultat, mais aussi des modalités d'application et d'exécution. Il est directement applicable dans tout État membre. Il produit lui-même des effets juridiques dans l'ordre interne des États. Cela induit plusieurs conséquences : pas besoin de réception dans l'ordre interne au travers d'un autre acte juridique de droit interne, pas de modalité de réception qui est proscrite voire contraire au traité. « Sont contraires au traité, toutes modalités d'exécution dont la conséquence pourrait être de faire obstacle à l'effet direct des règlements communautaires et de compromettre leur application simultanée et uniforme dans l'ensemble de la Communauté » (CJCE 7 février 1973 Commission c/ Italie, aff.39/72, *Rec.*101).

Le règlement est directement applicable dans tout État membre et pas seulement par tout État membre. « En raison de sa nature même et de sa fonction dans le système des sources de droit communautaire, il produit des effets immédiats et est comme tel apte à confier aux particuliers des droits que les juridictions nationales ont l'obligation de protéger » (CJCE 14 décembre 1972 Politi aff.43/71, *Rec.* 1049 , CJCE 10 octobre 1973 Variola, aff.34/73, *Rec.*990). Le règlement est « un acte normatif ayant de plein droit un effet direct dans son ensemble » (CJCE, 4 décembre 1974, aff.41/74, *Rec.* 1337).

- *La directive*

222 « La directive communautaire continue d'apparaître comme « un objet normatif non identifié ». Rarement sans doute un acte juridique n'aura suscité, à la fois quant à sa définition et quant à son régime, autant d'incertitudes jurisprudentielles, de controverses doctrinales et de débats politiques » (Denys Simon, La directive européenne, Dalloz, 1997, p. 1). La directive est un acte de législation indirecte. Elle s'apparente à une loi-cadre, c'est-à-dire une législation à deux étages, car il y a nécessité de

compléments pour son application. La directive permet d'associer le niveau communautaire au niveau national. C'est une forme de mise en œuvre du principe de subsidiarité.

La directive n'a pas de portée générale. Elle ne lie que le ou les États qui en sont destinataires. Dans la pratique, elle a acquis une portée générale dans la mesure où elle concerne tous les États membres. La Cour de justice a admis cette portée générale (CJCE 22 février 1984 Kloppenburg, aff. 70/83, *Rec*. 1075). Elle suppose pour avoir un effet normatif complet une mise en œuvre par d'autres textes d'application de nature nationale.

La directive lie quant au résultat et aux buts à atteindre par le ou les États concernés en leur laissant la compétence quant à la forme et aux moyens. L'application de ces principes est plus ou moins réelle selon le contenu de la directive. En effet, si elle est seulement un cadre elle laisse une grande marge d'application, au contraire si elle est très détaillée, le choix des moyens est limité et la liberté réelle des États est très restreinte. « Il ressort de l'article 189 alinéa 3 du traité que la compétence laissée aux États membres en ce qui concerne la forme et les moyens des mesures à prendre par les instances nationales est fonction du résultat que le Conseil et la Commission entendent voir atteindre » (CJCE 23 novembre 1977 Enka, aff. 38/77, *Rec.*2203). Afin de déformer un peu l'usage de la directive, le protocole sur le principe de subsidiarité et de proportionnalité, annexé au traité d'Amsterdam, prévoit qu'il est important de donner « la préférence à des directives plutôt qu'à des règlements, et à des directives-cadres plutôt qu'à des directives détaillées ».

La directive n'est donc pas en tant que telle pleinement et directement applicable sur le territoire des États qu'elle concerne, même si elle fait peser sur eux une obligation de transposition. Elle fixe des délais pour sa mise en œuvre et par là même entraîne l'illégalité des dispositions nationales une fois le délai passé. « L'État doit pour satisfaire aux objectifs de la directive, adopter toutes les mesures juridiques nécessaires et en assurer l'application effective » (Marie Françoise Labouz, déjà cité, p. 202). La question de la transposition de la directive est donc déterminante. Beaucoup d'États sont loin d'être exemplaires sur ce point. La France a une mauvaise réputation.

• *La décision*

223 La décision est un acte obligatoire en tous ses éléments pour les destinataires qu'elle désigne, État ou particulier. Elle n'est donc pas exclusivement consacrée aux États comme le règlement et la directive.

La décision n'est normalement applicable qu'à ses destinataires. Elle n'a donc pas de caractère abstrait. Elle ressemble à un acte administratif individuel du droit interne national. Elle donne aux autorités communautaires un instrument d'exécution administrative. Parfois, elle ne peut prescrire aux États de prendre des mesures nationales à portée générale afin d'atteindre un objectif. Dans ce cas la décision ressemble beaucoup à une directive à la différence qu'elle peut être en plus très précise dans ses exigences.

Elle est applicable, donc obligatoire, dans tous ses éléments, pas seulement dans ses objectifs. Elle est parfois très détaillée y compris dans les moyens et dans les méthodes de mise en œuvre. Elle a un effet direct sur les destinataires, notamment pour les personnes morales que sont les entreprises. Ce n'est normalement pas le cas lorsqu'elle s'adresse à un État. Seules les mesures nationales d'application prises par l'État en vertu d'une décision communautaire peuvent concerner directement les particuliers, même si dans cette hypothèse on peut se retrouver dans la jurisprudence de la Cour de justice sur les directives.

• *La recommandation et l'avis*

224 On peut faire une grande distinction par rapport aux autres normes. les recommandations et les avis ne sont pas des actes obligatoires, car ils « ne lient pas ». Ils n'ont pas de force contraignante, ils ne sont pas des sources du droit au sens complet du terme. Néanmoins, ces actes peuvent entraîner des orientations, des comportements, constituer des invitations à adopter telle ou telle règle de conduite. Ils peuvent favoriser des sources indirectes pour le rapprochement des législations nationales. Dans le droit fil des recommandations et des avis, on peut évoquer aussi le recours par la Commission à des communications qui incitent les États membres à faire évoluer leur législation, comme ce fut le cas pour le statut de la fonction publique et l'exigence de nationalité française pour être fonctionnaire.

Il existe aussi des actes communautaires en dehors de cette nomenclature officielle prévue par l'article 249 du TCE. Sans les analyser dans le détail, il est important d'en signaler l'existence comme : les règlements d'exécution complémentaires des règlements (de base), les règlements intérieurs organisant le fonctionnement des institutions communautaires, les règlements financiers pour les institutions, les directives, les recommandations ou les avis adressés d'institution à institution, les accords interinstitutionnels, notamment en matière budgétaire. La déclaration relative à l'article 10 du traité instituant la Communauté européenne, adoptée à lors du traité de Nice, considère qu'il est possible de recourir aux accords interinstitutionnels lorsqu'il s'avère nécessaire dans le cadre du devoir de coopération loyale des États membres de faciliter l'application des dispositions du traité.

Le Conseil a une pratique variée. Il utilise la modalité de la résolution, soit pour définir les principes fondamentaux d'une politique communautaire, soit pour rationaliser le travail d'une institution par un programme d'action. Le Conseil rend aussi des conclusions, ce qui lui permet de faire des déclarations d'intention exprimant une volonté politique, une orientation. La Cour de justice, saisie pour l'interprétation de ce type d'actes, ne s'arrête pas à la dénomination formelle de l'acte, elle recherche l'intention exacte du Conseil, pour vérifier s'il a entendu se lier ou pas, s'il a pris des dispositions visant à produire des effets de droit ou pas. Ainsi, une simple délibération peut devenir, à son avis, un acte obligatoire pour les institutions et non pas pour les États (CJCE 31 mars 1971 Commission c/ Conseil (AETR) aff.2/70, *Rec.*263). De même, la résolution du 3 novembre 1976 (annexe 6 à la résolution de La Haye) a un caractère obligatoire, car il s'agit des mesures appropriées pour assurer la protection des ressources de pêche qui peuvent être prises par les États avec l'approbation de la Commission (CJCE 4 octobre 1979 France c/ Royaume Uni, aff.41/78 *Rec.*2923).

La Commission utilise les communications à portée générale. Pour certains, elles constituent un simple avis à caractère général. Pour d'autres, il y a une volonté non équivoque d'application comme par exemple dans le domaine des principes de coordination pour les aides à finalité régionale. On est alors en face de « directive » au sens du droit administratif français. Enfin, les déclarations communes à plusieurs institutions sont des déclarations d'intention de caractère politique qui lient politiquement et moralement les trois institutions sans pour autant constituer une obligation juridique.

## b) Le régime juridique des actes du droit communautaire dérivé

On ne peut en présenter ici que quelques grandes lignes. Elles se décomposent en trois éléments principaux : la compétence, les formes et l'entrée en vigueur.

• *La compétence*

225 Le principe est celui de la compétence d'attribution. Les traités déterminent l'institution ou l'autorité compétente suivant la nature de l'acte ou le domaine concerné. On peut alors parler du principe de la légalité communautaire. La Cour de justice peut ainsi annuler un règlement en raison de l'incompétence de l'autorité concernée, idée de *rationae materiae* (CJCE 5 juillet 1977 Bela Mülhe, aff.114/76, *Rec.*1211). De manière générale, l'ensemble du droit communautaire dérivé doit respecter le bloc de la légalité communautaire, c'est-à-dire non seulement les engagements internationaux, mais aussi les principes généraux du droit communautaire. On peut sans grande hésitation considérer que le principe de subsidiarité fait partie de ce bloc de légalité communautaire, justement dans le cadre de la répartition des compétences entre les États membres et les institutions communautaires. Le respect de la compétence s'appuie aussi sur le principe de non-interversion des instruments normatifs. En effet, les traités sont parfois évasifs sur les actes à prendre avec des formules du type : le Conseil détermine, le Conseil décide, la Commission prend les mesures nécessaires pour... Cela laisse une grande liberté de choix aux institutions pour établir des actes. Enfin, le principe de la hiérarchisation du droit communautaire dérivé est aussi applicable. Le droit dérivé des traités, de premier niveau, s'applique avant le droit dérivé de second niveau. Ainsi, on oppose les règlements de base aux règlements d'exécution. Pour la CJCE, il existe bien une hiérarchie de la légalité communautaire.

• *Les formes*

226 Les actes communautaires doivent faire référence à des visas et être motivés. Les visas sont indispensables. La Cour de justice en vérifie l'existence, par exemple la référence à une consultation. Dans le cas contraire, elle prononce l'invalidité de l'acte (CJCE 29 octobre 1980, Roquette, aff. 138/79, *Rec.* 3333). La motivation est une formalité sub-

stantielle en vertu de l'article 253 du TCE. La motivation de l'acte « donne aux parties la possibilité de défendre leurs droits, à la Cour d'exercer son contrôle et aux États membres, comme à tout ressortissant interne, de connaître les conditions dans lesquelles » les institutions font application du traité (CJCE 4 juillet 1963, Allemagne c/ Commission, aff.24/62, *Rec.* 143). Elle doit faire apparaître « d'une manière claire et non équivoque les raisons sur lesquelles l'acte est fondé » (CJCE 9 juillet 1969 Italie c/ Commission, aff.1/69, *Rec.*277). Par exemple, la Cour veille à l'expression de la motivation, par exemple qu'elle soit particulièrement étoffée lorsque l'acte concerne une entreprise surtout faisant l'objet d'une sanction.

• *L'entrée en vigueur*

227 La publicité de l'acte est une procédure indispensable en vertu de l'article 254 du TCE. « Un principe fondamental dans l'ordre juridique communautaire exige qu'un acte émanant des pouvoirs publics ne soit pas opposable aux justiciables avant que n'existe pour ceux-ci la possibilité d'en prendre connaissance » (CJCE 25 janvier 1979 Racke, aff.98/79, *Rec.*69). Pour les actes à portée générale, comme les règlements ou les directives, il faut une publication. Pour les autres, il faut au contraire une notification. Par exemple, les règlements ont un effet immédiat à l'issue de la publication au journal officiel des Communautés européennes. Il n'y a pas d'effet rétroactif de l'entrée en vigueur par référence à « un principe général de la sécurité juridique règle de droit à respecter dans l'application du traité » (CJCE 6 avril 1962 Bosch, aff.13/61, *Rec.*89). Il peut y avoir une rétroactivité à titre exceptionnel « lorsque le but à atteindre l'exige et lorsque la confiance légitime des intéressés est dûment respectée » (CJCE 25 janvier 1979 Racke, aff.98/79, *Rec.*69) ou dans le cas du retrait d'actes unilatéraux.

## 3. Le droit communautaire jurisprudentiel ou les sources non écrites du droit communautaire

La jurisprudence de la Cour de justice des Communautés européennes a une très grande importance pour interpréter le droit communautaire et donc fixer son application. Ainsi l'ordre juridique communautaire est complété par cette jurisprudence.

### a) Les méthodes d'interprétation de la Cour

228 La Cour s'appuie sur plusieurs méthodes d'interprétation. Elle s'appuie d'abord sur le droit des traités issu de la Convention de Vienne, notamment l'article 31 : « l'interprétation doit se faire d'après le sens ordinaire à attribuer aux termes du traité dans leur contexte et à la lumière de son objet et de son but ». Mais en même temps, elle semble avoir donné le pas à l'objet et au but sur le texte lui-même.

Ensuite, l'analyse de la jurisprudence montre aussi que la Cour utilise à la fois la méthode systémique et la méthode téléologique. Cette dernière est largement mise en œuvre. Elle consiste à examiner le texte au regard du but et des objectifs recherchés par ce texte comme guide de l'interprétation (CJCE 10 décembre 1974 Charmasson, aff.48/74, *Rec.*1383).

Elle recherche l'effet utile des textes. Elle écarte les interprétations d'une disposition qui lui ferait perdre tout effet utile. Elle rejette les interprétations qui auraient pour conséquences d'affaiblir ou de limiter l'effet utile d'une disposition. Elle fait prévaloir l'effet utile le plus grand, donc une vision nécessairement évolutive et moderne des règles communautaires.

La CJCE va plus loin dans ses méthodes que le juge international classique en se fondant sur la nature de l'ordre juridique communautaire. La souveraineté des États est traditionnellement une limite pour le juge international pas pour la CJCE qui estime que les finalités de l'intégration européenne autorisent une interprétation qui va éventuellement contre la souveraineté des États. Elle fait usage des aspects explicites mais aussi implicites des traités. Ainsi, elle tire toutes les conséquences de l'existence d'une Communauté et de l'acquis et l'unité du droit communautaire. « Chaque disposition du droit communautaire doit être replacée dans son contexte et interprétée à la lumière de l'ensemble des dispositions de ce droit, de ses finalités et de l'état de son évolution, à la date à laquelle l'application de la disposition en cause doit être faite » (CJCE, 6 octobre 1982, CILFIT, aff.283/81, *Rec.* 3415).

Cet ensemble de méthodes d'interprétation a permis à la Cour de dégager des principes généraux du droit communautaire d'origine jurisprudentielle.

## b) Les principes généraux du droit communautaire

229 Les principes généraux du droit sont des règles non écrites que le juge est réputé appliquer et non créer même si c'est lui qui les constate et les intègre à sa manière de trancher les litiges. C'est à partir de ses méthodes d'interprétation que la CJCE a eu recours aux principes généraux du droit communautaire qui s'imposent aux institutions communautaires comme aux États membres. Cette technique juridique n'est pas très éloignée de celle empruntée par les juridictions suprêmes des États membres.

• *La provenance des principes généraux du droit communautaire*

230 On peut distinguer trois provenances essentielles : le droit international public, les droits des États membres, le droit communautaire lui-même.

Ces principes sont d'abord puisés dans le droit international public, même si le juge communautaire ne l'utilise pas beaucoup car il le considère comme difficilement compatible avec le droit communautaire. En effet, la Cour considère que les traités communautaires ne se contentent pas de créer des obligations réciproques entre des États, mais créent un ordre juridique original nouveau qui s'impose à eux. Cela explique aussi l'absence de principe de réciprocité comme en simple droit international public. Pourtant, « le principe de l'effet utile » issu du droit international public est utilisé pour donner tout son impact aux traités communautaires. De même, la Cour de justice fait application du principe du droit international public selon lequel un État ne peut refuser l'accès de son territoire à ses nationaux (CJCE, 27 février 1962, Commission ci Italie, 10/61, *Rec.* 13) ou le principe de bonne foi en droit des traités (TPI, 22 janvier 1997, Opel Austria, T-115/94, *Rec.*, II-39). Elle accepte aussi d'examiner la légalité d'un règlement communautaire au regard de règles du droit international coutumier codifiées par la Convention de Vienne : « la Communauté est tenue de respecter les règles du droit coutumier international lorsqu'elle adopte un règlement suspendant les concessions commerciales octroyées par un accord ou en vertu d'un accord qu'elle a conclu avec un pays tiers (CJCE, 16 juin 1998, Racke, C-162/96, Europe, août-septembre. 1998, comm. A. R. et O. S., n° 265). La Cour puise aussi son inspiration dans les grands textes internationaux de protection des droits de l'homme, comme la Convention européenne des droits de l'homme et des libertés fondamentales ou les Pactes des Nations Unies sur les droits de l'homme.

La deuxième source de ces principes est constituée pour la Cour de justice par les principes généraux communs aux droits des États membres. Elle emploie alternativement la formule suivante pour les qualifier : « les principes généralement admis dans le droit des États membres », « les principes communs au système juridique des États membres », « le patrimoine commun de principes juridiques ». Les traités font aussi référence à ce type de principes, notamment l'article 6 du traité sur l'Union européenne, dans l'alinéa 2 : « L'Union respecte les droits fondamentaux, tels qu'ils sont garantis par la Convention européenne de sauvegarde des droits de l'homme et des libertés fondamentales, signée à Rome le 4 novembre 1950, et tels qu'ils résultent des traditions constitutionnelles communes aux États membres, en tant que principes généraux du droit communautaire ».

Enfin, selon Denys Simon « la Cour a établi l'existence de principes généraux de droit communautaire, fondés sur les bases constitutionnelles, économiques et politiques de l'intégration communautaire » (déjà cité, *Le système juridique communautaire*, p. 250). Il distingue à ce niveau des droits fondamentaux et des principes structurels. « Ces principes, qu'il s'agisse des principes constitutionnels ou économiques, expriment les objectifs communs et les valeurs communes constituant les bases constitutionnelles de l'ordre communautaire ».

• *Les contenus des principes généraux du droit communautaire*

231 Ces principes généraux du droit communautaire concernent d'abord les droits fondamentaux des personnes. Cela renvoie non seulement aux droits constitutionnels nationaux, mais aussi aux instruments internationaux de protection des droits de l'homme pour éviter des contradictions entre l'ordre juridique des États membres et l'ordre juridique communautaire qui doit être lui aussi respectueux de ces droits essentiels. Ces droits peuvent, néanmoins, connaître des limites au regard de l'intérêt général communautaire. Il s'agit par exemple : des droits individuels attachés au respect de la vie privée et familiale, du domicile et de la correspondance (CJCE, 12 novembre 1969, Stauder, aff.29/69, *Rec.*, 419 ; CJCE, 26 juin 1980, National Panasonic, aff.136/79, *Rec.*2033 ; CJCE, 21 sept. 1989, Hoechst, aff. 46/87 et 227/88, *Rec.* 2859 ; CJCE, 8 avril

1992, Commission c/ Allemagne, aff. C-62/90, *Rec.*1-2575.); de la liberté religieuse (CJCE, 27 octobre 1976, Prais, aff.130/75, *Rec.*1589); du droit de propriété (CJCE, 13 décembre 1979, Hauer, aff. 44/79, *Rec.*3727; CJCE, 11 juillet 1989, Schriider, aff. 265/87, *Rec.* 2237), du droit au libre exercice des activités économiques (CJCE, 8 octobre 1986, Keller, 234/85, *Rec.* 2897; CJCE, 10 juillet 1990, Neu, aff. C-90 et 91/90, *Rec.* 1-3618.); de la protection du secret des affaires (CJCE, 18 mai 1982, AM et S Europe, Ltd, aff. 155/79, *Rec.*1575); de la liberté syndicale (CJCE, 28 octobre 1975, Rutili, aff. 36/75, *Rec.*1219); de la liberté d'expression (CJCE, 17 janvier 1984, VBVB et VBBB, aff. 43 et 63/82, *Rec.*19.) ; de la non-discrimination; du principe d'égalité. On peut aussi évoquer les principes généraux du droit communautaire qui veille au bon fonctionnement de l'ordre juridique communautaire, comme ceux de: publicité des actes, non rétroactivité, sécurité juridique, droit au juge (CJCE, 15 mai 1986, Johnston, aff. 222/84, *Rec.*1651).

Ces principes généraux du droit communautaire sont ensuite de nature structurelle. « Ils reflètent en quelque sorte la nature économique et politique de la Communauté » (Denys Simon, déjà cité, p. 253). Il s'agit alors des principes suivants: la fidélité communautaire, la subsidiarité, la proportionnalité, la coopération loyale, la solidarité et l'égalité entre les États membres, l'uniformité d'application des règles.

Il est certain aussi que la Cour de justice ne manquera pas de s'inspirer de la Charte des droits fondamentaux de l'Union européenne pour dégager de nouveaux principes généraux du droit communautaire avant même que cette Charte ait une valeur juridique obligatoire.

## 4. Le droit des engagements extérieurs de la Communauté et les sources complémentaires du droit communautaire

232 En plus du droit communautaire originaire, dérivé et jurisprudentiel, il existe d'autres sources plus délicates à classer ou à intégrer, en vertu de leur valeur propre, au droit communautaire général. Certains de ces apports peuvent être qualifiés de sources externes car ils proviennent d'engagements extérieurs de la Communauté européenne qui en quelque sorte interagissent sur le droit communautaire interne. D'autres apports découlent d'accords passés entre les États membres, soit parce que les traités les exigent, soit d'une simple volonté des États membres. Dans ce cas, il s'agit d'une source complémentaire du droit communautaire.

## a) Les sources externes du droit communautaire

Les accords d'association avec des États en vertu de l'article 228 du TCE participent de ces sources externes. La CJCE a déduit de cet article que « les dispositions de ces accords forment une partie intégrante de l'ordre juridique communautaire » (CJCE, 30 avril 1974, Haegemen, aff.181/73, *Rec.*449). Cela donne au moins deux conséquences : « Ils lient les institutions de la Communauté et les États membres et s'intègrent dans l'ordre juridique communautaire ». L'Union européenne a développé une forte activité de relations extérieures qui se traduit souvent par de véritables accords internationaux dont le contenu varie en fonction de la dénomination de l'accord ou du traité.

Les actes unilatéraux pris par les organes de certains accords de la Communauté alimentant aussi ces sources externes du droit communautaire. Ainsi de nombreux organes auxquels sont parties les Communautés prennent des actes unilatéraux ayant des effets juridiques sur elles. On peut citer : les conseils des accords d'association ou de coopération avec les pays de la Méditerranée, le Conseil des ministres de la convention de Lomé (et de ses suivantes), le conseil international de cacao (article 12 de l'accord de 1975), le conseil international du café (article 15 de l'accord de 1976). La CJCE admet que ces actes normatifs deviennent sources de droit dans l'ordre juridique communautaire (CJCE 5 février 1976 Bresciani, aff.87/75, *Rec.*129). Ces sources ont tendance à s'accroître dans la mesure où la Communauté a la possibilité de devenir membre ou de participer à la création d'organisation internationale avec des pouvoirs de décision adéquate, comme l'Organisation des pêches de l'Atlantique du Nord-Ouest du 24 octobre 1978 ou l'Organisation des pêches de l'Atlantique du Nord-Est du 18 novembre 1980. Cela se voit bien pour le fonctionnement de l'Espace Économique Européen (EEE).

Il faut aussi évoquer les traités conclus par les États membres avec des États tiers. La CJCE admet que la Communauté puisse être liée par des accords auxquels elle n'est pas partie, mais qui ont été conclus par des États membres. Plusieurs hypothèses sont possibles. C'est d'abord le cas pour les traités conclus avant la CEE dans son domaine de la CEE. Dans ce cas là, la CEE est substituée à ses États membres. C'était la situation du GATT. Il n'y a pas eu disparition des accords antérieurs, mais prise en compte, notamment depuis que la Communauté est devenue partie prenante de ces accords et partie contractante pour le compte des États membres. Cela se poursuit avec l'OMC. Il en est de même pour les suites de la Convention européenne des droits de l'homme à laquelle les États membres appartiennent aussi.

Ces différents engagements externes peuvent se trouver intégrer dans l'ordre juridique communautaire à un rang inférieur au droit communautaire primaire mais à un rang supérieur au droit communautaire dérivé.

### b) Les sources complémentaires du droit communautaire

233 Nous sommes ici dans le cadre d'un droit résultant d'accords entre États membres dans le domaine de compétence nationale retenue. On parle alors de droit communautaire complémentaire dans la mesure où l'on se situe dans le prolongement des objectifs définis par les traités, mais complémentaire du fait du régime interétatique et non strictement communautaire de ce droit international. Il existe plusieurs hypothèses de conventions européennes internationales de cette nature.

C'est le cas d'abord pour les conventions prévues expressément par les traités communautaires, comme par l'article 220 du TCE : « Les États engagent entre eux en tant que de besoin des négociations en vue d'assurer certains objectifs généraux de la Communauté, par la voie communautaire ou par la voie de l'accord interétatique dans les domaines de : la protection des personnes et des données individuelles, l'élimination de la double imposition, la reconnaissance mutuelle de sociétés, la reconnaissance et l'exécution réciproques des décisions judiciaires ». On peut citer plusieurs conventions complémentaires du droit communautaire : la Convention du 27 septembre 1968 concernant la compétence judiciaire et l'exécution des décisions en matière civile et commerciale entrée en vigueur le 1er janvier 1973 entre les six États fondateurs ; la Convention du 29 février 1968 sur la reconnaissance mutuelle des sociétés et personnes morales ; la Convention relative à l'élimination des doubles impositions en cas de correction des bénéfices d'entreprises associées du 23 juillet 1990.

C'est ensuite la mise en place de conventions interétatiques dans des matières non directement, ou pas encore, concernées par les traités communautaires : la Convention de Naples du 7 septembre 1967 pour l'assistance mutuelles entre les administrations douanières ; la Convention de Luxembourg du 15 décembre 1975 relative au brevet communautaire pour le marché commun complétée et amendée par l'accord en matière de brevet communautaire ; la Convention sur la loi applicable aux obligations contractuelles du 19 juin 1980 ; la Convention d'application de l'Accord de Schengen du 14 juin 1985 entre les États du Benelux, de la RFA et de la France du 19 juin 1990 entrée en application le 26 mars 1995 (avant que s'organise un processus d'intégration de l'acquis de Schengen dans le cadre de l'Union, voir le protocole n° 2 du traité d'Amsterdam).

On assiste à un développement important des actes conventionnels interétatiques car les États trouvent pratique d'utiliser le cadre du Conseil des ministres pour mener ce genre d'entreprise juridique sans être dans le cadre communautaire du droit communautaire dérivé. Cela peut se produire aussi dans le cadre du Conseil européen.

### 5. Les actes adoptés par l'Union européenne dans le cadre de la politique étrangère et de sécurité commune et de la coopération judiciaire et policière en matière pénale

234 À partir du traité sur l'Union européenne, la logique de la coopération est venue explicitement compléter celle de l'intégration. Cela a eu des conséquences juridiques sur le droit de l'Union qui se divise en quelque sorte en deux parties, celle qui relève de l'intégration et donc du droit communautaire (complet) et celle qui relève de la coopération et donc d'un droit spécifique à ces domaines. Il est aujourd'hui possible de distinguer les actes dans le cadre de la politique étrangère et de sécurité commune et ceux élaborés dans le cadre de la coopération policière et judiciaire.

#### a) Les actes dans le cadre de la PESC

235 Il ne s'agit pas ici de décrire l'ensemble des modalités de la politique étrangère et de sécurité commune de l'Union européenne, mais de donner un aperçu des techniques ou des actes juridiques utilisés. L'article 12 du traité sur l'Union européenne distingue : les principes et les orientations générales de la politique étrangère et de sécurité commune ; les stratégies communes ; les actions communes ; les positions communes. L'article 23 ajoute les décisions. Si les principes et les orientations générales, définis par le Conseil européen, sont des actes non contraignants de cadrage de la PESC, les stratégies communes semblent contraignantes,

une fois décidées par le Conseil européen, car elles doivent être mises en œuvre par l'Union dans des domaines où les États membres ont des intérêts communs importants. En vertu de l'article 13, ces stratégies précisent leurs objectifs, leur durée et les moyens que devront fournir l'Union et les États membres. Ces stratégies communes prennent corps dans des actions et des positions communes prévues dans l'article 14. L'action commune est une activité opérationnelle de l'Union européenne avec un objectif, une portée, une durée et des conditions de mise en œuvre. Cette action lie les États membres. La position commune précise l'attitude de l'Union européenne face une question déterminée de nature géographique ou thématique. Ensuite les États membres veillent à la conformité de leurs politiques nationales avec la position commune (article 15 TUE), donc elle lie aussi les États.

Le projet de Constitution pour l'Europe vise à simplifier la nomenclature actuelle pour cette compétence de l'Union en distinguant surtout les objectifs de la politique étrangère et de sécurité commune des décisions européennes en cette matière (voir l'article 39 de la première partie).

### b) Les actes dans le cadre de la coopération judiciaire et policière en matière pénale

236   Les dispositions relatives à la coopération judiciaire et policière en matière pénale fixent le cadre juridique de l'intervention du Conseil. Ce dernier « prend des mesures et favorise la coopération en vue de contribuer à la poursuite des objectifs de l'Union, en statuant à l'unanimité, à l'initiative de tout État membre ou de la Commission », sous la forme de positions communes, de décisions-cadres, de décisions ou de conventions (article 34 TUE). La position commune définit l'approche de l'Union sur une question déterminée, elle possède le même effet que celle qui est utilisée dans le domaine de la PESC. La décision-cadre évoque le mécanisme de la directive. Elle « vise au rapprochement des législations nationales et lie les États quant au résultat leur laissant le choix des moyens » (Jean Paul Jacquet, déjà cité, p. 516). Les décisions, arrêtées par le Conseil, sont obligatoires, mais ne peuvent entraîner d'effet direct. C'est par cette voie juridique que le Conseil à déterminer, par exemple, la création d'un fond européen pour les réfugiés et d'un collège européen de police. La convention est établie par le Conseil qui en recommande l'adoption par les États membres selon leurs règles constitution-

nelles respectives. Cette modalité semble moins utilisée compte tenu de sa lenteur pour aboutir à une mise en œuvre.

## C. Les relations entre l'ordre juridique communautaire et l'ordre juridique des États membres

237 C'est surtout dans ses effets que le droit communautaire est original par rapport au droit international public classique. Il a été conçu et développé pour faciliter l'intégration de plus en plus étroite entre des peuples et des États. L'ordre juridique communautaire présente des caractéristiques propres, d'une part son autonomie par rapport aux droits nationaux en ce sens qu'il n'est pas l'émanation des droits nationaux, d'autre part son intégration dans les ordres juridiques internes.

Le droit communautaire une fois adopté, notamment le droit communautaire dérivé, d'une part, acquiert automatiquement un statut de droit positif par son applicabilité immédiate, d'autre part crée par lui-même des droits et des obligations pour les ressortissants de l'Union et de la Communauté européennes par son applicabilité directe. Par ailleurs, et en liaison avec ses attributs précédents, le droit communautaire prime sur le droit des États membres.

Deux arrêts fondamentaux ont déduits des traités les principes fondamentaux du droit communautaire. Il paraît très utile pour une bonne compréhension du droit communautaire de donner de larges extraits de ces deux arrêts de la Cour de justice.

L'arrêt Van Gend en Loos de 1963 précise : « qu'il faut conclure de cet état de choses que la Communauté constitue un nouvel ordre juridique de droit international, au profit duquel les États ont limité, bien que dans des domaines restreints, leurs droits souverains, et dont les sujets sont non seulement les États membres mais également leurs ressortissants ; que, partant, le droit communautaire, indépendant de la législation des États membres, de même qu'il crée des charges dans le chef des particuliers est aussi destiné à engendrer des droits qui entrent dans leur patrimoine juridique » (CJCE, 5 février 1963, Van Gend en Loos, aff.26/62, *Rec.*3).

De son coté, l'arrêt Costa contre ENEL de 1964 ajoute de nombreux éléments pour éclairer la nature de l'ordre juridique communautaire : « attendu qu'à la différence des traités internationaux ordinaires, le traité de la CEE a institué un ordre juridique propre, intégré au système juridique des États membres lors de l'entrée en vigueur du traité et qui s'impose à leurs juridictions ; qu'en effet, en instituant une Communauté de durée illimitée, dotée d'institutions propres, de la personnalité, de la capacité juridique, d'une capacité de représentation internationale et plus particulièrement de pouvoirs réels issus d'une limitation de compétence ou d'un transfert d'attributions des États à la Communauté, ceux-ci ont limité, bien que dans des domaines restreints, leurs droits souverains et créé ainsi un corps de droit applicable à leurs ressortissants et à eux-mêmes ; attendu que cette intégration au droit de chaque pays membre de dispositions qui proviennent de source communautaire, et plus généralement les termes et l'esprit du traité, ont pour corollaire l'impossibilité pour les États de faire prévaloir, contre un ordre juridique accepté par eux sur une base de réciprocité, une mesure unilatérale ultérieure qui ne saurait ainsi lui être opposable ; que la force exécutive du droit communautaire ne saurait, en effet, varier d'un État à l'autre à la faveur des législations internes ultérieures, sans mettre en péril la réalisation des buts du traité visée à l'article 5 (2), ni provoquer une discrimination interdite par l'article 7 ; attendu que la prééminence du droit communautaire est confirmée par l'article 189 aux termes duquel les règlements ont valeur « obligatoire » et sont « directement applicables dans tout État membre » ; que cette disposition, qui n'est assortie d'aucune réserve, serait sans portée si un État pouvait unilatéralement en annihiler les effets par un acte législatif opposable aux textes communautaires ; attendu qu'il résulte de l'ensemble de ces éléments, qu'issu d'une source autonome, le droit né du traité ne pourrait donc, en raison de sa nature spécifique originale, se voir judiciairement opposer un texte interne quel qu'il soit, sans perdre son caractère communautaire et sans que soit mise en cause la base juridique de la Communauté elle-même ; que le transfert opéré par les États, de leur ordre juridique interne au profit de l'ordre juridique communautaire, des droits et obligations correspondant aux dispositions du traité, entraîne donc une limitation définitive de leurs droits souverains contre laquelle ne saurait prévaloir un acte unilatéral ultérieur incompatible avec la notion de Communauté » (CJCE, 15 juillet 1964 Costa c/ ENEL, aff 6/64, *Rec.* 1141).

Le droit communautaire repose sur une conception moniste du droit, donc sur l'unicité de l'ordonnancement juridique. Cela conduit à ce que la norme communautaire soit applicable sans transformation ni réception, mais automatiquement. Il rejette la doctrine dualiste qui veut qu'un acte international ne puisse s'imposer à l'ordre juridique interne qu'à l'issue d'une réception formellement organisée.

## 1. La primauté du droit communautaire sur le droit interne au travers de l'exemple français

238 La construction européenne est en très grande partie une Europe par le droit. Cela suppose que le droit communautaire s'introduise de manière satisfaisante dans l'ordre juridique des États membres en primant sur lui. Cette primauté est établie par les traités, mais surtout par la jurisprudence de la Cour de justice des communautés européennes qui a précisé les relations de l'ordre juridique communautaire avec celui des États membres.

L'arrêt fondamental, en cette matière, est toujours Costa c/ ENEL dont de larges extraits sont présentés plus haut. Dans cette affaire, plusieurs questions étaient posées : un conflit entre des dispositions du traité CEE et une loi italienne de nationalisation de l'électricité ; un conflit entre le droit communautaire et une loi italienne postérieure ; le poids d'une sentence de la Cour constitutionnelle italienne et la conception dualiste de l'ordre juridique différente de la conception moniste qui préside au fonctionnement de l'ordre juridique communautaire. La Cour de justice fait prévaloir le droit communautaire compte tenu de sa primauté sur l'ordre juridique interne.

Cette primauté repose sur trois arguments développés par la Cour de justice :

– l'effet direct du droit communautaire n'est possible que si l'État ne peut s'y soustraire par un acte législatif opposable aux textes communautaires ;

– l'attribution de compétences aux communautés limite de manière correspondante les droits souverains des États membres qui ont accepté de se soumettre au droit communautaire ;

– l'unité de l'ordre juridique communautaire suppose une uniformité d'application sur le territoire des Communautés européennes.

Le droit communautaire, par sa nature spécifique, ne peut donc pas se voir opposer un texte de droit interne sans perdre justement son caractère communautaire. Dans le cas contraire, l'édifice communautaire s'écroule. La primauté du droit communautaire est l'une des grandes originalités juridiques de la construction européenne, car elle participe au processus d'intégration. La primauté est une condition existentielle du droit communautaire. Il existe parce qu'il est supérieur au droit des États membres et ne peut être mis en échec par eux. La primauté est un élément constitutif du droit communautaire. C'est une primauté d'ordre juridique à ordre juridique dans la mesure où aucun élément du droit interne ne peut faire obstacle au respect du droit communautaire, y compris les normes constitutionnelles internes. Cette primauté ne concerne pas seulement les rapports entre les États et les Communautés européennes, mais de manière plus globale les relations entre les ordres juridiques. Cela se traduit par une communautarisation des juridictions et des administrations nationales. Une forme de logique fédérale est à l'œuvre via le droit communautaire. Les États membres sont astreints à une fidélité communautaire qui n'est pas très éloignée de la fidélité fédérale à l'œuvre dans le fonctionnement des États fédéraux.

Cette primauté est régulièrement évoquée par la Cour de justice, comme c'est le cas dans l'arrêt Simmenthal de 1978 (CJCE, 9 septembre 1978, Simmenthal aff. 70/77 *Rec.* 629) qui donne, en quelque sorte, la marche à suivre aux juridictions nationales pour faire prévaloir le droit communautaire sur le droit interne : « le juge national chargé d'appliquer, dans le cadre de sa compétence, les dispositions du droit communautaire, a l'obligation d'assurer le plein effet de ces normes en laissant au besoin inappliqué, de sa propre autorité, toute disposition de la législation nationale même postérieure, sans qu'il ait à demander ou à attendre l'élimination de celle-ci par voie législative ou par tout autre procédé constitutionnel ». Ainsi pour la Cour, il ne peut y avoir d'obstacle à l'application du droit communautaire. En présence d'une contradiction entre le droit communautaire et une norme nationale, constitutionnelle, législative ou administrative, le juge national, de sa propre autorité doit faire prévaloir la norme communautaire sur les autres, en l'appliquant aux dépens des autres. Cette logique juridique de la primauté est un support remarquable pour le processus d'intégration qui ne peut que choquer ceux qui restent « souverainistes ». Il est important de voir de manière plus concrète les effets de cette primauté sur les normes nationales, en prenant l'exemple de l'ordre juridique français.

### a) La problématique de la primauté du droit communautaire et la Constitution française

239  Si on se place d'abord d'un point de vue communautaire, c'est-à-dire de la CJCE, la question est tranchée depuis longtemps. L'ordre juridique communautaire est supérieur à l'ordre juridique interne parce que les États membres ont voulu crée un ordre juridique spécifique doté des moyens de sa propre application grâce à sa primauté et son effet direct. La jurisprudence est ancienne et claire, comme cela est présenté plus haut. Cette suprématie du droit communautaire est liée à l'existence d'une véritable « constitution communautaire » au sens matériel et non formelle du terme, pour reprendre les analyses de Denys Simon. La Cour de justice parle de son coté de « communauté de droit » ou de « charte constitutionnelle de base » (CJCE, 23 avril 1986, Parti écologique, Les Verts, aff.294/83, *Rec.*1339). Ainsi pour la Cour, le droit communautaire prévaut, y compris, sur la Constitution qui ne peut être un obstacle à son application.

240  Si on se place ensuite d'un point de vue national, là aussi la question semble claire. La Constitution prime sur l'ensemble de l'ordre juridique interne pour des raisons de logique juridique, de hiérarchie de normes et de démocratie. Dans l'ordre interne, il ne peut y avoir de texte supérieur à la Constitution d'autant plus que c'est elle qui détermine la hiérarchie des normes applicables. Le Conseil d'État, en France, le rappelle régulièrement, comme c'est le cas dans l'arrêt Sarran de 1998 : « la suprématie ainsi conférée aux engagements internationaux ne s'applique pas, dans l'ordre interne, aux dispositions de nature constitutionnelle ; qu'ainsi, le moyen tiré de ce que le décret attaqué, en ce qu'il méconnaîtrait les stipulations d'engagements internationaux régulièrement introduits dans l'ordre interne, serait par là même contraire à l'article 55 de la Constitution, ne peut lui aussi qu'être écarté ; Considérant que si les requérants invitent le Conseil d'État à faire prévaloir les stipulations des articles 2, 25 et 26 du pacte des Nations unies sur les droits civils et politiques, de l'article 14 de la Convention européenne de sauvegarde des droits de l'homme et des libertés fondamentales et de l'article 3 du protocole additionnel n° 1 à cette convention, sur les dispositions de l'article 2 de la loi du 9 novembre 1988, un tel moyen ne peut qu'être écarté dès lors que par l'effet du renvoi opéré par l'article 76 de la Constitution aux dispositions dudit article 2, ces dernières ont elles-mêmes valeur consti-

tutionnelle » (CE Ass. 30 octobre 1998, Sarran, Levacher et autres *GAJA*, 2003, p. 789).

241 L'article 55 de la Constitution place les traités dans une situation de supériorité par rapport aux lois, mais pas par rapport à elle-même. Cette logique juridique était aussi évoquée dans l'arrêt Koné de 1996 (CE Ass. 3 juillet 1996, Koné, *GAJA*, 2003, p. 757) dans lequel il était rappelé qu'un principe de valeur constitutionnelle peut prévaloir sur une disposition d'un traité. En plus, dans sa fonction de contrôle, le Conseil d'État ne peut passer outre à la Constitution. Il peut exercer un contrôle de conventionalité des lois par rapport aux normes internationales auxquelles la France à adhérer, mais il ne peut pas exercer un contrôle de conventionalité de la Constitution au regard de ces mêmes textes en se plaçant en censeur du constituant.

On a pu parler de « Constitution-écran ». Le Conseil d'État ne peut être, de ce point de vue, juge du monisme. Denys Simon évoque les idées de « dualisme incompressible » ou de « monisme inversé » : « Tout le raisonnement de la Cour de Luxembourg repose sur l'idée de la spécificité du droit communautaire, dont l'application en droit interne ne peut pas dépendre des dispositions constitutionnelles internes relatives aux modalités d'introduction du droit des gens dans la hiérarchie des normes internes. À cet égard, la banalisation des traités communautaires par leur assimilation à des traités internationaux comme les autres [...] conduirait logiquement, selon la démonstration de l'arrêt Sarran, à subordonner leur application à la prévalence de la Constitution dans l'ordre interne » (*Europe*, mars 1999, p 4). De son coté, la Cour de Cassation affirme elle aussi avec une formulation presque identique que « la suprématie conférée aux engagements internationaux ne s'appliquent pas, dans l'ordre interne, aux dispositions de valeur constitutionnelle » (Cour de cassation 2 juin 2000 M^lle Fraise, *RDP* 2000 p. 1037, *Europe*, août septembre 2000, p. 3, note Denys Simon).

L'affirmation de la nécessité du respect de la Constitution sur le plan interne constitue une problématique essentielle dans les rapports du juge communautaire et des juges nationaux en France, comme si la Constitution était le dernier rempart à l'égard du droit international et du droit communautaire. Mais en affirmant sa fidélité à la Constitution, quoi de plus naturel dans un État de droit, le Conseil d'État montre qu'il n'est pas forcément possible de tirer toutes les conséquences en droit interne, par exemple de la primauté du droit communautaire. Car en plus, dans sa jurisprudence, il ne fait pas de différence entre le droit international et le droit communautaire. Il le confirme d'ailleurs un peu plus tard de manière claire avec la formule suivante : « ... qu'il s'agisse du principe de la confiance légitime et du principe de la sécurité juridique applicables aux situations régies par le droit communautaire, du principe de loyauté sui se confond d'ailleurs avec le respect de l'article 10 du Traité CE ou encore du principe de primauté, lequel au demeurant ne saurait conduire, dans l'ordre interne, à remettre en cause la suprématie de la Constitution » (CE 3 décembre 2001 Syndicat national ind. Pharmaceutique, *Droit administratif*, 2002, n° 55, note P. Cassia ; voir aussi CE 30 juillet 2003 Association Avenir de la langue française, *Europe* 2004, n° 30, note Paul Cassia et E. Saulnier).

Cette démarche du Conseil d'État affirmant la suprématie de Constitution dans l'ordre interne est, à l'évidence, en contradiction avec une jurisprudence traditionnelle de la Cour de Luxembourg qui vise à donner une réelle spécificité au droit communautaire. Mais en même temps, on peut comprendre que le Conseil d'État en réaffirmant la suprématie de la Constitution vise ainsi à tracer des limites au recours de plus en plus fréquent au contrôle de conventionnalité. En effet, ce « contrôle de conventionnalité des lois conduit le juge de l'excès de pouvoir, sur la pression des requérants qui invoquent de plus en plus fréquemment les normes internationales, à se livrer, par la voie de l'exception, à un contrôle du législateur dont la nature s'apparente à un quasi-contrôle de constitutionnalité » (Pascale Raynaud et Pascale Fombeur, Chronique, *AJDA*, 1998, p. 963).

242 Ces conséquences ultimes du processus de construction communautaire, sur la Constitution des États membres, montrent que l'on est bien au delà d'une simple organisation internationale. Une dimension constitutionnelle est aussi à l'œuvre. Cela suppose une conciliation des positions communautaire et nationale. On peut constater de ce point de vue un double mouvement, d'une part une constitutionnalisation de l'Union européenne, d'autre part une européanisation de la Constitution. C'est ce double mouvement qui permet aussi la conciliation de l'ordre juridique communautaire et de l'ordre juridique interne, au moins jusqu'à l'adoption de la Constitution pour l'Europe. Cela permettra, à terme, de

résoudre ce dilemme ultime d'une primauté matérielle du droit communautaire et d'une suprématie formelle de la Constitution.

Le processus de constitutionnalisation de l'Union européenne est en marche. Nous l'avons examiné dans le premier chapitre. Les traités actuels présentent déjà des aspects constitutionnels, mais en plus les État membres en dessinant l'avenir de l'Europe semble convaincu qu'il faut aller vers une Constitution européenne. La difficulté de concilier les ordres juridiques au regard de la Constitution vient en effet en partie de la différence normative entre un traité et une Constitution. Si les texte deviennent de même nature, la hiérarchie normative sera clarifier, comme dans un contexte fédéral.

243 Le processus d'européanisation de la Constitution est aussi en marche. Il a été rendu nécessaire pour permettre la ratification par la France du Traité sur l'Union européenne et des suivants, comme cela s'est aussi passé dans les autres États membres. S'il s'agit d'une exigence formelle incontournable, cette intégration de l'Union européenne dans la Constitution de la République française constitue une profonde mutation, sur le fond, du droit constitutionnel français. Les révisions constitutionnelles se sont multipliées, sur ce thème, ces dernières années : 1992, pour la ratification du traité de Maastricht sur l'Union européenne ; 1999, pour la ratification du traité d'Amsterdam ; 2003, pour le mandat d'arrêt européen. Ces révisions constitutionnelles, exigées par les décisions du Conseil constitutionnel, ont toujours été conçues de la même manière, c'est-à-dire de façon ponctuelle pour répondre précisément à des contradictions entre la Constitution et les stipulations des nouveaux traités. Il ne s'est pas agi d'une démarche globale et générale autorisant la France à participer à un processus, mais d'acceptations successives de transfert de souveraineté.

Néanmoins, il se produit bien une européanisation de la Constitution française à cette occasion qu'il est intéressant d'observer. La philosophie de la construction européenne est intégrée dans la Constitution à l'article 88-1 : « La République participe aux Communautés européennes et à l'Union européenne, constituées d'États qui ont choisi librement, en vertu des traités qui les ont instituées, d'exercer en commun certaines de leurs compétences ». Des transferts de compétence sont réalisés pour l'Union économique et monétaire et la mise en place de l'Euro, mais aussi pour la libre circulation des personnes et des domaines qui y sont liés : « Sous réserve de réciprocité et selon les modalités prévues par le Traité sur l'Union européenne signé le 7 février 1992, la France consent aux transferts de compétences nécessaires à l'établissement de l'union économique et monétaire européennes. Sous la même réserve et selon les modalités prévues par le Traité instituant la Communauté européenne, dans sa rédaction résultant du traité signé le 2 octobre 1997, peuvent être consentis les transferts de compétences nécessaires à la détermination des règles relatives à la libre circulation des personnes et aux domaines qui lui sont liés. La loi fixe les règles relatives au mandat d'arrêt européen en application des actes pris sur le fondement du Traité sur l'Union européenne » (article 88-2).

Les modalités des élections européennes et municipales sont modifiées : « Sous réserve de réciprocité et selon les modalités prévues par le Traité sur l'Union européenne signé le 7 février 1992, le droit de vote et d'éligibilité aux élections municipales peut être accordé aux seuls citoyens de l'Union résidant en France. Ces citoyens ne peuvent exercer les fonctions de maire ou d'adjoint ni participer à la désignation des électeurs sénatoriaux et à l'élection des sénateurs. Une loi organique votée dans les mêmes termes par les deux assemblées détermine les conditions d'application du présent article » (article 88-3).

La procédure parlementaire connaît des aménagements induits par le système décisionnel européen : « Le Gouvernement soumet à l'Assemblée nationale et au Sénat, dès leur transmission au Conseil de l'Union européenne, les projets ou propositions d'actes des Communautés européennes et de l'Union européenne comportant des dispositions de nature législative. Il peut également leur soumettre les autres projets ou propositions d'actes ainsi que tout document émanant d'une institution de l'Union européenne. Selon des modalités fixées par le règlement de chaque assemblée, des résolutions peuvent être votées, le cas échéant en dehors des sessions, sur les projets, propositions ou documents mentionnés à l'alinéa précédent » (article 88-4).

Cette introduction expresse de l'Union européenne dans le texte de la Constitution étend presque naturellement le contenu du bloc de constitutionnalité à certaines normes communautaires que le Conseil constitutionnel est tenu de faire respecter par le législateur. (Dominique Rousseau, *Droit du contentieux constitutionnel*, Montchrestien, 2001, p. 116). Il est d'ailleurs possible pour constater ce mouvement de citer plusieurs décisions intéressantes du Conseil constitutionnel (CC, 97-393 DC du 18 décembre 1997, *Rec*.p.320 ; CC, 98-400 du 20 mai 1998, *JO* 26 mai 1998, p. 8003). Dans une importante décision, le Conseil constitutionnel déduit de l'article 88.1 de la Constitution, l'émergence constitutionnelle que représente la transposition en droit interne des directives communautaires (CC, 2004-496 du 10 juin 2004 relative à la loi pour la confiance dans l'économie numérique). Il coopère ainsi à la mise en œuvre nationale de l'ordre juridique communautaire (v. H. Oberdorff, Le Conseil constitutionnel et l'ordre juridique communautaire : coopération et contrôle, *RDP* 2004, n° 4). Cette constitutionnalisation progressive de l'Union européenne montre que la qualité d'État membre de l'Union européenne induit de très nombreuses conséquences, y compris d'ordre constitutionnel (Thibaut de Berranger, *Constitutions nationales et construction communautaire,* LGDJ, 1995 ; Florence Chaltiel, *La souveraineté de l'État et l'Union européenne, l'exemple français, Recherches sur la souveraineté de l'État membre,* LGDJ, 2000).

### b) La primauté du droit communautaire et la loi, l'exemple français

244 Comment se présente, en France, la question de la primauté du droit communautaire sur la loi ? De manière générale, la loi nationale est soumise au droit communautaire en vertu des dispositions de l'article 55 de la Constitution : « Les traités ou accords régulièrement ratifiés ou approuvés ont, dès leur publication une autorité supérieure à celle des lois, sous réserve, pour chaque accord ou traité, de son application par l'autre partie ». Ces dispositions concernent le droit international public, en général, donc le droit communautaire en particulier avec néanmoins des spécificités déjà évoquées. En effet, le droit communautaire ne s'appuie pas sur le principe de réciprocité pour s'appliquer, compte tenu de son effet direct et de sa primauté sur le droit interne. Toutes les composantes du droit communautaire n'ont pas besoin d'une ratification ou d'approbation pour s'appliquer compte tenu de l'organisation du processus décisionnel communautaire auquel la France participe, comme c'est le cas pour le droit communautaire dérivé. La loi nationale subit donc l'impact de la totalité du droit communautaire. Cette primauté est admise aujourd'hui par l'ensemble des juridictions suprêmes nationales, chacune en fonction de ses compétences.

Le Conseil constitutionnel a une position particulière sur la question de la primauté du droit communautaire sur la loi, compte tenu de ses missions de contrôle. La Constitution lui donne aujourd'hui deux grandes missions, dans ce domaine. Il contrôle la conformité de la loi à la Constitution en vertu de l'article 61 de la Constitution. Il contrôle la conformité du traité à la Constitution en vertu de l'article 54. Il n'a pas la fonction de contrôler la conformité de la loi au traité international. Le Conseil constitutionnel a confirmé cette impossibilité constitutionnelle dans une importante décision de 1975 à propos de la loi sur l'interruption volontaire de grossesse (Décision n° 74-54 DC 15 janvier 1975, *GDCC* 2001, p. 300). Il s'est alors refusé à examiner la conformité de cette loi à la Convention européenne des droits de l'homme et des libertés fondamentales en considérant que cela n'entrait pas dans ses compétences constitutionnelles, en vertu de l'article 61. En revanche, il revient aux autres juridictions de mettre en œuvre l'article 55 en vérifiant la compatibilité ou non de la loi à la norme internationale en cause : « que dans le cadre de leurs compétences respectives, il incombe aux divers organes de l'État de veiller à l'application des conventions internationales ; que s'il revient au Conseil constitutionnel, lorsqu'il est saisi sur le fondement de l'article 61 de la Constitution, de s'assurer que la loi respecte le champ d'application de l'article 55, il ne lui appartient pas en revanche d'examiner la conformité de celle-ci aux stipulations d'un traité ou d'un accord international » (Décision 89-268 DC du 29 décembre 1989, *RFDA* 1990, p. 143). Ce refus de contrôle du Conseil constitutionnel va certainement évoluer en ce qui concerne le droit communautaire du fait de la constitutionnalisation de l'appartenance de la France à l'Union et aux Communautés européennes, comme nous l'avons vu plus haut, au moins pour les compétences européennes expressément évoquées dans la Constitution.

245 Le juge judiciaire, notamment la Cour de cassation, admet la prééminence du droit communautaire sur le droit interne, y compris la loi. La Cour de cassation se reconnaît comme juge de la compatibilité de la loi et de la norme internationale en général et de la norme communautaire en particulier. En vertu de l'article 55 de la Constitution, et en cas de contradiction elle fait prévaloir la norme communautaire sur la loi nationale antérieure ou postérieure à cette norme. Elle a décidé de cette position lors d'un important arrêt Jacques Vabre du 24 mai 1975 (Cass, Ch. Mixte, D. 1975, 497, concl. Touffait), abandonnant la « doctrine Matter » de son arrêt Querini du 7 janvier 1972 qui considérait que la loi

l'emportait sur le traité si elle était plus récente. Ce changement de jurisprudence s'est opéré dans le droit fil, la même année, de celle du Conseil constitutionnel. Il s'agit bien d'un contrôle de conventionalité de la loi à l'occasion d'un litige interne. Il ne s'agit pas de censurer la loi, mais d'examiner sa compatibilité avec une norme communautaire dans un contexte de hiérarchie normative qui donne une primauté au droit communautaire sur le droit interne.

246 Le juge administratif, notamment le Conseil d'État, a hésité plus longtemps à admettre la primauté totale de la norme communautaire sur la loi, en opérant une distinction entre la loi antérieure ou postérieure à la norme en question. Dans son arrêt du 1ᵉʳ mars 1968, Syndicat général des semoules de France (*Rec.* 149, *AJDA*, 1968,235, Concl. Questiaux), il considère que la loi fait écran entre la norme réglementaire nationale et la norme communautaire. Cette théorie de la loi-écran, combinée au respect de la loi par le Conseil d'État, a diminué, en matière de contentieux administratif, l'effet de la primauté du droit communautaire sur le droit interne. Le Conseil d'État adopte une nouvelle position avec le très important arrêt Nicolo du 20 octobre 1989 (*GAJA*, 2003, p. 695): « que les règles ci-dessus rappelées définies par la loi du 7 juillet 1977, ne sont pas incompatibles avec les stipulations claires de l'article 227-1 précité du traité de Rome ». Le Conseil d'État se considère maintenant juge complet de la compatibilité du droit interne avec le droit communautaire. Il admet donc bien la primauté du droit communautaire sur le droit interne, y compris la loi. Cette suprématie est complète et concerne l'ensemble du droit communautaire comme plusieurs jurisprudences en témoignent: pour le droit communautaire originaire (CE mai 1995 Ministre de l'équipement, des transports et du tourisme c/ SARL Der, *Rec.*192, *RDP* 1995, 1102); pour les règlements communautaires (CE 24 septembre 1990, Boisdet, *Rec.*251, *AJDA*, 1990, 863); pour les directives communautaires (CE Ass. 28 février 1992, SA Rothmans International France et SA Philip Morris France, *Rec.* 81, *AJDA* 1992, 210).

### c) La primauté du droit communautaire et le décret, l'exemple français

247 La primauté du droit communautaire sur les décrets pose beaucoup moins de questions. Elle s'applique naturellement compte tenu de la place des décrets dans l'ordre juridique interne. Une circulaire du Premier ministre, consacrée à la définition des politiques de la France en matière européenne rappelait, il y a quelques années, que le respect du droit com-

munautaire est une exigence constitutionnelle, car ce droit fait justement partie de notre État de droit. Les administrations nationales sont donc tenues de le respecter. Les décrets doivent donc se soumettre aux normes communautaires. Il revient au Conseil d'État de veiller à la légalité des actes réglementaires au regard du droit communautaire.

La Haute assemblée applique cette primauté et tous ses effets, y compris pour les directives : « Considérant. qu'il ressort clairement des stipulations de l'article 189 au traité au 15 mars 1957 que les directives du Conseil des communautés économiques européennes lient les États membres « quant au résultat à atteindre » ; que si, pour atteindre ce résultat, les autorités nationales qui sont tenues d'adapter leur législation et leur réglementation aux directives qui leur sont destinées, restent seules compétentes pour décider de la forme à donner à l'exécution de ces directives et pour fixer elles-mêmes, sous le contrôle des juridictions nationales, les moyens propres à leur faire produire leurs effets en droit interne, ces autorités ne peuvent légalement, après l'expiration des délais impartis, ni laisser subsister des dispositions réglementaires qui ne seraient plus compatibles avec les objectifs définis par les directives dont il s'agit, ni édicter des dispositions réglementaires qui seraient contraires à ces objectifs » (CE Ass. 3 février 1989 Alitalia *GAJA*, 2003, p. 695).

## 2. L'effet direct du droit communautaire

248 On dit d'un droit qu'il est effet direct, d'une part lorsqu'il crée des droits et des obligations dans les patrimoines juridiques, d'autre part lorsque son application peut être revendiquée, notamment devant un juge qui a l'obligation de le mettre en œuvre. En dehors du droit communautaire, cette notion d'effet direct apparaît aussi pour les conventions internationales consacrées aux droits de l'homme et aux libertés fondamentales.

Néanmoins, il ne peut y avoir vraiment d'effet direct en droit communautaire que si plusieurs conditions sont réunies : des dispositions claires et précises ; des dispositions complètes et juridiquement parfaites ; des règles inconditionnelles. C'est la réunion de ces trois conditions qui permet de donner un effet direct au droit communautaire originaire ou dérivé.

### a) L'effet direct des traités

Le droit communautaire originaire est d'effet direct sauf exception ou en l'absence des conditions substantielles pour permettre cet effet. On peut ainsi distinguer plusieurs catégories de stipulations des traités communautaires.

• *Les stipulations à applicabilité directe complète*

249 L'effet direct est complet dans la mesure où les stipulations s'appliquent non seulement dans les rapports d'État à particuliers, donc de manière verticale, mais aussi dans les rapports de particulier à particulier. Elles peuvent donc être invoquées à l'occasion d'un litige entre une personne publique et un particulier ou d'un litige entre des particuliers. Plusieurs exemples de ce type de stipulation peuvent être donnés.

C'est le cas dans le domaine des règles de concurrence applicables aux entreprises des articles 81 et 82 du TCE : « Sont incompatibles avec le marché commun et interdits tous accords entre entreprises, toutes décisions d'associations d'entreprises et toutes pratiques concertées, qui sont susceptibles d'affecter le commerce entre États membres et qui ont pour objet ou pour effet d'empêcher, de restreindre ou de fausser le jeu de la concurrence à l'intérieur du marché commun... » (art.81) ; « Est incompatible avec le marché commun et interdit, dans la mesure où le commerce entre États membres est susceptible d'en être affecté, le fait pour une ou plusieurs entreprises d'exploiter de façon abusive une position dominante sur le marché commun ou dans une partie substantielle de celui-ci » (art.82). Ces dispositions se prêtent par leur nature même à produire des effets directs dans les relations de particulier à particulier (CJCE 30 janvier 1974 BRT/SABAM, aff.127/73, *Rec*.51).

C'est aussi le cas pour les articles concernant la libre circulation des personnes (article 39) ou la libre circulation des services. Ils peuvent être invoqués par leurs bénéficiaires aussi bien à l'encontre des législations ou des réglementations nationales que des conventions collectives du travail ou des contrats de travail. Ainsi, il est aussi possible d'opposer à des fédérations sportives qui pratiquent des formes de discriminations au bénéfice des nationaux les dispositions du traité sur la libre circulation des travailleurs (CJCE 12 décembre 1974 Walrave, aff. 36/74 *Rec*. 1405).

De même, les dispositions de l'article 141 concernant l'égalité de rémunérations entre les hommes et les femmes pour un même travail sont d'applicabilité directe. Ce principe de prohibition de discrimination entre travailleur masculin et travailleuse féminine s'impose non seulement à l'action des autorités publiques qu'aux règles des conventions collectives du travail ou aux contrats de travail (CJCE 8 avril 1976 Defrenne, aff.43/75 *Rec.* 455).

• *Les stipulations à applicabilité directe limitée*

250 Les stipulations sont d'applicabilité directe limitée lorsqu'elles ne peuvent être invoquées par les particuliers que dans leur rapport à l'égard des États membres. Là encore, plusieurs exemples peuvent être donnés.

Les articles des traités qui contiennent, à l'intention des États ou des autorités publiques, des interdictions ou des obligations de ne pas faire sont d'applicabilité directe limitée : l'article 25 qui interdit les droits de douane à l'importation et à l'exportation ou taxes d'effet équivalent entre les États membres ; l'article 28 qui prohibe les restrictions quantitatives à l'importation ou les mesures d'effet équivalent ; l'article 29 qui prohibe les restrictions quantitatives à l'exportation ou les mesures d'effet équivalent ; l'article 31-2 qui interdit la confection de nouveaux monopoles nationaux à caractère commercial.

Il en est de même pour les obligations de faire qui ont aussi une applicabilité directe limitée comme : l'article 31-1 qui engage les États à aménager les monopoles nationaux présentant un caractère commercial, de telle façon que soit assurée, dans les conditions d'approvisionnement et de débouchés, l'exclusion de toute discrimination entre les ressortissants des États membres.

Ces obligations de faire ou de ne pas faire sont d'applicabilité directe pour les États et dans leurs rapports avec les particuliers, sous le contrôle du juge administratif ou judiciaire. Les États doivent mettre leur droit national en conformité avec les stipulations des traités communautaires.

• *Les stipulations sans effet direct*

251 Certaines stipulations des traités ne sont pas d'effet direct, notamment parce qu'elles ne sont pas suffisamment claires et précises, pas complètes et éventuellement conditionnelles. Plusieurs exemples peuvent éclairer cette catégorie de stipulations.

L'un d'entre eux est le plus parlant, les articles 87, 88 et 89 concernant les aides accordées par les États : « 1. Sauf dérogations prévues par le présent traité, sont incompatibles avec le marché commun, dans la mesure où elles affectent les échanges entre États membres, les aides accordées par les États ou au moyen de ressources d'État sous quelque forme que ce soit qui faussent ou qui menacent de fausser la concurrence en favorisant certaines entreprises ou certaines productions. 2. Sont compatibles avec le marché commun : a) les aides à caractère social octroyées aux consommateurs individuels, à condition qu'elles soient accordées sans discrimination liée à l'origine des produits, b) les aides destinées à remédier aux dommages causés par les calamités naturelles ou par d'autres événements extraordinaires, c) les aides octroyées à l'économie de certaines régions de la république fédérale d'Allemagne affectées par la division de l'Allemagne, dans la mesure où elles sont nécessaires pour compenser les désavantages économiques causés par cette division ».

Ces stipulations ne sont pas d'effet direct parce qu'elle distingue des aides compatibles et non compatibles et laissent une marge d'appréciation à la Commission pour les qualifier et éventuellement mettre en demeure les États de revenir sur des aides accordées. La Cour de justice considère que ces dispositions ne sont pas d'applicabilité directe et ne peuvent être invoquées directement devant une juridiction nationale (CJCE 22 mars 1977 Ianelli et Volpi, aff.74/76, *Rec.* 557).

### b) L'effet direct du droit communautaire dérivé

252 Le règlement communautaire est d'effet direct, ce qui découle clairement de l'article 249 du TCE : « Le règlement a une portée générale. Il est obligatoire dans tous ses éléments et il est directement applicable dans tout État membre ». Comme tel, « il confère aux particuliers des droits que les juridictions nationales ont l'obligation de protéger » (CJCE 14 décembre 1974 Politi/ ministère des Finances, aff.43/71, *Rec.*1039). En France, le Conseil d'État reconnaît bien l'effet direct des règlements (CE Sect. 22 décembre 1978 Syndicat viticole des Hautes-Graves de Bordeaux, *Rec.* 826, D.1979, 125, note P. Delvolvé ; *RTDE*, 1979, 717, Concl. Gevenois).

253 La directive est une norme plus originale sans équivalent dans les droits nationaux : « La directive lie tout État membre destinataire quant au résultat à atteindre, tout en laissant aux instances nationales la compé-

tence quant à la forme et aux moyens » (art. 249 TCE). Elle pose débat notamment en France sur la question de son effet direct en droit interne, dans la mesure où la Cour de justices des Communautés européennes et le Conseil d'État n'ont pas la même analyse de l'effet direct des directives, surtout lorsqu'elles n'ont pas fait l'objet d'une transposition en droit interne.

La Cour de justice, toujours soucieuse de faire prévaloir le droit communautaire sur le droit interne et de donner aux particuliers les moyens de faire reconnaître leurs droits devant les juridictions a reconnu aux directives comme aux décisions un effet direct vertical, c'est-à-dire dans les rapports entre les États et les particuliers, donc sans admettre un effet direct horizontal. Elle a adopté cette solution en 1970 pour les décisions (CJCE 6 octobre 1970, Franz Grad, *Rec.*825) et pour les directives (CJCE 17 décembre 1970, Société SACE, aff.9/70, *Rec.* 1213). Elle a confirmé cette approche dans d'autres jurisprudences par la suite, notamment sur la directive de 1964 concernant le déplacement et le séjour des étrangers : « si, en vertu des dispositions de l'article 189 (actuel 249), les règlements sont directement applicables et, par conséquent, par leur nature, susceptibles de produire des effets directs, il n'en résulte pas que d'autres catégories d'actes visés par cet article ne peuvent jamais produire d'effets analogues ; il serait incompatible avec l'effet contraignant que l'article 189 (actuel 249) reconnaît à la directive d'exclure en principe que l'obligation qu'elle impose puisse être invoquée par des personnes concernées ; particulièrement, dans le cas où les autorités communautaires auraient, par directive, obligé les États membres à adopter un comportement déterminé, l'effet utile d'un tel acte se trouverait affaibli si les justiciables étaient empêchés de s'en prévaloir en justice et les juridictions nationales empêchées de la prendre en considération en tant qu'élément du droit communautaire ; l'article 177, devenu l'article 233, qui permet aux juridictions nationales de saisir la cour de la validité et de l'interprétation de tous les actes des institutions, sans distinction, implique d'ailleurs que ces actes soient susceptibles d'être invoqués par les justiciables devant lesdites juridictions ; il convient d'examiner, dans chaque cas, si la nature, l'économie et les termes de la disposition en cause sont susceptibles de produire des effets directs dans les relations entre les États membres et les particuliers » (CJCE, 4 décembre 1974, Van Duyn, aff. 41/74, *Rec.* 1337, voir aussi CJCE 28 octobre 1975, Rutili, aff.36/75, *Rec.* 1219). La

CJCE ne fait pas une lecture littérale du traité, mais lui donne un effet utile au regard du but poursuivi par les institutions communautaires.

254  En France, le Conseil d'État est resté, au contraire, dans le cadre d'une lecture littérale de l'article 249 dans un arrêt très commenté (CE Ass. 22 décembre 1978, Ministre de l'Intérieur c. Cohn-Bendit, *Rec.* 524, *GAJA*, 2003, p. 648) en considérant qu'il faut bien distinguer, y compris dans leurs effets, les règlements et les directives, comme le traité le précise. Il n'admet pas l'effet direct des directives, y compris de l'État vers un particulier lorsque la directive n'a pas été transposée (CE Sect. 23 juin 1995, SA Lilly france, *Rec.* 257, *RFDA*, 1995, 1037, concl. Maugüé).

Néanmoins pour la CJCE, l'effet direct de la directive est loin d'être complet. « Un État membre qui n'a pas pris dans les délais les mesures d'exécution imposées par la directive, ne peut opposer aux particuliers le non accomplissement par lui-même des obligations qu'elle comporte » (CJCE, 5 avril 1979, Ratti, aff.148/78, *Rec.* 1629). La Cour se préoccupe plus d'une invocabilité de substitution à l'encontre d'un État défaillant que du principe de l'effet direct de la directive. Elle admet qu'une directive ne peut pas par elle-même créer d'obligations dans le chef d'un particulier (CJCE 14 juillet 1994, Faccini Dori, aff. 91/92 ; *Rec.* 3325). La justification de la position de la CJCE est de lutter contre la carence des États qui ne transposent pas en temps utile les directives. Cela la conduit à considérer que l'État défaillant était tenu de réparer les dommages découlant pour les particuliers de la non transposition d'une directive (CJCE 19 novembre 1991, Francovich et M^me Bonifaci, C-6/90 et C-9/90, *Europe*, décembre 1991, note D. Simon).

Ainsi, si la directive, avant sa transposition, est susceptible d'avoir un effet direct, il reste limité à un contexte pathologique dans lequel l'État ne procède pas en temps utile à la transposition de la directive. Elle peut avoir alors un effet direct vertical aussi bien à l'égard des États pour qu'ils procèdent à la transposition que pour les relations des États avec les particuliers. En l'absence de transposition ou de transposition incorrecte, la directive peut être invoquée par les particuliers concernés, soit par une invocabilité d'exclusion pour faire écarter l'application du droit national contraire à l'objectif de la directive, soit par une invocabilité de substitution pour faire appliquer le droit communautaire au lieu du droit national. En dehors de ces hypothèses, il n'y pas d'effet direct descendant, c'est-à-dire de l'État vers les particuliers, ni d'effet direct horizontal pour les relations de particulier à particulier.

# D. Les adaptations des États membres aux exigences de l'Union européenne

255 Si les États contribuent à gérer l'Union européenne, ils sont de leur côté soumis à ses exigences. Ils se sont engagés, en vertu de l'article 10 du traité de la Communauté européenne, « à prendre toutes mesures générales ou particulières propres à assurer des obligations découlant des traités ou résultant des actes des institutions de la Communauté. Ils facilitent l'accomplissement des missions de sa mission. Ils s'abstiennent de toutes mesures susceptibles de mettre en péril la réalisation des buts du traité ». Ils doivent, d'une part adapter l'ensemble de leur système politique, juridique, administratif et économique afin de prendre bien en compte leur appartenance à l'Union européenne, d'autre part mettre en œuvre de manière concrète le droit et les politiques communautaires. Ils pèsent sur eux des obligations de coopération loyale. « La mise en œuvre du droit communautaire par les États membres revêt une importance capitale. En effet, la Communauté ne dispose pas des compétences nécessaires à la mise en œuvre directe du droit communautaire au sein des États membres » (Jean-Paul Jacqué, déjà cité, p. 493). Elle doit donc compter sur le concours des États membres (pour aller plus loin sur ce sujet, voir Henri Oberdorff, « La France : État membre de l'Union européenne », in Gérard Duprat (s/d), *L'Union européenne, droit, politique, démocratie,* PUF, 1996, p. 81 ; Joël Rideau (s/d), *Les États membres de l'Union européenne, adaptations, mutations, résistances*, LGDJ, 1997 ; pour la France, Henri Oberdorff, *Les institutions administratives*, Armand Colin, 2004, n° 356 et s.).

## 1. La coopération des États membres et leur autonomie institutionnelle

256 Si la coopération des États membres est indispensable, elle repose sur une dialectique originale qui irrigue les relations de l'Union européenne et des États membres. L'Union européenne a besoin des États membres comme des relais d'exécution de son droit et de ses politiques. Elle ne dispose pas d'une infrastructure administrative suffisante pour procéder elle-même à cette mise en œuvre. Pour exister vraiment, l'Union euro-

péenne a besoin du loyalisme communautaire des États membres. Les États se sont engagés dans ce sens, notamment dans l'article 10 (TCE) déjà cité. Mais en même temps, les États membres disposent d'une autonomie institutionnelle et procédurale pour organiser cette mise en œuvre. Il existe ainsi un équilibre subtil entre le principe de coopération loyale et le principe d'autonomie institutionnelle.

257 Le principe de « loyauté communautaire », peu éloigné de la loyauté fédérale pratiquée dans les États fédéraux découle directement de l'article 10 (TCE). Il impose aux États de ne pas entraver l'effet du droit communautaire et de prendre toutes les mesures nécessaires à son application. A plusieurs occasions, la Cour de justice a rappelé les exigences de ce principe pour les États membres (CJCE, 21 septembre 1988 Commission c/ Grèce, aff. 68/88, *Rec*. 2965). Cette exigence pèse sur toutes les autorités des États membres y compris, dans le cadre de leurs compétences, sur les autorités juridictionnelles (CJCE, 10 avril 1984, Von Colson et Kamann, aff. 14/83, *Rec*.1891).

258 La Cour de justice des Communautés européennes reconnaît aussi très clairement dans sa jurisprudence, le principe de l'autonomie institutionnelle : « Lorsque les dispositions du traité ou des règlements reconnaissent des pouvoirs aux États membres ou leur imposent des obligations aux fins de l'application du droit communautaire, la question de savoir de quelle façon l'exercice de ces pouvoirs et l'exécution de ces obligations peuvent être confiés par les États membres à des organes déterminés relève uniquement du système constitutionnel de chaque État membre » (CJCE 15 décembre 1971 International Fruit Compagny, aff. 51 à 54/71, *Rec*.1116). « Chaque État membre est libre de répartir comme il le juge opportun les compétences sur le plan interne et de mettre en œuvre une directive au moyen de mesures prises par les autorités régionales ou locales » (CJCE 25 mai 1982 Commission c/ Pays-Bas, aff. 97/81, *Rec*.1833). Les États sont libres dans les modalités de mise en œuvre, à condition qu'ils utilisent cette autonomie dans l'objectif de cette mise en œuvre. D'ailleurs, les mesures nationales de mise en œuvre du droit communautaire relèvent du droit national et non du droit communautaire. C'est une compétence étatique propre et non pas une compétence déléguée exercée au nom de la Communauté.

La déclaration relative à l'application du droit communautaire, attachée au traité sur l'Union européenne présente très clairement à la fois cette autonomie institutionnelle et ses limites : « il est essentiel, pour la cohérence et l'unité du processus de construction européenne, que chaque État membre transpose intégralement et fidèlement dans son droit national les directives communautaires dont il est destinataire, dans les délais impartis par celles-ci. De plus, la conférence, tout en reconnaissant qu'il appartient à chaque État membre de déterminer la meilleure façon d'appliquer les dispositions du droit communautaire, eu égard aux institutions, au système juridique et aux autres conditions qui lui sont propres, mais, en tout état de cause, dans le respect des dispositions de l'article 249 (TCE), estime qu'il est essentiel pour le bon fonctionnement de la Communauté, que les mesures prises dans les différents États membres aboutissent à ce que le droit communautaire y soit appliqué avec une efficacité et une rigueur équivalentes à celles déployées dans l'application de son droit national ».

## 2. La mise en œuvre normative ou la transposition du droit communautaire

259 La mise en œuvre normative concerne surtout les directives qui nécessitent une transposition en droit interne pour produire des effets complets, comme nous l'avons vu plus haut. En effet le droit communautaire originaire et les règlements ont une applicabilité directe qui ne nécessite pas de mise en œuvre normative particulière. Cela n'est juridiquement pas impossible : « l'applicabilité directe d'un règlement ne fait pas obstacle à ce que le texte même du règlement habilite une institution communautaire ou un État membre à prendre des mesures d'application (CJCE 27 septembre 1979 Eridania, aff. 230/78, *Rec.*2749).

260 Au contraire, les directives, par leur nature même, nécessitent la collaboration normative des États membres. Il faut une activité normative complémentaire pour qu'elles puissent produire tous leurs effets. Les directives prescrivent : l'introduction de normes communautaires dans le droit national ; la suppression de normes nationales incompatibles avec le droit communautaire ; l'adoption de normes nationales complémentaires des objectifs de la directive. Cette intervention des autorités nationales est plus ou moins importante suivant le contenu de la directive, soit précise et détaillée, soit générale comme une disposition-cadre. Ainsi, chaque État a organisé, en fonction de ses pratiques constitutionnelles et administratives, des modalités spécifiques de transposition. En France,

plusieurs circulaires du Premier ministre ont successivement (1990, 1994, 1998) structuré la procédure de transposition des directives afin d'améliorer la qualité de la transposition, par exemple par la désignation, très en amont, d'un ministère chef de file de la transposition et les études juridiques permettant de définir précisément les exigences de la transposition. La transposition peut y être réalisée par plusieurs voies juridiques comme : la loi, l'ordonnance de l'article 38 de la Constitution ou le décret. L'article 88-4 de la Constitution, qui permet au Gouvernement d'associer le Parlement à la réflexion sur les projets d'actes communautaires, est aussi un moyen de préparer très en amont la transposition des directives communautaires par la loi (voir circulaire du Premier ministre du 19 juillet 1994 relative à la prise en compte de la position du Parlement français dans l'élaboration des actes communautaires).

La Commission européenne examine chaque année la manière dont les États opèrent la transposition des directives communautaires en droit interne et s'assure ainsi du niveau de la coopération des États membres à la mise en œuvre de ce droit. La France n'est pas l'un des États les plus respectueux de cette obligation de transposition.

### 3. La mise en œuvre administrative ou l'administration indirecte de l'Union européenne

261 La mise en œuvre administrative du droit et des politiques communautaires est un complément indispensable de la transposition normative. Il s'agit aussi en quelque sorte d'administrer l'Europe. Cette fonction administrative est partagée entre l'administration de la Commission et les administrations nationales. Pour distinguer leurs interventions, on parle, d'un côté d'administration directe, de l'autre d'administration indirecte.

En effet, les États membres n'ont pas souhaité créer une véritable administration européenne chargée de l'exécution du droit et des politiques communautaires, comparable à une administration fédérale. L'administration de la Commission est plus une administration de conception que d'exécution. Elle doit s'appuyer sur les administrations nationales. De cette manière, non seulement les États membres ont limité le coût financier de la construction communautaire, mais ont aussi gardé une certaine maîtrise de l'administration de l'Europe, comme le montre par ailleurs le processus dit de comitologie, évoqué plus haut (voir Henri Oberdorff, « Une communauté administrative pour l'Europe ou l'administration en réseaux », *Revue Politique et Management public*, n° 3, 1997, p. 1). Le développement de l'administration de la Commission, notamment par l'intermédiaire des agences européennes montre néanmoins que l'administration directe devient parfois indispensable pour une bonne administration de l'Union européenne. En plus, les administrations nationales n'ont pas toutes le même niveau de développement et de performance. Cela peut se constater dans les rapports de la Commission sur la situation des États en attente d'intégration, notamment sous l'angle de leur organisation administrative.

262 L'administration directe suppose une intervention directe des institutions communautaires et donc une liaison directe entre leurs administrations et les particuliers ou les entreprises. Sa pratique a été très fréquente dans le cadre du traité CECA, compte tenu de la nature même de ce traité, avec : les autorisations directes des ententes ou des opérations de concentration ; le prélèvement sur les entreprises, sorte d'administration fiscale à l'échelle de l'Europe ; contrôle du versement de ces prélèvements. Cette administration directe fonctionne aussi dans le traité CEEA, par exemple en ce qui concerne les contrôles de sécurité sur les installations nucléaires. Dans le cadre de la Communauté européenne, l'administration directe fonctionne dans le domaine du droit de la concurrence européenne. En effet, il revient à la Commission le soin de vérifier si les règles d'une saine concurrence sont respectées par les entreprises ou par les États lorsqu'ils aident les entreprises. Elle a souvent aussi à se prononcer directement sur les rapprochements entre les grandes entreprises lorsqu'ils risquent de fausser le jeu de la concurrence à l'échelle de l'Union européenne. D'autres secteurs fonctionnent dans le cadre de l'administration directe, comme par exemple certains programmes communautaires qui donnent à la Commission le pouvoir d'attribuer directement, sous son contrôle, des subventions à des opérateurs nationaux.

263 L'administration indirecte est beaucoup plus fréquente et repose sur l'intervention des administrations nationales qui ont la responsabilité de la mise en œuvre du droit et des politiques communautaires. Ainsi, les administrations des douanes nationales exercent de multiples attributions au bénéfice de l'Union et des Communautés européennes, comme : les prélèvements des droits de douanes reposant sur le tarif extérieur commun ; le prélèvement de la TVA à l'importation ; l'application et le contrôle aux frontières extérieures communes des réglementations concer-

nant les échanges et la politique commerciale commune ; l'attribution des licences d'importation ou d'exportation. Les administrations nationales de l'agriculture et de la consommation interviennent aussi pour : la répression des fraudes en matière agricole et alimentaire ; la gestion de l'organisation commune des marchés (achats, ventes, stockage ou retraits) ; la liquidation et le paiement des dépenses découlant de la politique agricole commune ; les paiements individuels aux agriculteurs et aux exportateurs de produits agricoles. Cette généralisation de l'administration indirecte suppose une bonne adaptation des administrations nationales à ces missions européennes, à cette forme particulière d'européanisation de ces administrations (voir Josseline de Clausade, *L'adaptation de l'administration française à l'Europe*, Documentation française, 1991 ; Jean-Luc Sauron, *L'administration française et l'Union européenne*, La Documentation française, 2000 ; voir Henri Oberdorff, *Institutions administratives*, Armand Colin, 2004, n° 356 et s.).

## 4. Le contrôle de l'application du droit communautaire par les États membres et la mise en jeu de leur responsabilité en cas de violation du droit communautaire

264  Administrer l'Europe exige aussi la mise en œuvre de contrôle de l'application du droit et des politiques communautaires, comme de la protection juridique des intérêts financiers de la Communauté européenne. Des sanctions sont parfois à prendre pour réaliser ce respect du droit et des politiques communautaires. Là encore, la distinction entre un contrôle direct et un contrôle indirect est pertinente. Cela dépend de l'arsenal répressif de l'Union et des Communautés européennes.

Le traité de la Communauté européenne prévoit ainsi quelques hypothèses où les institutions communautaires peuvent prendre des sanctions, par exemple à l'égard des entreprises, pour réprimer des infractions commises par rapport aux règles communautaires de la concurrence (article 83 § 2 TCE) ou réprimer de non respect des règlements et des décisions de la Banque centrale européenne (article 110 § 3 TCE). Divers règlements sont venus préciser ces hypothèses de sanctions communautaires directes. Néanmoins, si une exécution forcée se révèle indispensable, elle ne peut se réaliser que par l'intermédiaire des administrations ou des juridictions des États membres : « Les décisions du Conseil ou de la Commission qui comportent, à la charge des personnes autres que les États, une obligation pécuniaire forment titre exécutoire. L'exécution forcée est régie par les règles de la procédure civile en vigueur dans l'État sur le territoire duquel elle a lieu. La formule exécutoire est apposée, sans autre contrôle que celui de la vérification de l'authenticité du titre, par l'autorité nationale que le gouvernement de chacun des États membres désignera à cet effet et dont il donnera connaissance à la Commission et à la Cour de justice. Après l'accomplissement de ces formalités à la demande de l'intéressé, celui-ci peut poursuivre l'exécution forcée en saisissant directement l'organe compétent, suivant la législation nationale. L'exécution forcée ne peut être suspendue qu'en vertu d'une décision de la Cour de justice. Toutefois, le contrôle de la régularité des mesures d'exécution relève de la compétence des juridictions nationales » (article 256 TCE).

Là encore, le contrôle indirect l'emporte sur le contrôle direct par une sorte de division du travail entre les institutions communautaires et les administrations et les juridictions des États membres. Les systèmes de sanctions administratives ou pénales nationales sont à la disposition du droit et des politiques communautaires, comme d'ailleurs des droits nationaux. Il revient aux services nationaux d'agir en justice contre les particuliers pour réclamer les ressources communautaires ou récupérer les sommes indûment payées. « L'article 5 (actuellement 10) du traité CEE, en obligeant les États membres à prendre toutes mesures pour assurer l'exécution des obligations découlant des actes des institutions de la Communauté laisse aux États le choix des mesures appropriées y compris le choix des sanctions même pénales » (CJCE 2 février 1977 Amsterdam Bull, aff.50/76, *Rec.*137). En même temps, le droit pénal national, ainsi au service du droit communautaire, ne peut être utilisé comme un instrument juridique de création de mesures d'effet équivalent à des restrictions quantitatives ou qualitatives en matière de commerce intra-communautaire. « L'article 5 (actuellement 10) du traité CEE fait obligation aux États de veiller à ce que les violations du droit communautaire soient sanctionnées dans des conditions de fond et de procédure, analogues à celles applicables aux violations du droit national d'une nature et d'une importance similaire et qui, en tout état de cause, confèrent à la sanction un caractère effectif, proportionné et dissuasif » (CJCE 21 septembre 1989 Commission c/ Grèce, aff.68/88, *Rec.*2965).

La construction communautaire, tout en respectant l'autonomie institutionnelle et procédurale des États membres, appelle un renforcement du système de sanctions en cas de non respect du droit et des politiques communautaires qui suppose à terme la mise en place d'une forme de droit répressif communautaire. Dans un domaine proche, la mise en place d'un mandat d'arrêt européen va dans ce sens.

265 Indépendamment des sanctions susceptibles d'intervenir en cas de violations du droit communautaire, la responsabilité des États membres peut être engagée en cas de non respect du droit communautaire. Il faut en effet que les justiciables puissent disposer d'un droit à réparation des conséquences dommageables d'une infraction au droit communautaire, notamment par un État membre et ses autorités.

Il est ici important de rappeler, en se plaçant du côté français que : « Ce sont les juridictions nationales qui avaient anticipé sur l'évolution de la jurisprudence communautaire, en se prononçant en faveur de la reconnaissance d'un droit à une indemnisation, même si le fondement des solutions ainsi retenu n'était pas dépourvu d'ambiguïté » (Denys Simon, « Droit communautaire et responsabilité de la puissance publique, Glissements progressifs ou révolution tranquille », *AJDA* 1993, p. 236). Ce fut le cas, avec un arrêt de 1979, à propos de la rupture de l'égalité devant les charges publiques lorsque la violation du droit communautaire est la cause du préjudice (CE Sect. 7 décembre 1979 Société les Fils d'Henri Ramel, *Rec. Leb.* p. 457). Le Conseil d'État a poursuivi cette mise en cause de la responsabilité sans faute de la puissance publique par un arrêt (CE Ass. 23 mars 1984 Ministre du Commerce extérieur/ Société Alivar, *AJDA* 1984 p. 396) par lequel il affirme sa liberté vis-à-vis des arrêts de manquement prononcés par la Cour de Luxembourg et son autonomie dans le choix du régime de responsabilité qui à ses yeux « garde d'abord une dimension exclusivement nationale » (L. Potvin-Solis, *L'effet des juridictions européennes sur la jurisprudence du Conseil d'État*, LGDJ, 1999, p. 445).

L'arrêt de principe de la Cour de justice est l'affaire Francovich qui emploie les termes suivants : « Les États membres sont obligés de réparer les dommages causés aux particuliers par les violations du droit communautaire qui leur sont imputables » (CJCE 19 novembre 1991, C-9/90, Rec. I-5357, *Europe*, 1991, chron. Denys Simon). Il s'agit bien d'un principe général de responsabilité de l'État, indépendamment de l'organe de l'État qui est concerné directement par cette violation. Pour la Cour de justice, cela peut concerner aussi bien les organes des pouvoirs exécutif, législatif que judiciaire, mais aussi les collectivités décentralisées. Elle le précise de manière claire en ces termes : « le principe du droit à réparation « est valable pour toute hypothèse de violation du droit communautaire par un État membres, et quel que soit l'organe de l'État membre dont l'action ou l'omission est à l'origine du manquement. […] Aussi, la circonstance que le manquement reproché est au regard des règles internes imputable au législateur national, n'est pas de nature à remettre en cause les exigences inhérentes à la protection des droits des particuliers qui se prévalent du droit communautaire et, en l'occurrence, le droit d'obtenir réparation du préjudice causé par le manquement devant les juridictions nationales » (CJCE, 5 mars 1996, Brasserie du Pêcheur et Factortame III, C-46/93 et C-48/93, *Rec.* I-1029, *Europe*, 1996, chron. 5, Anne Rigaux, « Le roi ne peut mal en droit communautaire » : voir aussi, Denys Simon, « La responsabilité de l'État saisie par le droit communautaire », *AJDA*, 1996, p. 489). Ainsi, la Cour de justice des Communautés européennes encadre le régime juridique de la responsabilité des États pour violation du droit communautaire et soumet logiquement les régimes nationaux de responsabilité administrative à rude épreuve.

À partir de 1992, le Conseil d'État admet une meilleure prise en compte des manquements par l'État au droit communautaire, constatés ou non par la CJCE, avec l'arrêt Société Arizona Tobacco Products et SA Philip Morris Fr (CE Ass. 28 février 1992. *AJDA* 1992, p. 224 ; voir aussi CE 30 janvier 1995 Société Fourrures Maurice *DA* 1995 n°302 ; CE 26 novembre 1999 Société martiniquaise de concession req. n° 154053). Ce changement d'attitude semble largement dû à la jurisprudence Francovich de la Cour de justice.

De leur côté, les Cours administratives d'appel ouvrent une voie nouvelle par des décisions plus audacieuses en admettant la responsabilité plus directe de l'État en cas de défaut de transposition y compris par le législateur (CAA Nantes 20 juin 1991, SA Duault *Rec. Lebon* p. 740 ; CAA Paris 1er juillet 1992 Soc. Jacques Dangeville *AJDA* 1992 p. 768 ; CAA Paris 12 novembre 1992 Soc. John Walker and Ltd Tanquerray Gordon, *Rec.* p. 790), même si le Conseil d'État ne les a pas encore suivis sur ce terrain (CE 30 octobre 1996 Ministre du Budget/ Soc. Jacques Dangeville).

Une nouvelle étape est donc attendue, notamment par la doctrine, celle de l'engagement de la responsabilité pour faute de l'État législateur afin de tirer toutes les conséquences de la violation du droit communautaire par le législateur lui-même. Cette étape est techniquement dans le droit fil de la jurisprudence Nicolo, car « apprécier une loi comme n'étant pas compatible avec une norme qui lui est supérieure et qu'elle devrait respecter, c'est en faire ressortir l'irrégularité ; en d'autres termes, c'est reconnaître que le législateur a commis une faute » (René Chapus, *Droit administratif général*, Tome1, Montchrestien, 2001, p. 1380).

Or jusqu'à présent, le Conseil d'État n'admet éventuellement une responsabilité du législateur qu'exceptionnellement, d'une part sans faute, d'autre part en cas de rupture de l'égalité devant les charges publiques (CE 21 janvier 1998 Ministre de l'environnement c. M. Plan *RFDA* 1998 p. 568 ; CE Sect. 30 juillet 2003 Association pour le développement de l'aquaculture en région Centre, *RFDA* 2003, p. 1038). Cela ne correspond pas vraiment aux nécessités d'une forme nouvelle d'européanisation de la responsabilité administrative (Florence Chaltiel, « L'européanisation de la responsabilité administrative, de l'arrêt la Fleurette à l'arrêt des Cormorans », *RMC*, n° 475, 2004, p. 106).

En refusant pour l'instant d'aller au delà, le Conseil d'État ne tire donc pas encore toutes les conséquences de la primauté du droit communautaire, comme le suggérait l'avocat général Tesauro dans ses conclusions dans l'affaire Brasserie du pécheur : « dans l'arrêt Francovich, la Cour ne s'est pas bornée à laisser au droit national le soin de tirer toutes les conséquences juridiques découlant de la violation de la norme communautaire, mais a estimé que le droit communautaire imposait à l'État une obligation de réparation à l'égard du particulier ». Il serait regrettable que cette réticence de la Haute assemblée française aboutisse, en plus, par exemple à la mise en cause de la responsabilité de l'État du fait d'une violation du droit communautaire imputable à une juridiction suprême comme l'a récemment jugé la Cour de Luxembourg (CJCE 30 septembre 2003 Gerhrard Köbler/ Republik Österreich C-224/01). Ce dernier exemple montre le caractère de plus en plus pressant du droit communautaire sur le juge administratif au nom de l'État de droit dans l'espace européen.

On peut observer, ici aussi une influence considérable du droit communautaire sur le fond du droit public, notamment administratif pour la France, des États membres. Cet encadrement juridique communautaire, tout en se conciliant avec le principe d'autonomie institutionnelle et procédurale des États membres, ne peut être respecté que grâce à un réel dialogue des juges en Europe (Henri Oberdorff, « Le juge administratif français dans un environnement européen : du dialogue sans soumission ? », Communication au colloque du cinquantième anniversaire des tribunaux administratifs, Grenoble, 2004). Ce dialogue contribue à la confection d'un espace européen de liberté, de sécurité et de justice.

## II. Les moyens administratifs et financiers

266 L'histoire de la construction européenne montre une montée en puissance, contrôlée mais réelle des moyens administratifs et financiers de l'Union et des Communautés européennes. Ils lui donnent des capacités d'intervention. L'Union et les Communautés européennes disposent ainsi d'une administration et d'un budget. Cette administration européenne, riche en personnels et en structures, ne ressemble plus vraiment à celle d'une simple organisation internationale, mais pas encore à celle d'un État. Le budget communautaire qui repose sur des ressources propres et non des contributions des États membres donne à l'Union des moyens pour mener à bien des politiques européennes spécifiques, même si les États restent très prudents sur la question de l'augmentation des moyens financiers de l'Union.

### A. L'administration de l'Union et des Communautés européennes

267 Concernant l'administration européenne, les États membres ont fait un choix décisif qui induit de nombreuses conséquences. Ils n'ont pas souhaité doter les Communautés et l'Union européennes d'une administration fédérale, par exemple sur le modèle de celle des États Unis d'Amérique, mais plus d'une administration limitée en volume ayant plus des fonctions de conception que d'exécution. C'était le moyen pour eux d'en limiter la croissance, donc le coût, et de conserver au moment de l'exécution des décisions un droit de regard par la technique de la comitologie.

Ce choix de départ est resté la règle. Néanmoins, il connaît des exceptions qui s'expliquent pour des raisons de bonne administration globale de l'ensemble, comme on le voit avec le développement de services d'exécution, d'agences européennes ou de structures et d'institutions qui ne sont plus limités à la conception, du type de la Banque centrale européenne. La faiblesse de certaines administrations nationales explique aussi ces évolutions administratives européennes.

## 1. Le siège des Communautés et le régime linguistique

Des choix politiques ont été faits sur ces deux questions à la fois symbolique et stratégique. Ces choix manifestent clairement la nature et la finalité de la construction communautaire, une Union sans cesse plus étroite entre les États et des peuples.

### a) Le siège des Communautés

268 « Le siège des institutions de la Communautés est fixé d'un commun accord des gouvernements des États membres » (article 289 TCE). L'Union européenne n'a donc toujours pas de capitale, même si dans la pratique, notamment journalistique, il est fréquent d'évoquer Bruxelles comme lieu de décision européenne. Elle dispose simplement de plusieurs villes sièges de ses institutions. Lors du traité dit de fusion des institutions communautaires du 8 avril 1965, un compromis fut adopté : « Luxembourg, Bruxelles et Strasbourg demeurent des lieux de travail provisoire des institutions de la Communauté ». Lors du Conseil européen d'Édimbourg de décembre 1992, un accord a été réalisé sur la question des sièges pour apaiser ce qu'on a pu appeler les querelles des sièges. Mais, le choix de départ est globalement maintenu, pour essayer au fond de satisfaire de nombreux États membres toujours soucieux de disposer sur leur sol d'une institution ou d'une structure européenne. Lors du traité d'Amsterdam, un protocole sur la fixation des sièges des institutions et de certains organes et services des Communautés européennes, ainsi que d'Europol a été adopté.

Le Conseil européen se réunit, selon une tradition acceptée par tous les États membres dans une des villes de l'État membre qui préside pendant six mois l'Union européenne. Néanmoins, il a été décidé lors de la Conférence intergouvernementale de 2000 qu'à partir de 2002 une réunion par présidence se tiendra à Bruxelles et que toutes les réunions se tiendront à Bruxelles lorsque l'Union comptera au moins 18 membres.

Cette décision vise à rationaliser le fonctionnement de cette conférence au sommet, comme nous l'avons dit plus haut.

Le Conseil de l'Union se réunit à Bruxelles où siège son administration, à l'exception des mois d'avril, de juin et d'octobre où il siège à Luxembourg en vertu de l'article 1$^{er}$, § 3 du règlement intérieur du Conseil (dernière version *JOCE* n° L 149 du 23 juin 2000 p. 21). La Commission européenne a son siège à Bruxelles, sauf certains services qui siègent à Luxembourg. Le Comité économique et social et le Comité des régions siègent à Bruxelles.

La Cour de justice des communautés européennes, la Cour des comptes, la Banque européenne d'investissement ont leur siège à Luxembourg. Ces sièges font de cette ville la capitale juridique et financière de l'Union européenne.

Le Parlement européen reste dans une situation un peu nomade. En effet, il dispose de plusieurs lieux. Il a son siège à Strasbourg où se tiennent les douze périodes de sessions plénières mensuelles, y compris la session budgétaire. Il dispose dans cette ville de son propre palais. Les périodes de sessions plénières additionnelles se tiennent à Bruxelles, ainsi que les séances de commission peuvent aussi se dérouler à Bruxelles où le Parlement dispose aussi de locaux adéquats. Le secrétariat général du Parlement et ses services restent installés à Luxembourg. Ce nomadisme reste coûteux et préjudiciable au bon fonctionnement de l'assemblée, mais il s'explique surtout par le fait que Strasbourg n'est pas une capitale nationale et n'est donc pas doté de toutes les infrastructures correspondantes.

La Banque centrale européenne a son siège à Francfort. Cela s'explique en partie par la conception initiale de cette banque largement inspirée de la Banque fédérale allemande.

De nombreuses autres villes européennes sont aussi des sièges d'organes communautaires, notamment des agences, des observatoires ou des instituts de formation. On peut ainsi citer par exemple les villes suivantes : Florence (Italie), Dublin (Irlande), Bruges (Belgique), Londres (Royaume-Uni), Lisbonne (Portugal), Bilbao (Espagne) ou Angers (France).

### b) Le régime linguistique

269 Les traités de Rome ont été rédigés, à l'origine, en quatre langues, chacune des versions faisant foi : allemand, français, italien et néerlandais. Par la suite d'autres versions linguistiques sont intervenues avec : le danois,

l'anglais, le grec, l'espagnol, le portugais, le suédois, le finis. De nouvelles langues se sont ajoutées avec le nouvel élargissement : l'estonien, le lituanien, le letton, le hongrois, le maltais, le polonais, le tchèque, le slovène, le slovaque. Cela donne aujourd'hui 20 langues officielles, compte tenu de la langue officielle de certains États membres qui est partagée par un autre État comme la Belgique, le Luxembourg, l'Irlande, l'Autriche et Chypre.

La question linguistique n'est pas abordée en droit comme dans une organisation internationale classique avec le choix de certaines langues de travail, par exemple l'ONU ou le Conseil de l'Europe. Nous sommes en effet, en face d'une construction à inclinaison fédérale dans laquelle chaque État membre doit pouvoir affirmer sa spécificité, y compris linguistique. Donc, en droit, chaque langue officielle d'un État est une langue pratiquée dans l'Union européenne. Il n'y a donc pas de différence entre langue officielle et langue de travail au sein de l'Union. « Tout citoyen de l'Union peut écrire à toute institution ou organe dans l'une des langues visées à l'article 314 et recevoir une réponse rédigée dans la même langue » (article 22 TCE). Cette formulation du traité est d'ailleurs reprise dans la Charte des droits fondamentaux à l'article 41. Ainsi, le pluralisme linguistique est une donnée de base de la construction européenne.

Si cette option est satisfaisante sur le plan démocratique et culturel, il n'est pas certain qu'elle le soit sur le plan de la bonne administration de l'Union européenne, donc de son efficacité. En plus cette option a un coût financier très important en terme de traductions orales comme écrites des différents travaux de l'Union. Elle emploie un grand nombre de traducteurs (plus de 3000 emplois budgétaires) dans ses services. Elle génère un très gros volume de textes traduits. L'arrivée de nouveaux États dotés de langues spécifiques va automatiquement alourdir la question de la traduction.

Dans la pratique, des langues de travail apparaissent quand même sans être pour autant institutionnalisées. En effet, quelques langues sont plus utilisées que d'autres, comme l'anglais, l'allemand ou le français. Des pratiques linguistiques apparaissent dans certaines institutions. Ainsi le français est une langue de travail très utilisé au sein de la Cour de justice, tandis que l'anglais est très pratiqué au sein de l'administration de la Commission.

## 2. Les services administratifs et les personnels

### a) L'administration

270 L'administration des Communautés et de l'Union européennes présente quelques caractéristiques spécifiques. Il s'agit d'une administration multinationale dans laquelle se côtoient des ressortissants de chacun des États membres. S'il n'y a pas à proprement parler strictement de quota par nationalité, il existe néanmoins un certain équilibre des provenances nationales qui est réalisé lors des procédures de recrutement des personnels.

C'est une administration répartie entre l'ensemble des institutions et des organes, avec en conséquence une relative spécialisation fonctionnelle. Dans chacune des institutions, il existe une forte structuration administrative et hiérarchique. Cela est très évident, par exemple pour l'administration de la Commission divisée en directions générales, comme nous l'avons présenté plus haut. On peut dire que cette administration a plus des fonctions de conception et de contrôle que de gestion. Cette dernière fonction est normalement de la compétence des administrations nationales. Néanmoins, il semble que la nature des tâches évolue aussi vers la gestion, par exemple lorsqu'il s'agit de mettre en œuvre très concrètement des programmes (Tacis, Meda, Phare, aide humanitaire, reconstruction dans les États de l'ex-Yougoslavie). On peut aussi le constater au travers de la mise en place, de plus en plus fréquente, des Agences européennes.

Cette administration est géographiquement répartie dans de nombreuses villes européennes, même si une majorité des agents travaille à Bruxelles. Nous avons aussi déjà évoqué cette question des sièges des institutions. Cette administration est aussi présente au travers des délégations de l'Union européenne dans de nombreuses capitales dans le monde.

### b) La fonction publique communautaire

271 Les Communautés et l'Union européennes disposent d'une véritable fonction publique communautaire dotée d'un statut général depuis 1968 qui a remplacé les dispositions propres à chacune des institutions (règlement modifié du 29 février 1968, JOCE, n° L 56 du 4 mars 1968). La fonction publique européenne, dans son ensemble est hybride dans sa concep-

tion puisqu'elle emprunte ses caractéristiques aux deux modèles de fonction publique, elle est, en effet, à la fois une structure fermée pour les fonctionnaires et une structure ouverte pour les contractuels. En 1999, les Communautés et l'Union européennes employaient 30 500 fonctionnaires ou autres agents dont: 17 000 pour la Commission; 4 000 pour le Parlement; 2 500 pour le Conseil 4 500 pour les agences et centres de recherche; 2 500 pour les autres institutions et organes. Ces chiffres restent modestes si on les compare aux administrations nationales. « La fonction publique communautaire est relativement restreinte si on la compare à celle d'une ville comme Paris (56 000) » (Jean-Paul Jacquet, *Droit institutionnel de l'Union européenne*, Dalloz, 2001, p. 151).

La fonction publique communautaire regroupe plusieurs catégories de personnels au statut différent: les fonctionnaires, les contractuels de droit communautaire et les contractuels locaux.

• *Les fonctionnaires*

272 « Est fonctionnaire des Communautés au sens du présent statut toute personne qui a été nommée dans les conditions prévues à ce statut dans un emploi permanent d'une des institutions des Communautés par un acte écrit de l'autorité investie du pouvoir de nomination dans cette institution... (article 1er du statut). Il s'agit donc d'une fonction publique fermée reposant sur un recrutement par concours et sur le déroulement d'une carrière dans une institution.

Le recrutement s'effectue par concours. « Le recrutement doit viser à assurer à l'institution le concours de fonctionnaires possédant les plus hautes qualités de compétence, de rendement et d'intégrité, recrutés sur une base géographique aussi large que possible parmi les ressortissants des États membres des Communautés. Les fonctionnaires sont choisis sans distinction de race, de croyance ou de sexe. Aucun emploi ne doit être réservé aux ressortissants d'un État membre déterminé » (article 27 du statut). Des modes particuliers de recrutement sont possibles pour les fonctions de directeur général et de directeur. De manière générale, les concours sont ouverts aux citoyens communautaires. Il s'agit de concours sur épreuves ou sur titres, mais la plupart du temps sur épreuves et sur titres. Les concours sont soit propres à une institution, soit communs à plusieurs institutions.

À l'issue des épreuves, le jury du concours établit une liste d'aptitude sur laquelle il est possible de recruter les fonctionnaires. La réussite au concours n'induit pas automatiquement un recrutement, mais l'inscription sur la liste étant valable plusieurs années, les candidats ont de grandes chances d'être finalement recrutés. Certains États recrutent temporairement les candidats admis sur la liste d'aptitude pour leur permettre d'attendre un recrutement par une institution européenne. Ce type de politique permet une présence certaine de ressortissant du pays concerné dans les institutions européennes, comme c'est le cas des Britanniques.

Les fonctionnaires sont répartis en plusieurs catégories : A, pour les directeurs et les administrateurs ; B, pour les assistants ; C, pour les secrétaires ; D, pour les agents et les ouvriers. Chaque catégorie est elle-même divisée en grades, par exemple pour la catégorie A en 8 grades : A1, directeur général ; A2, directeur ; A3, chef de division ; A4, A5, administrateur principal ; A6, A7, administrateur ; A8 administrateur adjoint. Il existe un cadre spécial pour les fonctions linguistiques (LA).

Les fonctionnaires ont des droits et des obligations fixées par le statut. Ils doivent exercer leur fonction en toute indépendance, donc ne solliciter ou accepter d'instructions d'aucune autorité extérieure. Ils doivent s'abstenir de tout acte qui pourrait porter atteinte à la dignité de leur fonction et se comporter avec honnêteté et délicatesse. Ils sont soumis à des obligations d'obéissance et de loyauté. Ils disposent du droit d'association, du droit de se syndiquer et du droit de grève. La grille de rémunération est fixée par le Conseil sur proposition de la Commission. Le contentieux de la fonction publique communautaire est traité par la Cour de justice des Communautés européennes.

• *Les contractuels de droit communautaire et les contractuels locaux*

273 À côté des fonctionnaires, il existe aussi des contractuels. Les contractuels de droit communautaires sont soit des agents temporaires, soit des agents auxiliaires. Ils ne bénéficient pas du statut de fonctionnaires, mais se voient appliquer des règles relativement comparables. Les contractuels locaux ou les agents locaux sont recrutés et traités selon les règles du droit du travail en vigueur dans le pays ou ils sont recrutés, comme pour les délégations de l'Union européenne.

# B. Les finances communautaires

274 L'Union et les Communautés européennes disposent d'un budget spécifique, d'une part du fait de ses ressources propres qui ne sont plus de simples contributions des États membres à son fonctionnement, d'autre part compte tenu des dépenses qui correspondent à la réalisation de politiques communes. La problématique des finances communautaires évoque plus celle d'un État que d'une simple organisation internationale. Il est donc important d'examiner successivement, les éléments essentiels de cette problématique, les ressources et les dépenses du budget communautaire, en donnant un certain nombre d'exemples concrets.

## 1. La problématique des finances communautaires

L'Union et les Communautés européennes bénéficient de moyens financiers adaptés à leur mission. Il s'agit de traiter ici des procédures qui sont à l'œuvre sur le plan budgétaire. Elles obéissent à des principes relativement classiques en cette matière. L'Union et les Communautés européennes ont le souci exemplaire de maîtriser leurs dépenses et d'en contrôler efficacement leur mise en œuvre. Les États membres veillent à cette maîtrise. Mais, ils sont aussi vigilants à vérifier pour eux-mêmes les retombées des financements communautaires.

### a) Les éléments généraux d'organisation

Ces éléments généraux concernent tour à tour : la question des ressources propres et leur évolution en vertu des accords interinstitutionnels et des choix des États ; les principes budgétaires ; le processus d'adoption du budget.

• *Les ressources propres et les accords interinstitutionnels*

275 À l'origine, si la Communauté européenne du charbon et de l'acier était financée par des prélèvements directement perçus sur les entreprises, les autres Communautés (CEE et CEEA Euratom) dépendaient pour leur financement des contributions versées par les États membres selon une clef de répartition fixée par les traités de Rome. Ce mécanisme a été remplacé, à l'occasion d'une décision du Conseil du 21 avril 1970, par un système de ressources propres. C'est le traité de Luxembourg du 22 avril 1970 qui associe le Parlement européen au pouvoir budgétaire. Il est suivi du traité de Bruxelles du 22 juillet 1975 qui renforce les pou-

voirs du Parlement et crée la Cour des comptes. On est donc passé progressivement des contributions des États membres aux ressources propres des Communautés européennes englobées maintenant dans l'Union européenne. « Le budget est, sans préjudice des autres recettes, intégralement financé par des ressources propres. Le Conseil, statuant à l'unanimité sur proposition de la Commission et après consultation du Parlement, arrête les dispositions relatives au système des ressources propres de la Communauté dont il recommande l'adoption par les États membres, conformément à leurs règles constitutionnelles respectives » (article 269 TCE).

Le système financier repose aujourd'hui à la fois sur les stipulations budgétaires des traités et sur des accords interinstitutionnels qui régulent à moyen terme les relations et les positions financières des institutions. Ce sont ces accords qui ont souvent permis de mettre fin aux conflits institutionnels entre les deux branches de l'autorité budgétaire et aux querelles entre les États membres sur le développement du budget communautaire.

Ainsi, pour la période 1988-1992, le compromis « Paquet Delors 1 » a été finalisé par deux décisions du Conseil du 24 juin 1988 : l'une sur la question des ressources propres, l'autre relative à la discipline budgétaire. Un accord interinstitutionnel entre le Parlement, le Conseil et la Commission a été adopté le 29 juin 1988.

Pour la période 1993-1999, un compromis inspiré du « Paquet Delors 2 » est adopté au Conseil européen d'Édimbourg en décembre 1992. Il a été finalisé par deux décisions du Conseil du 31 octobre 1994, l'une sur les ressources propres, l'autre sur la discipline budgétaire. Un accord interinstitutionnel est adopté le 29 octobre 1993.

Pour la période 2000-2006, l'Agenda 2000 a été adopté, comme programme-cadre pluriannuel d'action, lors du Conseil européen de Berlin de 1999, accompagné d'un accord interinstitutionnel. La Commission européenne commence à travailler les questions budgétaires pour financer l'Europe à 25 pour la période 2007-2013.

• *Les principes budgétaires de l'Union européenne*

276 Les principes budgétaires de l'Union européenne sont très comparables à ceux qui sont appliqués au budget des États, c'est-à-dire les principes classiques du droit financier.

Il s'agit d'abord du principe d'annualité : « L'exercice budgétaire commence le 1ᵉʳ janvier et s'achève le 31 décembre » (Article 272 TCE). Il existe néanmoins des crédits pluriannuels pour de nombreuses opérations, cela permet de distinguer les crédits d'engagements (non limités aux seuls investissements) qui permettent de programmer une dépense pour plusieurs années, des crédits de paiement qui sont strictement annuels. Par ailleurs, le budget annuel est placé dans le cadre de perspectives financières pluriannuelles fixées dans les accords interinstitutionnels, déjà cités plus haut.

Il s'agit ensuite des principes d'unité et d'universalité : « Toutes les recettes et les dépenses de la Communauté, y compris celles qui se rapportent au Fonds social européen, doivent faire l'objet de prévisions pour chaque exercice budgétaire et être inscrites au budget. Les dépenses administratives entraînées pour les institutions par les dispositions du traité sur l'Union européenne relatives à la politique étrangère et de sécurité commune et à la coopération dans les domaines de la justice et des affaires intérieures sont à la charge du budget. Les dépenses opérationnelles entraînées par la mise en œuvre desdites dispositions peuvent, selon les conditions visées par celles-ci, être mises à la charge du budget. Le budget doit être équilibré en recettes et en dépenses » (Article 268 TCE). Il existe donc dorénavant, depuis 1994, un budget général de l'Union européenne. Cela n'empêche pas qu'il puisse y avoir à côté de ce budget général, des budgets annexés (comme pour l'Office des publications ou l'Office antifraude, annexés au budget de la Commission) ou des budgets autonomes pour des organismes à personnalité juridique distincte (comme les agences, observatoires ou fondations de l'Union européenne).

Il s'agit enfin du principe de spécialité. En vertu de ce principe, les crédits sont présentés de manière détaillée, par section, titre, chapitre et article et sont ouverts par chapitres permettant de regrouper les opérations par nature et par destination.

Le budget de l'Union européenne doit être équilibré en recettes et en dépenses (article 268 TCE). Il est intégralement financé par des ressources propres sans possibilité d'emprunt. Cet équilibre interdit aussi bien un déficit qu'un excédent.

• *L'adoption du budget de l'Union européenne*

277 L'article 272 fixe les règles concernant l'adoption du budget de l'Union européenne en répartissant le pouvoir budgétaire entre le fameux triangle institutionnel. Chacune des institutions de la Communauté dresse, avant le 1er juillet, un état prévisionnel de ses dépenses. Cela permet à la Commission d'élaborer un avant-projet de budget, accompagné d'un avis qui peut présenter des prévisions divergentes. Cet avant-projet comprend une prévision des recettes et une prévision des dépenses. Ensuite, le Conseil doit être saisi par la Commission de l'avant-projet de budget au plus tard le 1er septembre de l'année qui précède celle de l'exécution du budget. Il consulte la Commission et, le cas échéant, les autres institutions intéressées toutes les fois qu'il entend s'écarter de cet avant-projet. Statuant à la majorité qualifiée, il établit le projet de budget et le transmet au Parlement européen. Ce dernier doit être saisi du projet de budget au plus tard le 5 octobre de l'année qui précède celle de l'exécution du budget.

Le Parlement a le droit, à la majorité des membres qui le composent, d'amender le projet de budget et de proposer au Conseil, à la majorité absolue des suffrages exprimés, des modifications au projet en ce qui concerne les dépenses découlant obligatoirement du traité (dites dépenses obligatoires). Si, dans un délai de quarante-cinq jours après communication du projet de budget, le Parlement européen a donné son approbation, le budget est définitivement arrêté. Si, dans ce délai, le Parlement européen n'a pas amendé le projet de budget ni proposé de modification à celui-ci, le budget est réputé définitivement arrêté. Si, dans ce délai, le Parlement européen a adopté des amendements ou proposé des modifications, le projet de budget ainsi amendé ou assorti de propositions de modification est transmis au Conseil.

Le budget de l'Union est donc le résultat d'un compromis entre les trois grandes institutions, le Conseil, la Commission et le Parlement. Ce dernier peut apporter des amendements au projet de budget pour les dépenses non obligatoires, mais ne peut interférer que de manière plus modeste dans les dépenses obligatoires. Cette distinction revêt une grande importance dans la procédure budgétaire européenne. Les dépenses sont dites obligatoires lorsqu'elles « découlent obligatoirement du traité ou des actes arrêtés en vertu de celui-ci » (article 272-4), les autres dépenses sont alors non obligatoires.

Le débat budgétaire s'est apaisé grâce aux accords interinstitutionnels qui fixent, pour le moyen terme, les perspectives financières du budget de l'Union européenne, y compris le taux annuel d'augmentation des dépenses non obligatoires.

### b) La question de la maîtrise des finances communautaires

278 La maîtrise des finances européennes est devenue une préoccupation essentielle des institutions, comme des États membres, du fait de l'augmentation des compétences et des États membres. Cette maîtrise se réalise en amont comme en aval, d'une part grâce aux accords interinstitutionnels, d'autre part au travers du contrôle de l'exécution du budget et à la protection des intérêts financiers de l'Union européenne.

• *La discipline budgétaire et les perspectives financières*

279 L'accord interinstitutionnel entre le Parlement européen, le Conseil et la Commission, du 6 mai 1999, grâce à un encadrement pluriannuel pour la période 2000-2006, a comme objectifs : la discipline budgétaire au niveau communautaire ; l'amélioration de la procédure budgétaire annuelle ; la coopération interinstitutionnelle dans le domaine budgétaire.

Cet accord comprend deux types de dispositions : les perspectives financières, établissant des plafonds budgétaires pour les grandes catégories de dépenses de l'Union afin de garantir une évolution maîtrisée des dépenses, dans la limite des ressources propres disponibles ; des arrangements entre les institutions permettant d'améliorer le déroulement de la procédure budgétaire annuelle.

Cet accord organise, au travers de l'Agenda 2000, les conséquences financières de l'élargissement et du renforcement des politiques à l'Union européenne, tout en respectant un cadre financier rigoureux. Ces perspectives financières établissent, pour chaque année couverte (2000 -2006) et pour chaque rubrique des plafonds de dépenses en crédits pour engagements et en crédits pour paiements. Les institutions s'engagent à respecter ces plafonds au cours de chaque procédure budgétaire correspondante et au cours de l'exécution du budget de l'exercice concerné. L'agriculture et les actions structurelles continuent de représenter la partie la plus importante des dépenses prévues par les perspectives financières. La réforme de la politique agricole commune poursuivie dans le cadre de l'Agenda 2000 nécessite une augmentation initiale des dépenses agricoles, suivie par une stabilisation à la fin de la période (2006). Les dépenses pour les actions structurelles prennent une place différente dans le budget compte tenu des réorientations convenues des actions structurelles visant à la concentration géographique et thématique des interventions. Vu l'importance accordée à certaines politiques internes de l'Union (réseaux transeuropéens, recherche et innovation, éducation et formation, environnement, actions en faveur des petites et moyennes entreprises), cette rubrique des perspectives financières voit sa dotation financière augmenter progressivement pendant la période. Il en est de même pour les actions extérieures et les dépenses administratives. La rubrique, « Aide de pré-adhésion », est dotée d'un plafond de dépenses de 3,12 milliards d'euros par an. Cette dépense va évoluer à compter de l'entrée des candidats dans l'Union européenne en 2004.

Un cadre financier indicatif établi sur l'hypothèse d'une Union à 21 membres est également annexé à l'Accord et précise, en crédits pour engagements selon les rubriques concernées (agriculture, actions structurelles, politiques internes, administration), les dépenses supplémentaires qui devraient résulter de l'élargissement. Ce coût varierait de 6,45 milliards d'euros en 2002 à 16,78 milliards d'euros en 2006. Lors de l'élargissement de l'Union à de nouveaux membres, les perspectives financières seront adaptées afin d'y intégrer les dépenses supplémentaires correspondantes. Ces besoins seront couverts par les disponibilités réservées à cette fin dans les perspectives financières et, si nécessaire, par les ressources propres supplémentaires résultant de l'augmentation du produit national brut (PNB) communautaire suite à l'adhésion de nouveaux membres.

280 Concernant les ressources propres, une nouvelle décision a été adoptée par le Conseil du 29 septembre 2000, à l'invitation du Conseil européen de Berlin des 24 et 25 mars 1999 qui met en œuvre ses orientations en matière budgétaire : une augmentation du pourcentage des ressources propres « traditionnelles » retenu par les États membres pour couvrir les frais de perception ; une réduction du taux de TVA maximal ; un ajustement technique de la correction des déséquilibres budgétaires en faveur du Royaume-Uni ; un mode de financement de la correction britannique différencié par État. Cette décision est entrée en vigueur le 1ᵉʳ janvier 2002. Le taux d'appel maximal de la TVA fixé à 1 % pour 1999 est ramené à 0,75 % en 2002 et 2003, et à 0,50 % à partir de 2004. Quant à l'assiette maximale de la TVA à prendre en compte pour le calcul du taux d'appel, elle reste fixée à 50 % du PNB de chaque État membre. Le plafond des ressources propres est maintenu à 1,24 % du PNB de

l'Union, pour la période 2000-2006, même si des adaptations techniques sont prévues.

• *Le contrôle de l'exécution du budget et la protection des intérêts*
*financiers de l'Union européenne*

281 « Le système financier communautaire confie le contrôle de régularité à l'administration, le contrôle de gestion à la Cour des comptes et le contrôle politique au Parlement » comme le précise Luc Saïdj (*Finances publiques*, Dalloz, 3ᵉ éd. 2000, p. 321). Le budget de l'Union européenne doit être exécuté dans les meilleures conditions possibles dans un cadre général de co-administration, c'est-à-dire grâce à une étroite coopération entre l'administration et de la Commission et les administrations des États membres dont dépendent la très grande majorité des opérations de dépenses et de recettes. Il s'agit à la fois de contrôler la bonne exécution du budget et de lutter contre la fraude au budget communautaire.

La fraude au budget communautaire est un sujet de préoccupations des institutions européennes. Elle est chiffrée à moins de 2 % du budget communautaire par la Commission européenne, mais à plus de 10 % par (ou pour) certains États membres. Cette fraude concerne aussi bien les ressources (fraude aux droits de douane avec de fausses déclarations d'importations ou de faux transits) que les dépenses (fraude aux stockages, fraude à la comptabilisation des animaux, comme les vaches allaitantes virtuelles, fraude à l'identification des terrains, fonds social ou Feder).

Une lutte contre la fraude est prévue par le traité et organisée par des politiques spécifiques. En vertu de l'article 280 : « I. La Communauté et les États membres combattent la fraude et toute autre activité illégale portant atteinte aux intérêts financiers de la Communauté par des mesures prises conformément au présent article qui sont dissuasives et offrent une protection effective dans les États membres. 2. Les États membres prennent les mêmes mesures pour combattre la fraude portant atteinte aux intérêts financiers de la Communauté que celles qu'ils prennent pour combattre la fraude portant atteinte à leurs propres intérêts financiers. 3. Sans préjudice d'autres dispositions du présent traité, les États membres coordonnent leur action visant à protéger les intérêts financiers de la Communauté contre la fraude. À cette fin, ils organisent, avec la Commission, une collaboration étroite et régulière entre les autorités compétentes. 4. Le Conseil, statuant conformément à la procédure visée à l'article 251, arrête, après consultation de la Cour des comptes, les mesures nécessaires dans les domaines de la prévention de la fraude portant atteinte aux intérêts financiers de la Communauté et de la lutte contre cette fraude en vue d'offrir une protection effective et équivalente dans les États membres. Ces mesures ne concernent ni l'application du droit pénal national ni l'administration de la justice dans les États membres. 5. La Commission, en coopération avec les États membres, adresse chaque année au Parlement européen et au Conseil un rapport sur les mesures prises pour la mise en œuvre du présent article ».

En juin 2000, la Commission a mis sur pied un plan d'action de lutte antifraude pour la période 2001-2003 qui définit quatre défis : développer une politique antifraude globale ; renforcer une culture de coopération entre toutes les autorités compétentes ; collaborer au niveau interinstitutionnel pour prévenir et lutter contre la fraude et la corruption ; renforcer la dimension judiciaire pénale. L'Office de lutte antifraude (OLAF) est un important instrument de lutte. Il organise une meilleure exploitation des informations juridiques et opérationnelles propres à lutter contre ce phénomène de fraude. Des synergies entre la Commission, Eurojust, Europol, Interpol et les administrations spécialisées des États membres sont un atout supplémentaire pour réussir cette lutte contre la fraude (pour aller plus loin, voir Olivier Pirotte (s/d), La protection juridique des intérêts financiers de la Communauté européenne, Travaux de la CEDECE, Documentation française, 1997). La création, à terme, d'un procureur européen peut constituer une autre garantie de défense des intérêts financiers de l'Union européenne.

### c) Le budget communautaire et les États membres

282 Le budget de l'Union européenne bénéficie de ressources propres. Néanmoins, ces ressources proviennent des États membres et de leur dynamisme économique. Ainsi, en définitive, les États membres ne contribuent pas à la même hauteur au budget de l'Union européenne. Il est possible de faire un classement des États en fonction de l'importance de leur contribution.

• *La part relative de chaque État membre dans le financement du budget de l'Union européenne (budget 2003, en %)*
    Belgique, 3,8 ; Danemark, 2,1 ; Allemagne, 23 ; Grèce, 1,7 ; Espagne, 8,2 ; France, 17,3 ; Irlande, 1,3 ; Italie, 14,2 ; Luxembourg, 0,2 ; Pays-Bas, 6 ; Autriche, 2,3 ; Portugal, 1,5 ; Finlande, 1,5 ; Suède, 2,7 ; Royaume-Uni, 14,2.

Cela permet de relever que quatre États membres (Allemagne, France, Italie et Royaume-Uni) financent, même indirectement, 68,7 % du budget communautaire. L'Allemagne et la France contribuent à eux deux à financer 40,3 % du budget communautaire. On peut par ce simple constat financier mieux comprendre de nombreux enjeux géopolitiques de la construction européenne, par exemple, la place du couple franco-allemand. La contribution française au budget communautaire, en fonction du prélèvement sur recettes au profit des Communautés européennes est passée de 4,1 milliards d'euros en 1982 à 15,8 milliards d'euros en 2003 (dont 5,6 milliards pour la ressource TVA et 8,7 milliards pour la ressource PNB). Ainsi, la France consacre, en 2003, 6,3 % de ses recettes fiscales nettes au budget communautaire. Les nouveaux États membres, compte tenu de leur situation économique n'apporteront qu'une contribution modeste au budget communautaire.

• *Les retours communautaires vers les États membres*

283 Il existe un débat permanent sur la façon d'aborder les relations financières entre les États membres et l'Union européenne. Deux approches sont possibles, soit la solidarité entre les États, soit le juste retour.

L'approche par la solidarité consiste à considérer le budget communautaire comme un instrument de redistribution ou de répartition entre les États les plus riches et les États les moins développés pour que l'ensemble du territoire européen avance d'un même pas. Il s'agit de viser à une cohésion économique et sociale de l'Union européenne. Cette approche devrait s'accentuer avec l'entrée en 2004 de nouveaux États membres moins économiquement développés.

L'approche par le juste retour considère qu'un État qui contribue doit bénéficier en retour de fonds communautaires au moins équivalents à sa contribution. Cette approche est plus réaliste, la redistribution n'est alors plus que thématique. Cette question du juste retour éclaire certaines des positions politiques des États membres comme : la position britannique concernant sa propre contribution et sur le devenir de l'Union européenne ; la position de la France dans son attachement à la politique agricole commune ; la position allemande qui considérant l'Union européenne comme une charge financière trop lourde pour son propre budget. Il est possible de classer les pays en fonction du solde entre leur contribution et le retour.

Le classement des pays en fonction de leur participation au budget de l'Union européenne et des retours communautaires
(Solde net par État membre - Budget 2000)

**Les pays fortement bénéficiaires du budget communautaire**

|  | Contribution % | Retour % | Solde en Euros |
|---|---|---|---|
| Espagne | 7,3 | 13,7 | + 4,3 milliards |
| Grèce | 1,5 | 7 | + 4,1 milliards |
| Portugal | 1,4 | 4,1 | + 2 milliards |
| Irlande | 1,2 | 3,3 | + 1,5 |

**Les pays en équilibre**

|  | Contribution % | Retour % | Soldes en Euros |
|---|---|---|---|
| Finlande | 1,4 | 1,7 | – 137,9 millions |
| Luxembourg | 0,2 | 0,1 | – 105,4 millions |
| Italie | 12,5 | 13,6 | – 289,7 millions |
| Autriche | 2,4 | 1,7 | – 721,7 millions |

**Les pays contributeurs nets**

|  | Contribution % | Retour % | Soldes en Euros |
|---|---|---|---|
| Royaume Uni | 15,8 | 9,8 | – 6,181 milliards |
| Pays-Bas | 6,2 | 2,8 | – 3,3 milliards |
| France | 16,5 | 15,4 | – 2,4 milliards |
| Suède | 3 | 1,5 | – 1,4 milliard |
| Belgique | 3,9 | 2,5 | – 1,4 milliard |

**Les pays fortement contributeurs**

|  | Contribution % | Retour % | Soldes en Euros |
|---|---|---|---|
| Allemagne | 24,8 | 12,8 | – 11 milliards |

Pour la France, il est facile de constater qu'elle bénéficie d'importants retours au titre des politiques communautaires. En 2001, la France a bénéficié de 22 % des dépenses agricoles communautaires, pour un taux de contribution moyen au budget de 17,6 %. La France reste le premier bénéficiaire de la politique agricole commune, loin devant l'Espagne (14,7 %), l'Allemagne (14 %), l'Italie (12,7 %) et le Royaume-Uni (10,4 %). Pour 2000, en ce qui concerne la politique structurelle, la France a bénéficié de 9,1 % des dépenses européennes au titres des fonds structurels et pour les politiques internes de 13,1 % des dépenses européennes. Globalement, elle est un contributeur net au budget de l'Union européenne. Cette distribution des contributions et des retours au sein de l'Union européenne va connaître nécessairement des évolutions importantes dans une Europe à 25, compte tenu des différences de situations économiques et financières entre les anciens et les nouveaux membres.

## 2. Les ressources du budget communautaire

284 Jusqu'à la réforme de 1970, les ressources communautaires reposaient essentiellement sur les contributions des États membres. Elles sont devenues résiduelles et correspondent à des actions non directement liées au budget communautaire. Nous sommes maintenant en présence de ressources propres, à caractère fiscal, affectées automatiquement au budget de l'Union européenne. Ces ressources reposent aujourd'hui sur la décision du Conseil du 29 septembre 2000 relative au système des ressources propres des Communautés européennes (2000/597/CE, Euratom). Cette décision prévoit un montant maximum des ressources propres qui est, depuis 1999, de l'ordre de 1,27 % du PNB communautaire. On distingue aujourd'hui quatre types de grandes ressources.

### a) Les ressources agricoles

285 Ces ressources sont de deux ordres. Elles sont directement affectées au budget communautaire, après la retenue des frais de perception par les États membres (de 25 % depuis 2001). Ces ressources agricoles sont en diminution et ne représentent qu'une petite partie des recettes communautaires. Les prélèvements agricoles sont une forme de droits de douane perçus sur les produits agricoles en provenance de pays non membres de l'Union afin d'amener leurs prix au niveau de ceux pratiqués dans l'Union européenne. Ils visent à favoriser la préférence communautaire en faisant supporter une charge particulière aux pays qui s'approvisionnent sur d'autres marchés que celui de l'Union européenne. Ces prélèvements agricoles varient en fonction de l'autosuffisance alimentaire européenne et de l'évolution du marché agricole mondial. Les cotisations sur le sucre sont versées par les producteurs pour faciliter l'écoulement des produits dans le cadre de l'organisation des marchés.

Ces ressources agricoles représentent, pour le budget 2004, 1,2 milliard d'Euros, c'est-à-dire 1,2 % des recettes du budget communautaire.

### b) Les droits de douane

286 Ils sont directement affectés au budget communautaire, après la retenue des frais de perception par les États membres (de 25 % depuis 2001). Ces droits sont en diminution et ne représentent qu'une petite partie des recettes communautaires, compte tenu de l'organisation mondiale du commerce, issue des accords de Marrakech de 1994, mais aussi des accords passés par l'Union européenne avec des États tiers, soit dans le cadre de partenariats commerciaux ou de la confection de nouveaux espaces économiques, comme l'Espace économique européen.

Ces droits de douane sont prélevés sur les produits non agricoles en provenance d'États non membres de l'Union européenne en vertu du tarif douanier commun à l'Union européenne. Ils représentent, pour le budget 2004, 10,15 milliards d'Euros, soit 10,2 % des recettes du budget communautaire.

### c) La ressource TVA

287 Cette ressource a été conçue à l'origine comme une ressource d'équilibre du budget communautaire dans la décision du Conseil de 1970 : « le solde du budget sera financé par des ressources provenant de la TVA et obtenu par l'application d'un taux qui ne peut dépasser 1 % à une assiette déterminée de manière uniforme par les États selon les règles communautaires ». Cette ressource TVA est le produit résultant d'une fraction des ressources TVA de chaque État membre.

Pour déterminer la contribution de chaque État membre, on applique à une assiette uniforme, un taux fixé annuellement par les autorités communautaires dans la limite d'un plafond fixé à 1 %, porté à 1,4 % en 1986, mais qui, depuis 1995, décroît progressivement pour revenir à 1 % en 1999, 0,75 % en 2002 et 0,50 % en 2004 (voir la décision du Conseil du 29 septembre 2000). L'assiette prise en compte pour chaque pays a été successivement plafonnée à 55 % du PNB de 1986 à 1994, à 50 % depuis 1995 pour les pays les plus pauvres et depuis 1999 pour les autres. C'est en grande partie au travers de la ressource TVA que s'opère la correction des déséquilibres budgétaires accordée au Royaume-Uni et pris en charge par les autres États membres (voir l'article 4 de la décision du Conseil de 2000).

Cette ressource représente, pour le budget 2004, 14,3 milliards d'Euros, soit 14,4 % des recettes du budget communautaire (alors que jusqu'en 1994, elle représentait plus de la moitié des recettes).

### d) La ressource PNB

288 Cette ressource PNB a été imaginée par la Commission, à l'occasion de ses rapports « Réussir l'acte unique » et « Le financement des Communautés » de 1987. Cette ressource a été créée, en 1988, à l'occasion du Conseil européen de Bruxelles et de l'accord interinstitutionnel. Elle est en œuvre depuis le 1er janvier 1989. Là encore, elle était prévue à l'origine comme un moyen de réduire les difficultés du budget communautaire face à l'augmentation de ses charges. Mais, au fil du temps, elle est devenue la plus importante des ressources communautaires.

Elle est calculée par l'application d'un taux, fixé dans le cadre de la procédure budgétaire compte tenu de toutes les autres recettes, à la somme des PNB de tous les États membres. Le PNB est défini comme le RNB pour l'année aux prix du marché, tel qu'il est déterminé par la Commission en application du SEC 95, conformément au règlement (CE) n° 2223/96. Cette ressource représente, pour le budget 2004, 73,2 milliards d'Euros, soit 73,4 % des recettes du budget communautaire.

Au-delà de ces quatre grandes ressources, on trouve des ressources plus modestes qui proviennent de : l'impôt sur le revenu des fonctionnaires de l'Union européenne, les rémunérations des prêts et des services rendus, les produits de placement, les amendes et les astreintes.

### 3. Les grandes dépenses du budget communautaire

289 Il est important d'observer les grandes dépenses en prenant les chiffres du budget général de l'Union européenne pour 2004. Ce budget s'élève à 111 milliards d'Euros en crédits pour engagements et 99,7 milliards d'Euros en crédit pour paiements. Le total des crédits pour paiements représente 0,98 % du revenu national brut de l'Union européenne à 25 États membres. La Commission européenne souhaite faire évoluer ce budget pour que l'Union européenne réponde mieux à ses fonctions en proposant une augmentation des dépenses de 40 % en dix ans. Les États souhaitent pour leur part au contraire éviter une trop forte augmenta-

tion de ce budget. Cette différence d'approche est le résultat de logiques elle-même différentes.

290 En 2004, la dépense la plus importante concerne toujours l'agriculture. Elle s'élève à 46,7 milliards d'Euros en crédits pour engagements, soit 42,7 % des dépenses européennes (en crédits pour engagements), pour le Fonds européen d'orientation et de garantie agricole, section garantie, d'une part pour les dépenses strictement agricoles (40,2 milliards d'Euros), d'autre part pour le développement rural et les mesures d'accompagnement. Même si le poids financier de la PAC diminue dans le budget communautaire, elle reste considérable et induit de nombreuses conséquences sur l'évolution des autres politiques de l'Union européenne. On peut ainsi constater l'effet durable du compromis initial de Messine entre les fondateurs des Communautés européennes autour des deux thèmes de l'agriculture et du marché commun.

291 La deuxième grande série de dépenses concerne les actions structurelles. Elle s'élève à 41 milliards d'Euros en crédits pour engagement, soit 37,27 % des dépenses européennes. Cela comprend la politique régionale européenne (objectif 1 avec 25,4 milliards d'Euros; objectif 2 avec 3,6 milliards d'Euros; objectif 3 avec 3,8 milliards d'Euros), les initiatives communautaires (2,1 milliards d'Euros) et le fonds de cohésion (5,6 milliards d'Euros).

292 La troisième grande série de dépenses concerne les politiques internes. Elle s'élève à 8,6 milliards d'Euros en crédits pour engagement, soit 7,74 % des dépenses européennes. Cela comprend un très grand nombre de politiques, comme notamment : recherche et développement technologique (4,8 milliards d'Euros); éducation, formation professionnelle et jeunesse (705 millions d'Euros); réseaux transeuropéens (777 millions d'Euros); environnement (268 millions d'Euros); marché intérieur (220 millions d'Euros).

293 La quatrième grande série de dépenses concerne les actions extérieures. Elle s'élève à 5,1 milliards d'Euros en crédits pour engagements, soit 5 % des dépenses européennes. Cela comprend un très grand nombre d'actions, comme notamment : l'aide alimentaire (419 millions d'Euros), l'aide humanitaire (490 millions d'Euros), la coopération avec les pays en développement d'Asie (616 millions d'Euros), la coopération avec les pays en développement d'Amérique latine (312 millions d'Euros); la coopération avec les pays d'Afrique australe et d'Afrique du Sud (134 millions d'Euros), la coopération avec les pays méditerranéens, Proche et Moyen

Orient (842 millions d'Euros), l'assistance aux États partenaires d'Europe orientale et d'Asie centrale (535 millions d'Euros), la coopération avec les pays des Balkans (674 millions d'Euros). Ces dépenses montrent le souci de l'Union européenne d'avoir une véritable politique de coopération internationale et d'aide au développement.

294 La cinquième grande série de dépenses concerne les aides de pré adhésion. Elle s'élève à 1,7 milliards d'Euros en crédits pour engagements, soit 1,53 % des dépenses européennes. Elle diminue fortement dans la mesure où dix des États concernés sont devenus des États membres de l'Union européenne.

295 La sixième grande série de dépenses concerne les dépenses administratives. Elle s'élève à 6 milliards d'Euros en crédits pour engagements, soit 5,4 % des dépenses européennes. Elle prévoit, en plus cette année, les dépenses découlant de la préparation des institutions à l'élargissement autant en infrastructures qu'en personnel. La part financière de l'administration de l'Union reste maîtrisée.

## III. Les compétences de l'Union et des Communautés européennes

296 Les compétences européennes ont été augmentées successivement à chaque traité, même si les États ont pris soin de les encadrer par les principes de subsidiarité et de proportionnalité, pour éviter les débordements d'intervention européenne. La question des compétences est au cœur de la construction de Communauté européenne d'abord, et de l'Union européenne ensuite. En effet, il s'agit d'une répartition des champs d'action entre les États membres et l'Union européenne. Elle traduit le choix des États de confier, de déléguer et de transférer des compétences nationales à un niveau supranational considéré comme plus apte à les exercer. Ce transfert de compétences a d'ailleurs été considéré, par exemple par le Conseil constitutionnel français en 1992, comme une atteinte aux conditions essentielles de l'exercice de la souveraineté, nécessitant une révision de la Constitution. Au même moment, dans d'autres États membres, un raisonnement similaire est intervenu et a justifié des révisions constitutionnelles. Cette démarche de répartition des compétences est de nature politique, comme cela se trouve être le cas dans les États fédéraux.

297 Les politiques communautaires constituent des instruments efficaces d'intégration. Elles distinguent les Communautés européennes des autres organisations internationales. Elles s'approchent d'un mouvement de nature fédérale comme le montre bien l'adoption d'une monnaie unique l'euro que partage aujourd'hui 12 États membres de l'Union européenne. Ces politiques communes permettent la confection réelle d'un grand marché intérieur fondé sur le libéralisme économique. Elles recherchent aussi une meilleure cohésion économique et sociale sur le territoire européen. Ces politiques ne sont possibles que grâce à une répartition des compétences entre l'Union européenne et les États membres. Cette répartition des compétences repose aujourd'hui en partie sur le principe de subsidiarité tel qu'il a été énoncé expressément par le Traité sur l'Union européenne de 1992.

Cette question de la répartition des compétences est au cœur de la réflexion actuelle sur la Constitution européenne. Le projet proposé par la Convention sur l'avenir de l'Europe introduit dans le texte de cette Constitution une partie III justement consacrée aux politiques de l'Union, donc à une description des compétences. De son côté le titre III de la première partie fixe les principes fondamentaux régissant les compétences de l'Union en distinguant les compétences exclusives, les compétences partagées et les compétences complémentaires ou d'appui. On peut ainsi vérifier le caractère crucial de la question de la répartition des compétences, d'une part elle légitime la construction européenne, d'autre part elle respecte l'action publique interne des États membres.

Au fur et à mesure de la construction européenne et de ses traités, les compétences des Communautés et de l'Union européennes se sont accrues par strates successives. L'augmentation des compétences est ainsi due à l'Acte unique et aux traités de Maastricht, d'Amsterdam et de Nice.

298 Aujourd'hui, quelques remarques générales peuvent être faites sur la question de la répartition des compétences. Les traités actuels ne précisent pas la nature des compétences. Il est possible néanmoins de la déduire, soit d'une interprétation des traités, comme l'a fait la Cour de justice dans sa jurisprudence, soit des différents travaux de la Commission européenne, par exemple, sa communication sur le principe de subsidiarité qui s'efforce de définir des blocs de compétence.

Cette répartition est actuellement très différente de celle d'un État fédéral. En effet, on est dans une sorte de fédéralisme à l'envers. Les principales compétences de souveraineté, sauf la monnaie, continuent d'appartenir aux États membres ou restent dans le domaine de la coopération intergouvernementale, et non de l'intégration communautaire (défense, diplomatie, police et justice…). À l'inverse des compétences plus modestes peuvent relever surtout de l'Union européenne, par exemple dans le domaine économique et social. Cette situation est très différente d'un État fédéral, comme celle des États-Unis.

En revanche, les compétences des Communautés et de l'Union européenne ont régulièrement augmenté par la volonté des États membres, soit de manière expresse lors des révisions des traités, soit de manière implicite en acceptant que les institutions communautaires développent des politiques dans des secteurs au bénéfice de l'Europe. Paradoxalement, les États semblent se plaindre de cet accroissement des compétences européennes, tout en contribuant aussi à leur croissance, lors de l'adoption de nouveaux traités. Pour limiter cette augmentation, ils ont décidé d'introduire dans les traités, au moment du traité sur l'Union européenne, de manière expresse le principe de subsidiarité.

## A. Le principe de subsidiarité et ses effets

299 Le principe de subsidiarité est à l'origine un principe philosophique issu de la réflexion d'Aristote pour qui « la société se compose de groupes emboîtés les uns dans les autres, dont chacun accomplit des tâches spécifiques et pourvoit à ses propres besoins ». Pour lui, « chaque groupe travaille à répondre aux besoins insatisfaits de la sphère immédiatement inférieure en importance » (Chantal Millon-Delsol, *Le principe de subsidiarité*, PUF, 1993, p. 10). Cette forme de distribution des rôles entre les citoyens et la cité ou les personnes et la société est reprise par la suite par Saint Thomas d'Aquin dans une approche chrétienne, mais c'est la même logique qui est à l'œuvre. La « Politica » d'Althusius (juriste allemand du début du XVIIe siècle), la suppléance libérale ou le fédéralisme de Proudhon ont poursuivi le perfectionnement du principe de subsidiarité. Ce principe est par exemple actuellement à l'œuvre dans la loi fondamentale allemande. Plusieurs dispositions de cette Constitution sont très éclairantes de ce point de vue : « Dans ce domaine (de

la compétence législative concurrente), la Fédération a le droit d'intervenir lorsque et pour autant que la réalisation de conditions de vie équivalente sur le territoire fédéral ou la sauvegarde de l'unité juridique ou économique dans l'intérêt de l'ensemble de l'État rendent nécessaire une réglementation législative fédérale » (article 72-2 de la loi fondamentale).

L'introduction expresse du principe de subsidiarité dans le traité sur l'Union européenne tient, d'une part à des raisons conjoncturelles de négociation du traité, d'autre part à des raisons structurelles de recherche d'une plus grande légitimité de la construction européenne. En effet, il fallait répondre aux soucis de certains États, comme la Grande-Bretagne et l'Allemagne, de freiner une forme d'expansionnisme européen, notamment de la Commission européenne. C'est l'époque où le Chancelier Helmut Kohl parle de « furie réglementaire » de la Commission européenne. La subsidiarité qui est alors évoquée, est une subsidiarité négative. Il s'agit de limiter l'Europe par rapport aux compétences des États membres. L'aspect structurant de l'introduction du principe de subsidiarité vise à mieux affirmer la légitimité européenne en justifiant plus convenablement l'intervention européenne. C'est l'aspect positif de ce principe. En juridicisant ce principe dans le traité, les États membres ont adopté une démarche constitutionnelle de mode de répartition des compétences entre les Communautés et l'Union européennes et les États membres.

## 1. Le principe de subsidiarité : un principe constitutionnel européen

300 La légitimité de l'Europe est politiquement confortée par ce principe. Le principe de subsidiarité complète le pacte constitutionnel en rendant l'Union européenne incontournable pour les États membres dans plusieurs champs de compétences. Ils admettent que dans certains domaines, ils ne peuvent intervenir que collectivement, dans un cadre européen, et non plus individuellement dans leur seul cadre national. Ils souscrivent à l'idée que leur action collective est supérieure à une juxtaposition d'action individuelle. Cette lecture, par le prisme du principe de subsidiarité, est plus subtile que celle qui consiste à voir dans la construction européenne la confection d'un État de plus, selon une lecture « stato-centriste ».

### a) De la subsidiarité implicite à la subsidiarité explicite

• *La subsidiarité implicite*

301 Jusqu'au traité de 1992, elle est restée implicite, mais bien présente dans les traités, dans la mesure où l'Europe communautaire n'a pas été conçue comme un remplacement des États membres, mais comme une Union de plus en plus étroite entre eux afin de faire mieux ensemble qu'isolément, mais en continuant à s'appuyer sur les États. Cette subsidiarité implicite a donné une philosophie aux Communautés européennes et des outils juridiques adaptés à leur fonction. On peut la déceler dans plusieurs stipulations des traités.

C'est d'abord le cas dans l'article 308 (TCE) : « Si une action de la Communauté apparaît nécessaire pour réaliser, dans le fonctionnement du marché commun, l'un des objets de la Communauté, sans que le présent traité ait prévu les pouvoirs d'action requis à cet effet, le Conseil, statuant à l'unanimité sur proposition de la Commission et après consultation du Parlement européen, prend les dispositions appropriées ». C'est une possibilité subsidiaire, néanmoins réelle d'augmenter si nécessaire les compétences de la Communauté hors du traité, mais légitime par rapport aux finalités générales de la Communauté. Pendant longtemps, cet article 308 a donné une base juridique à la politique régionale européenne, avant la modification du traité CEE introduite par l'Acte unique européen de 1986 pour cette compétence.

C'est aussi une subsidiarité implicite qui est à l'œuvre dans l'organisation du pouvoir normatif de la Communauté européenne avec l'article 249, notamment pour les directives communautaires. La Commission européenne utilise la voie du règlement ou celle de la directive en fonction du but recherché, suivant qu'elle considère que l'intervention européenne doit être complète (cas du règlement) ou complétée par les États pour sa mise en œuvre (cas de la directive). En effet, dans le cadre de la directive, le but est européen, la mise en œuvre est nationale : « La directive lie tout État membre destinataire quant au résultat à atteindre, tout en laissant aux instances nationales la compétence quant à la forme et aux moyens » (article 249 TCE). Cela permet en théorie une meilleure intégration du but dans le droit national puisque ce sont les autorités nationales qui procèdent à la transposition, selon leurs procédures juridiques et constitutionnelles. Évidemment, des risques supplémentaires apparaissent lorsque la transposition n'est pas convenablement établie par l'État membre.

Enfin, il est aussi possible de détecter une forme de subsidiarité implicite dans la division du travail entre la Communauté européenne et les États membres organisée dans l'article 10 (TCE), au nom du principe de coopération loyale. Il en est de même de manière générale pour le principe d'autonomie institutionnelle et procédurale dont dispose les États membres. Ainsi, il n'y a pas de compétence particulière de l'Union européenne pour l'organisation politique et administrative des États membres tant que celle-ci n'est pas un obstacle à la bonne application du droit communautaire.

• *La subsidiarité explicite*

302 Avec le traité sur l'Union européenne de 1992, la subsidiarité explicite est venue s'ajouter à la subsidiarité implicite. Les références sont encore plus claires et plus précises. Ce principe de subsidiarité en devient un principe de nature constitutionnelle pour l'Union européenne. On en trouve aujourd'hui plusieurs références dans les traités.

Le préambule du traité sur l'Union européenne fait une première référence à ce principe : « Résolus à poursuivre le processus créant une union sans cesse plus étroite entre les peuples de l'Europe, dans laquelle les décisions sont prises le plus près possible des citoyens, conformément au principe de subsidiarité ». Il s'agit de rechercher le meilleur niveau de décision pour le meilleur bénéfice des citoyens européens. « Les objectifs de l'Union sont atteints conformément aux dispositions du présent traité, dans les conditions et selon les rythmes qui y sont prévus, dans le respect du principe de subsidiarité tel qu'il est défini à l'article 5 du traité instituant la Communauté européenne » (article 2 TUE). « La Communauté agit dans les limites des compétences qui lui sont conférées et des objectifs qui lui sont assignés par le présent traité. Dans les domaines qui ne relèvent pas de sa compétence exclusive, la Communauté n'intervient, conformément au principe de subsidiarité, que si et dans la mesure où les objectifs de l'action envisagée ne peuvent pas être réalisés de manière suffisante par les États membres et peuvent donc, en raison des dimensions ou des effets de l'action envisagée, être mieux réalisés au niveau communautaire » (article 5 TCE). On voit bien l'aspect philosophique du principe, par la prudence et la légitimité de l'intervention européenne, même si une définition n'en est pas vraiment donnée par le traité, et son aspect pratique pour l'action publique européenne.

## b) De la subsidiarité négative à la subsidiarité positive

303 L'introduction expresse du principe de subsidiarité a été voulue par les États membres comme un moyen juridique de mieux contrôler l'action des institutions communautaires, et notamment celle de la Commission européenne. Il s'agit à la fois de pouvoir freiner ou réguler une forme naturelle d'expansionnisme, mais aussi de justifier et de garantir la légitimité de l'intervention européenne.

• *La subsidiarité négative*

304 Par cette démarche, l'introduction du principe de subsidiarité vise à limiter et à contrôler l'intervention européenne. La philosophie de la subsidiarité est conçue comme une limite à toute centralité injustifiée. La Communauté ne peut agir que dans le cadre des compétences attribuées par les traités et pas au delà. Cela suppose une forme de vigilance des États contre tout empiétement européen. Mais cette lecture de la subsidiarité est susceptible d'avoir des effets contagieux ou boomerang à l'égard des États eux-mêmes par rapport à d'autres niveaux d'action publique, aussi bien pour les États fédéraux et la répartition des compétences entre les niveaux fédéraux et les fédérés (type Allemagne), que pour les États unitaires avec le processus de décentralisation (type France). En même temps, cette frontière de compétences au nom de la subsidiarité reste malléable en fonction de l'interprétation, par exemple jurisprudentielle, de la nécessité de l'intervention européenne.

• *La subsidiarité positive*

305 Il ne s'agit plus de fixer une limite à l'intervention, mais de la justifier ou de la légitimer Si l'intervention européenne est incontournable, elle a une légitimité supérieure. Elle est constitutionnellement justifiée, donc fonctionnellement adéquate et efficace. À l'inverse, les États se trouvent incapables d'agir utilement, par exemple lorsque l'action envisagée dépasse très largement leur seul territoire. Cela est ainsi assez évident pour la question de la monnaie unique qui concerne maintenant la zone euro bien au-delà des simples territoires des États membres de cette zone. On peut aussi parfaitement voir cette subsidiarité positive à propos de sujets comme l'environnement, l'immigration ou la libre circulation des personnes dans le territoire de l'Union européenne. Cette subsidiarité positive donne une base politique suffisante à l'intervention européenne. Il y a un lien étroit entre une distribution politique des

compétences et une distribution fonctionnelle ou instrumentale des compétences.

Le projet de Constitution élaboré par la convention sur l'avenir de l'Europe fait lui aussi appel au principe de subsidiarité pour préciser la question des compétences de l'Union européenne : « 1- Le principe d'attribution des compétences régit la délimitation des compétences de l'Union. Les principes de subsidiarité et de proportionnalité régissent l'exercice de ces compétences. 2- En vertu du principe d'attribution des compétences que les États membres lui ont attribuées dans la Constitution en vue d'atteindre les objectifs qu'elle établit. Toute compétence non attribuée à l'Union dans la Constitution appartient aux États membres. 3- En vertu du principe de subsidiarité, dans les domaines qui ne relèvent pas de sa compétence exclusive, l'Union intervient seulement et dans la mesure où les objectifs de l'action envisagée ne peuvent pas être réalisés de manière suffisante par les États membres tant au niveau central qu'au niveau régional et local, mais peuvent l'être mieux, en raison des dimensions ou des effets de l'action envisagée, au niveau de l'Union. Les institutions de l'Union appliquent le principe de subsidiarité conformément au protocole sur l'application des principes de subsidiarité et de proportionnalité annexés à la Constitution. Les parlements nationaux veillent au respect de ce principe conformément à la procédure prévue dans ce protocole » (article 9 du projet de constitution). Le traité constitutionnel adopté le 18 juin 2004 va dans le même sens.

## 2. Le principe de subsidiarité : un principe d'action publique dans la construction européenne

Le principe de subsidiarité est non seulement un principe de nature philosophique, mais un principe d'action publique au niveau de l'Union européenne. Les applications pratiques de ce principe sont nombreuses dans le droit actuel de l'Union européenne. Il en sera de même si la Constitution européenne voit le jour.

### a) Le principe de subsidiarité et la répartition des compétences

306 Le principe de subsidiarité est en théorie un bon moyen de procéder à une distinction des compétences de l'Union européenne et des Communautés par rapport à celles des États membres. Néanmoins, dans la

pratique, ce principe ne nous éclaire pas suffisamment sur la répartition concrète des compétences, car il reste peu défini dans les traités actuels, même avec le protocole sur l'application des principes de subsidiarité et de proportionnalité du traité d'Amsterdam : « Le principe de subsidiarité ne remet pas en question les compétences conférées à la Communauté européenne par le traité, telles qu'interprétées par la Cour de justice. Les critères énoncés à l'article 3 B, deuxième alinéa, du traité concernent les domaines dans lesquels la Communauté ne possède pas de compétence exclusive. Le principe de subsidiarité donne une orientation pour la manière dont ces compétences doivent être exercées au niveau communautaire. La subsidiarité est un concept dynamique qui devrait être appliqué à la lumière des objectifs énoncés dans le traité. Il permet d'étendre l'action de la Communauté, dans les limites de ses compétences, lorsque les circonstances l'exigent et, inversement, de la limiter et d'y mettre fin lorsqu'elle ne se justifie plus ».

Les traités actuels évoquent des compétences exclusives, mais restent très discrets sur la nature des autres compétences européennes, partagées (ou concurrentes) ou complémentaires. Néanmoins, il n'est pas impossible d'opérer des distinctions suivant les modalités de l'intervention européenne. Une gradation est visible dans le type d'intervention : exclusive, partagée ou complémentaire.

Le projet de Constitution élaborée par la Convention européenne vise à clarifier cette question cruciale de la répartition des compétences en distinguant de manière plus précise : les compétences exclusives (article 12), les domaines de compétence partagée (article 13) et les domaines d'action d'appui, de coordination ou de complément (article 16). Même si cette réparation n'est pas encore parfaite, elle ouvre de réelles perspectives de distribution claire des compétences entre l'Union européenne et les États membres.

### b) Le principe de subsidiarité et les modes d'action européenne

307 Le principe de subsidiarité éclaire aussi les modes d'action européenne. En effet, la nature de la compétence de l'Union européenne induit des modalités spécifiques d'intervention. Le contenu de l'action ne peut être le même si la compétence est exclusive, partagée ou complémentaire.

La nécessité et la justification de l'action européenne doivent être démontrées par la Commission européenne. Le protocole du traité d'Amsterdam sur le principe de subsidiarité et le principe de proportionnalité précise ce cadre de l'action : « Pour être justifiée, une action de la Communauté doit répondre aux deux aspects du principe de subsidiarité : les objectifs de l'action proposée ne peuvent pas être réalisés de manière suffisante par l'action des États membres dans le cadre de leur système constitutionnel national et peuvent donc être mieux réalisés par une action de la Communauté. Pour déterminer si la condition susmentionnée est remplie, il convient de suivre les lignes directrices suivantes : la question examinée a des aspects transnationaux qui ne peuvent pas être réglés de manière satisfaisante par l'action des États membres ; une action au seul niveau national ou l'absence d'action de la Communauté serait contraire aux exigences du traité (comme la nécessité de corriger les distorsions de concurrence, d'éviter des restrictions déguisées aux échanges ou de renforcer la cohésion économique et sociale) ou léserait grandement d'une autre manière les intérêts des États membres ; une action menée au niveau communautaire présenterait des avantages manifestes en raison de ses dimensions ou de ses effets, par rapport à une action au niveau des États membres... ».

Il revient donc à la Commission, sans préjudice de son droit d'initiative, de procéder à de larges consultations « avant de proposer des textes législatifs et publier, dans chaque cas approprié, des documents relatifs à ces consultations ; motiver la pertinence de chacune de ses propositions au regard du principe de subsidiarité ; chaque fois que cela est nécessaire, l'exposé des motifs joint à la proposition donne des détails à ce sujet » (selon le même protocole).

Cela suppose aussi de bien mesurer les conséquences financières de l'action de la Communauté de la manière suivante : « tenir dûment compte de la nécessité de faire en sorte que toute charge, financière ou administrative, incombant à la Communauté, aux gouvernements nationaux, aux autorités locales, aux opérateurs économiques et aux citoyens soit la moins élevée possible et à la mesure de l'objectif à atteindre ; présenter chaque année au Conseil européen, au Parlement européen et au Conseil un rapport sur l'application de l'article 3 B du traité » (même protocole).

Enfin, c'est l'intensité de l'action qui est liée à la nature de la compétence. Le principe de proportionnalité complète celui de la subsidiarité. L'action entreprise doit ainsi être proportionnelle au but recherché.

## B. La distribution actuelle des compétences européennes

308 L'observation des compétences européennes actuelles montre une grande variété de possibilités d'intervention pour l'Union et pour les Communautés. En effet, le découpage en pilier demeure. Le traité sur l'Union fixe des objectifs généraux à l'Union alors que le traité instituant une Communauté européenne est plus détaillé sur les domaines d'intervention. Le retour au texte est de ce point de vue indispensable. Il a plus de poids que de longues explications.

L'article 2 (TU) détermine des objectifs pour l'Union : « promouvoir le progrès économique et social ainsi qu'un niveau d'emploi élevé, et de parvenir à un développement équilibré et durable, notamment par la création d'un espace sans frontières intérieures, par le renforcement de la cohésion économique et sociale et par l'établissement d'une Union économique et monétaire comportant, à terme, une monnaie unique conformément aux dispositions du présent article ; d'affirmer son identité sur la scène internationale, notamment, par la mise en œuvre d'une politique étrangère et de sécurité commune, y compris la définition progressive d'une politique de défense commune, qui pourrait conduire à une défense commune ; de renforcer la protection des droits et des intérêts des ressortissants de ses États membres par l'instauration d'une citoyenneté de l'Union ; de maintenir et de développer l'Union en tant qu'espace de liberté de sécurité et de justice au sein duquel est assurée la libre circulation des personnes, en liaison avec des mesures appropriées en matière de contrôle des frontières extérieures, d'asile, d'immigration ainsi que de prévention de la criminalité et de lutte contre ce phénomène... ».

Les articles 2 et 3 (TCE) fixe les missions et les objectifs concrets de la Communauté européenne, sans forcément préciser la nature des compétences qui sont à l'œuvre, en laissant notamment à la Cour de justice des communautés européennes et à la Commission le soin de le faire. Il est donc important de se tourner vers le traité pour constater l'ampleur des domaines d'intervention de la Communauté européenne.

En vertu de l'article 2 (TCE), « La Communauté a pour mission, par l'établissement d'un marché commun, d'une Union économique et monétaire et par la mise en œuvre des politiques ou des actions communes visées aux articles 3 et 4, de promouvoir dans l'ensemble de la Communauté un développement harmonieux, équilibré et durable des activités économiques, un niveau d'emploi et de protection sociale élevé, l'égalité entre les hommes et les femmes, une croissance durable et non inflationniste, un haut degré de compétitivité et de convergence des performances économiques, un niveau élevé de protection et d'amélioration de la qualité de l'environnement, le relèvement du niveau et de la qualité de vie, la cohésion économique et sociale et la solidarité entre les États membres ».

De son côté l'article 3 énumère les domaines précis d'intervention de la Communauté européenne, qu'il n'est pas inutile de présenter ici, de manière exhaustive :

a) l'interdiction, entre les États membres, des droits de douane et des restrictions quantitatives à l'entrée et à la sortie des marchandises, ainsi que de toutes autres mesures d'effet équivalent ;

b) une politique commerciale commune ;

c) un marché intérieur caractérisé par l'abolition, entre les États membres, des obstacles à la libre circulation des marchandises, des personnes, des services et des capitaux ;

d) des mesures relatives à l'entrée et à la circulation des personnes conformément au titre IV ;

e) une politique commune dans les domaines de l'agriculture et de la pêche ;

f) une politique commune dans le domaine des transports ;

g) un régime assurant que la concurrence n'est pas faussée dans le marché intérieur ;

h) le rapprochement des législations nationales dans la mesure nécessaire au fonctionnement du marché commun ;

i) la promotion d'une coordination entre les politiques de l'emploi des États membres en vue de renforcer leur efficacité par l'élaboration d'une stratégie coordonnée pour l'emploi ;

j) une politique dans le domaine social comprenant un Fonds social européen;

k) le renforcement de la cohésion économique et sociale;

l) une politique dans le domaine de l'environnement;

m) le renforcement de la compétitivité de l'industrie de la Communauté;

n) la promotion de la recherche et du développement technologique;

o) l'encouragement à l'établissement et au développement de réseaux transeuropéens;

p) une contribution à la réalisation d'un niveau élevé de protection de la santé;

q) une contribution à une éducation et à une formation de qualité ainsi qu'à l'épanouissement des cultures des États membres;

r) une politique dans le domaine de la coopération au développement;

s) l'association des pays et territoires d'outre-mer, en vue d'accroître les échanges et de poursuivre en commun l'effort de développement économique et social;

t) une contribution au renforcement de la protection des consommateurs;

u) des mesures dans les domaines de l'énergie, de la protection civile et du tourisme.

En plus, le traité considère que pour toutes les actions visées à l'article 3, la Communauté cherche à éliminer les inégalités et à promouvoir l'égalité entre les hommes et les femmes.

À partir de ces articles, en examinant la jurisprudence de la Cour de justice et les communications de la Commission, il est possible d'opérer une forme de tri dans les compétences des Communautés et de l'Union européenne en fonction de leur nature. Il s'agit, de cette façon, de comprendre la délimitation des frontières de compétences entre la Communauté européenne et les États membres. On peut ainsi apprécier les marges de manœuvre des États comme de la Communauté européenne.

## 1. Les compétences exclusives

309 La compétence est exclusive lorsqu'elle ne laisse normalement pas place à une intervention nationale. L'Union européenne a l'exclusivité de la compétence à partir du moment où les traités le décident. Cette exclusivité est étroitement liée à l'obligation d'agir des institutions européennes dans le domaine concerné. À l'inverse, les États sont normalement dans

l'impossibilité d'agir, sauf si cette intervention est sollicitée expressément par les institutions européennes.

Un nombre très limité de compétences européennes appartient à cette catégorie de compétences exclusives : la politique monétaire, l'union douanière et les droits de douane, la politique de la concurrence, la politique commerciale commune, la conservation des ressources biologiques de la mer. Mais, il semble que la catégorie des compétences exclusives peut être entendue de manière plus large du fait des interprétations extensives proposées, soit par la Cour de justice, soit par la Commission.

Ainsi, la Cour a nettement défini le caractère exclusif de la compétence communautaire en matière de politique commerciale commune : « Une telle politique est conçue par cet article dans la perspective du fonctionnement du marché commun, pour la défense de l'intérêt global de la Communauté à l'intérieur duquel les intérêts particuliers des États membres doivent trouver à s'ajuster mutuellement. Or, cette conception est, de toute évidence, incompatible avec la liberté que les États membres pourraient se réserver, en invoquant une compétence parallèle, afin de poursuivre la satisfaction distincte de leurs intérêts propres dans les relations extérieures, au risque de compromettre une défense efficace de l'intérêt global de la Communauté » (avis 1/75 du 11 novembre 1975, *Rec.* 1355).

De son côté, la Commission, dans sa communication du 27 octobre 1992 sur le principe de subsidiarité, a rangé dans le bloc des compétences exclusives tel qu'il existe en l'état actuel de la compétence communautaire : la suppression des obstacles à la libre circulation des marchandises, des personnes, des services et des capitaux ; la politique commerciale commune ; les règles générales de la concurrence ; l'organisation commune des marchés agricoles ; la conservation des ressources de pêche ; les éléments essentiels de la politique des transports.

La Commission a également noté que la délimitation de ce bloc de compétences exclusives était appelée à évoluer en fonction des progrès de l'intégration européenne, en évoquant la future monnaie unique et la dynamique des quatre libertés. De manière générale, pour la Commission, il est possible d'identifier une compétence exclusive au moyen de deux éléments cumulatifs : l'existence d'une obligation claire et précise d'agir pour la Communauté, l'existence d'un dessaisissement des États du droit d'agir unilatéralement.

En même temps, la problématique de l'exclusivité de compétences n'est pas figée, elle peut évoluer, comme le souligne la Commission, toujours dans sa communication : « Cela signifie concrètement que la délimitation des compétences autour d'un bloc de mesures politiques liées à la libre circulation ne se confond pas avec l'occupation du terrain par le législateur qui relève d'une autre problématique qui est celle de la primauté. En effet, rien n'interdit au législateur communautaire, pour les mesures non indispensables à la libre circulation, ou qui ne le sont plus, de laisser les États membres légiférer à la condition de respecter la primauté de l'ordre juridique communautaire ».

## 2. Les compétences partagées ou concurrentes

310 La compétence est qualifiée de partagée ou de concurrente lorsque l'Union européenne et les États peuvent intervenir conjointement en évitant évidemment des contradictions flagrantes dans l'action. Il doit y avoir cohérence dans les actions menées. Les auteurs de la doctrine préfèrent utiliser la notion de compétences concurrentes à celle de compétences partagées, car elle semble plus claire. En effet, l'idée de concurrence dans l'exercice des compétences laisse entendre que chacun peut intervenir si l'autre ne l'a pas déjà fait.

On peut ainsi constater qu'en réalité, il y a prééminence de l'intervention européenne dans la mesure où elle a vocation à s'occuper de l'ensemble du territoire européen et pas seulement d'un seul État membre. C'est à son propos que l'on parle d'une préemption communautaire sur l'intervention des États. De l'importance de la préemption européenne découle la marge de liberté des États. En effet, si la Communauté est intervenue dans l'un des domaines concernés, l'intervention de l'État est limitée à une action complémentaire mais pas contradictoire, si le règlement communautaire autorise encore une intervention des États.

Ces compétences partagées sont aujourd'hui les plus nombreuses. Cela montre la réalité d'un processus d'intégration européenne. Ainsi, les domaines suivants appartiennent à ce type de compétences : l'établissement du marché intérieur ; les aspects de la politique agricole et de la pêche qui n'appartiennent pas à la compétence exclusive ; le transport et les réseaux transeuropéens (avec la même limite) ; l'énergie ; l'environnement, la protection des consommateurs ; les enjeux communs de sécurité en matière de santé publique ; la recherche et le développement technologique.

On peut aussi considérer que relèvent de la compétence concurrente ou partagée les domaines suivants qui concernent aussi les deuxième et troisième piliers de l'Union européenne : les objectifs de la politique étrangère et de sécurité commune ; la coopération policière et judiciaire en matière pénale ; les dispositions concernant les visas, l'asile, l'immigration et autres politiques relatives à la libre circulation des personnes. Dans cet ensemble de compétence, il n'est pas forcément très facile de tracer une frontière étanche entre les piliers de l'Union européenne. En effet, dans ces domaines, l'Union européenne intervient par l'adoption d'orientations générales, de stratégies communes, de positions et d'actions communes qui s'imposent ensuite aux États membres qui ne peuvent normalement pas adopter des dispositions ou des politiques nationales contradictoires.

Puisqu'on est en présence de partage et de concurrence, la question la plus délicate réside justement dans la frontière entre les interventions européennes et nationales. À partir du moment où l'Union européenne est intervenue, les États n'ont normalement plus la possibilité de faire, surtout par des dispositions contradictoires.

311 La préemption communautaire s'impose. Cela a souvent amené la Cour de justice a précisé cette forme de distribution des compétences notamment en ce qui concerne la nature des compétences (mixtes ou exclusives) de la Communauté pour la conclusion des accords internationaux comme : CJCE, avis 1/75 du 11 novembre 1975, Arrangement OCDE, *Rec.* p. 1355 ; CJCE, avis 1/76 du 26 avril 1977, Fonds européen d'immobilisation de la navigation sur le Rhin, *Rec.* p. 750 ; délibération 1/78 du 14 novembre 1978, Convention AIEA, *Rec.* p. 2151 ; CJCE, avis 1/78 du 4 octobre 1979, Accord international sur le caoutchouc naturel, *Rec.* p. 2871 ; CJCE, avis 2/91 du 19 mars 1993, Convention n° 170 de l'OIT, *Rec.* p. I-1061.

La jurisprudence de la Cour admet parfaitement que la Communauté n'ait pas forcément une préemption complète (CJCE, avis 1/94 du 15 novembre 1994, Compétence de la Communauté pour conclure des accords internationaux en matière de services et de protection de la propriété intellectuelle, *Rec.* p. 1-5267 ; CJCE, avis 2/92 du 24 mars 1995, Troisième décision révisée du Conseil de l'OCDE relative au traitement national, *Rec.* p. 1-521), parfois même pas de compétence (CJCE, avis 2/94 du 28 mars 1996, Adhésion de la Communauté européenne à la convention de sauvegarde des droits de l'homme et des libertés fondamentales, *Rec.* p. 1-1759). En tout état de cause, la Cour rappelle aussi la nécessité d'une coopération entre les institutions européennes et les États dans certains types de négociations internationales (CJCE, avis 1/94 du 15 novembre 1994, Compétence de la Communauté pour conclure des accords internationaux en matière de services et de protection de la propriété intellectuelle, *Rec.* p. 1-5267).

312 Par ailleurs, même en cas d'usage exhaustif d'une compétence par la Communauté, certaines dispositions du traité laissent aux États des possibilités d'intervention, comme le prévoit, par exemple l'article 95 (TCE) en renvoyant lui-même à l'article 30 (TCE). Ainsi le paragraphe 4 de l'article 95 prévoit « Si, après l'adoption par le Conseil ou par la Commission d'une mesure d'harmonisation, un État membre estime nécessaire de maintenir des dispositions nationales justifiées par des exigences importantes visées à l'article 30 ou relatives à la protection de l'environnement ou du milieu de travail, il les notifie à la Commission, en indiquant les raisons de leur maintien ». De son côté l'article 30 précise : « Les dispositions des articles 28 et 29 ne font pas obstacle aux interdictions ou restrictions d'importation, d'exportation ou de transit, justifiées par des raisons de moralité publique, d'ordre public, de sécurité publique, de protection de la santé et de la vie des personnes et des animaux ou de préservation des végétaux, de protection des trésors nationaux ayant une valeur artistique, historique ou archéologique ou de protection de la propriété industrielle et commerciale. Toutefois, ces interdictions ou restrictions ne doivent constituer ni un moyen de discrimination arbitraire ni une restriction déguisée dans le commerce entre les États membres ».

## 3. Les compétences complémentaires ou subsidiaires

313 Les compétences sont complémentaires ou subsidiaires lorsqu'elles permettent à l'Union européenne de compléter si c'est utile et nécessaire, l'intervention des États membres. C'est le cas dans les domaines de l'emploi, de la culture, de l'éducation, de la formation ou de la santé publique. Le traité, par la rédaction même des compétences concernées, montre bien les complémentarités recherchées entre la Communauté et les États

membres. Il suffit de puiser des exemples de rédaction pour bien le comprendre.

Par exemple, la compétence dans le domaine de l'emploi entre bien dans ce type de compétence complémentaire. Elle est présentée de la manière suivante dans les articles 125, 126 et 127 du traité CE : « Les États membres et la Communauté s'attachent, conformément au présent titre, à élaborer une stratégie coordonnée pour l'emploi et en particulier à promouvoir une main-d'œuvre qualifiée, formée, et susceptible de s'adapter ainsi que des marchés du travail aptes à réagir rapidement à l'évolution de l'économie, en vue d'atteindre les objectifs énoncés à l'article 2 du traité sur l'Union européenne et à l'article 2 du présent traité (article 125) ; « 1. Les États membres, par le biais de leurs politiques de l'emploi, contribuent à la réalisation des objectifs visés à l'article 125 d'une manière compatible avec les grandes orientations des politiques économiques des États membres et de la Communauté, adoptées en application de l'article 99, paragraphe 2. 2. Les États membres, compte tenu des pratiques nationales liées aux responsabilités des partenaires sociaux, considèrent la promotion de l'emploi comme une question d'intérêt commun et coordonnent leur action à cet égard au sein du Conseil, conformément à 1'article 128 (article 126) ; « 1. La Communauté contribue à la réalisation d'un niveau d'emploi élevé en encourageant la coopération entre les États membres et en soutenant et, au besoin, en complétant leur action. Ce faisant, elle respecte pleinement les compétences des États membres en la matière. 2. L'objectif consistant à atteindre un niveau d'emploi élevé est pris en compte dans la définition et la mise en œuvre des politiques et des actions de la Communauté » (article 127).

314 L'exemple de l'éducation, et de l'intervention complémentaire ou subsidiaire de la Communauté européenne, est lui aussi parfaitement clair. Il est évoqué de la manière suivante dans le traité CE, dans l'article 149 : « La Communauté contribue au développement d'une éducation de qualité en encourageant la coopération entre États membres et, si nécessaire, en appuyant et en complétant leur action tout en respectant pleinement la responsabilité des États membres pour le contenu de l'enseignement et l'organisation du système éducatif ainsi que leur diversité culturelle et linguistique ».

Toujours en vertu du même article, l'action de la Communauté vise : « à développer la dimension européenne dans l'éducation, notamment par l'apprentissage et la diffusion des langues des États membres ; à favoriser la mobilité des étudiants et des enseignants, y compris en encourageant la reconnaissance académique des diplômes et des périodes d'études ; à promouvoir la coopération entre les établissements d'enseignement ; à développer l'échange d'informations et d'expériences sur les questions communes aux systèmes d'éducation des États membres ; à favoriser le développement des échanges de jeunes et d'animateurs socio-éducatifs ; à encourager le développement de l'éducation à distance ». Afin d'atteindre ces objectifs la Communauté et les États membres favorisent la coopération avec les pays tiers et les organisations internationales compétentes en matière d'éducation, et en particulier avec le Conseil de l'Europe.

315  Le domaine de la culture entre aussi dans cette catégorie des compétences subsidiaires comme le formule de manière très claire le traité, dans son article 151 : « La Communauté contribue à l'épanouissement des cultures des États membres dans le respect de leur diversité nationale et régionale, tout en mettant en évidence l'héritage culturel commun. L'action de la Communauté vise à encourager la coopération entre États membres et, si nécessaire, à appuyer et compléter leur action dans les domaines suivants : l'amélioration de la connaissance et de la diffusion de la culture et de l'histoire des peuples d'Europe ; la conservation et la sauvegarde du patrimoine culturel d'importance européenne ; les échanges culturels non commerciaux, la création artistique et littéraire, y compris dans le secteur audiovisuel ». La même approche subsidiaire apparaît pour la santé publique (article 152).

Cet ensemble de compétences permet de donner une base juridique à la mise sur pied de véritables politiques communautaires comme notamment : la politique agricole commune, la politique communautaire de la concurrence, la cohésion économique et sociale et la politique régionale européenne, la politique de la recherche, l'Europe de la culture, l'Europe de la santé, l'Europe sociale ou l'Europe de la défense. À côté du droit institutionnel communautaire, il y a place pour un droit matériel de l'Union et des Communautés européennes (voir pour aller plus loin, Louis Dubouis, Claude Blumann, *Droit matériel de l'Union européenne*, Montchrestien, 2001 ; Gérard Druesne, *Droit et Politiques de la Communauté et de l'Union européennes*, PUF, 1995 ; François d'Arcy, *Les politiques de l'Union européenne*, Montchrestien, Clefs, 2003 ; Louis Dubouis (s/d), *L'Union européenne*, Documentation française, 2004).

# BIBLIOGRAPHIE

## Ouvrages généraux : l'Union européenne, son histoire et son organisation

A. BAILLY, A. FRÉMONT (s/d), *L'Europe et ses États, une géographie*, Documentation française, DATAR, 2000

J.-L. CLERGERIE, A. GRUBER et P. RAMBAUD, *L'Union européenne*, Dalloz, 2000

F. CHALTIEL, *La souveraineté de l'État et l'Union européenne*, LGDJ, 2000

M. CROISAT, J.-L. QUERMONNE, *L'Europe et le fédéralisme*, Montchrestien, Clefs, 2ᵉ éd., 1999

L. DUBOUIS (s/d), *L'Union européenne*, Documentation française, 2004

G. DUPRAT, *L'Union européenne : droit, politique, démocratie*, PUF, 1996

J.-F. DREVET, *La nouvelle identité de l'Europe*, PUF, 1997

P. GERBET, *La construction de l'Europe, Notre siècle*, Imprimerie nationale, 3ᵉ éd., 1999

P. GERBET, F. DE LA SERRE, G. NAFILYAN, *L'Union politique de l'Europe, Jalons et textes*, DF, 1998

N. GNESOTTO, *La puissance de l'Europe*, Presses de Science-Po, 1998

C. GREWE, H. OBERDORFF, *Les Constitutions des États membres de l'Union européenne*, DF, 1999

J.-F. GUILHAUDIS, *L'Europe en transition*, Montchrestien, Clefs, 2ᵉ éd., 1998

P. LAMY, *L'Europe en première ligne*, Seuil, 2002

P. MAGNETTE, *La constitution de l'Europe*, IEE, Université de Bruxelles, 2000 ; *Le régime politique de l'Union européenne*, Presses de Sciences Po, 2003

J.-C. MASCLET, *L'Union politique de l'Europe*, Coll. Que sais-je ?, PUF

J.-L. QUERMONNE, *Le système politique européen*, Montchrestien, Clefs, 5ᵉ éd, 2002 ; *L'Europe en quête de légitimité*, Presses de Sciences Po, 2001

R. SKRZYPCKAK, *Collectivités locales : l'Europe partenaire*, Coll. Réflexe Europe, DF, 1997

G. SOULIER, *L'Europe : histoire, civilisation, institutions*, Armand Colin, 1994

## Ouvrages sur les institutions communautaires et européennes

C. BLUMANN, L. DUBOUIS, *Droit institutionnel de l'Union européenne*, Litec, 2004

J.-L. BURBAN, *Le Parlement européen*, Coll. Que sais-je ?, PUF

M. CLAPIÉ, *Institutions européennes*, Flammarion, 2003

I. DE CROUY-CHANEL, C. PERRON, *La Cour des comptes européenne*, Coll. Que sais-je ?, PUF

R. DEHOUSSE, *La Cour de justice des Communautés européennes*, Montchrestien, Clefs, 2ᵉ éd., 1997

Y. DOUTRIAUX et C. LEQUESNE, *Les institutions de l'Union européenne*, Coll. Réflexe, DF, 3ᵉ éd., 2000

P. A. FÉRAL, *Le Comité des régions de l'Union européenne*, Coll. Que sais-je ?, PUF

J.-L. SAURON, *Cours d'Institutions européennes, le puzzle européen*, Gualino, 2000

B. TAULÈGNE, *Le Conseil européen*, PUF, 1991

## Ouvrages sur le droit communautaire

C. BLUMANN, *La fonction législative communautaire*, LGDJ, 1995

V. CONSTANTINESCO, Y. GAUTIER et D. SIMON, *Le traité de Nice, premières analyses*, PUS, 2001

L. DUBOUIS, C. GUEYDAN, *Grands textes de droit de l'Union européenne*, Dalloz, 6ᵉ éd., t. 1, 2002, t. 2, 2003

O. DUHAMEL, *Pour l'Europe, Le texte intégral de la Constitution expliqué et commenté*, Seuil, 2003

J.-C. GAUTRON, *Droit européen*, Mementos, Dalloz, 10ᵉ éd., 2002

G. ISAAC, M. BLANQUET, *Droit communautaire général*, A. Colin, Paris, 8ᵉ éd., 2001

M.-F. LABOUZ, *Droit communautaire européen général*, Bruylant, Bruxelles, 2003

J. MOLINIER, *Droit du contentieux européen*, LGDJ, 1996

J. RIDEAU, *Le droit des Communautés européennes*, Coll. Que sais-je ?, PUF, 1995 ; *Droit institutionnel de l'Union et des Communautés européennes*, LGDJ, 4ᵉ éd, 2002

J.-L. SAURON, *L'application du droit de l'Union européenne en France*, Coll. Réflexe Europe, DF, 2ᵉ éd., 2000 ; *Droit et pratique du contentieux communautaire*, Coll. Réflexe Europe, DF, 2ᵉ éd., 2000 ; *Droit communautaire et décision nationale*, LGDJ, 1998

D. SIMON, *Le système juridique communautaire*, Coll. Droit fondamental, PUF, 3ᵉ éd., 2001

## Ouvrages sur les moyens et les politiques de l'Union et des Communautés européennes

F. D'ARCY, *Les politiques de l'Union européenne*, Montchrestien, Clefs, 2003

M. AYRAL, *Le marché intérieur de l'Union européenne*, Coll. Réflexe Europe, DF, 1995

L. DUBOUIS et C. BLUMANN, *Droit communautaire matériel*, Montchrestien, 2ᵉ éd., 2001

N.-J. BREHON, *Le budget de l'Europe*, LGDJ, 1997

G. DRUESNE, *Droit et politiques de la Communauté et de l'Union européennes*, PUF, 5ᵉ éd., 1999

G. GUILLERMIN, H. OBERDORFF (s/d), *La cohésion économique et sociale : une finalité de l'Union européenne*, DF, 2000

J.-C. LEYGUES, *Les politiques internes de l'Union européenne*, LGDJ, 1994

P. LE MIRE, *Droit de l'Union européenne et politiques communes*, Mémentos, Dalloz, 2ᵉ éd., 2001

J. MOLINIER, *Droit du marché intérieur européen*, LGDJ, 1995

J. MONTAIN-DOMENACH, *L'Europe de la sécurité intérieure*, Montchrestien, Clefs, 1999

# Sources numériques
# de documentation

## Sites Internet sur l'Union européenne

*Les Institutions et les organes*

Banque centrale européenne : www.ecb.int
Banque européenne d'investissement : www.bei.org
Comité des régions de l'Union européenne : www.cor.eu.int
Comité économique et social de l'Union européenne : www.ces.eu.int
Commission européenne : www.europa.eu.int,
Les eurobaromètres : http://europa.eu.int/comm/public_opinion/index_fr.html
Conseil de l'Union européenne : http://ue.eu.int/fr/summ.htm
Cour de justice des Communautés : www.curia.eu.int
Cour des comptes des Communautés européennes : www.eca.eu.int
Institut universitaire européen : www.iue.it
Médiateur européen : www.euro-ombudsman.eu.int
Parlement européen : www.europarl.eu.int
Union européenne : www.europa.eu.int

*Les agences, les observatoires, les offices*

Agence européenne pour l'évaluation du médicament : http://www.emea.eu.int
Autorité européenne pour la sécurité alimentaire :
    http://www.efsa.eu.int/index_fr.html
Agence européenne pour la sécurité aérienne :
    http://europa.eu.int/comm/transport/air/safety/easa_fr.htm
Agence européenne pour la sécurité maritime :
    http://www.emsa.eu.int/
Agence européenne pour l'environnement : http://www.eea.eu.int
Agence européenne pour la santé et la sécurité du travail :
    http://agency.osha.eu.int/index_fr.htm
Agence européenne pour la reconstruction :
    http://www.ear.eu.int/eulang/fr.htm

Centre européen pour le développement de la formation professionnelle :
http://www.cedefop.eu.int/

Centre de traduction des organes de l'Union européenne :
http://www.cdt.eu.int/DbWeb/CdtWeb/CdtWeb.nsf/f_home?Read-Form&Lan=FR

Observatoire européen des drogues et des toxicomanies:
http://www.emcdda.eu.int/mlp/ms_fr-index.shtml

Observatoire européen des phénomènes racistes et xénophobe
http://www.eumc.eu.int/eumc/index.php

Office communautaire d'harmonisation dans le marché intérieur :
http://oami.eu.int/fr/default.htm)

Office communautaire des variétés végétales :
http://www.cpvo.eu.int/fr/default.html

Fondation européenne pour l'amélioration des conditions de vie et de travail: http://www.fr.eurofound.eu.int/

Fondation européenne pour la formation: http://www.etf.eu.int/

## Sites nationaux des États membres

**Allemagne,** Gouvernement: www.bundesregierung.de.
Bundestag: www.bundestag.de

**Autriche,** Présidence: www.hofburg.at; Gouvernement: www.austria.gv.at

**Belgique,** Gouvernement: www.belgium.fgov.be;

**Chypre,** Gouvernement: http://www.cyprus.gov.cy/

**Danemark,** Premier ministre: www.stm.dk;
Ministère des affaires étrangères: www.um.dk,

**Espagne,** Présidence du Gouvernement: www.la-moncloa.es

**Estonie**, Gouvernement: http://www.riik.ee/et/

**Finlande,** Conseil d'État: www.vn.fi; Parlement: www.eduskunta.fi

**France**, Centre d'information sur l'Europe-Sources d'Europe :
www.info-europe.fr;
Ministère des affaires étrangères: www.diplomatie.gouv.fr;
Représentation permanente de la France auprès de l'UE:
http://www.rpfrance.org/

**Grèce,** Premier ministre: www.primeminister.gr; P
arlement: www.parliament.gr

**Hongrie,** Gouvernement: http://www.magyarorszag.hu/

**Irlande,** Gouvernement: http://www.irlgov.ie/, Présidence irlandaise de l'UE, http://www.eu2004.ie/templates/homepage.asp?sNavlocator=

**Italie,** Présidence du Conseil: www.palazzochigi.it;
Parlement: www.parlamento.it;

**Lettonie:** Ministère des affaires étrangères: http://www.am.gov.lv/lv/

**Lituanie,** Gouvernement: http://www.lrv.lt/

**Luxembourg,** Gouvernement: www.gouvernement.lu;
Chambre des députés: www.chd.lu

**Malte,** Gouvernement: http://www.gov.mt/

**Pays-Bas,** Banque de données du gouvernement: www.postbus51.nl

**Pologne,** Gouvernement: http://www.kprm.gov.pl/

**Portugal,** Premier ministre: www.primeiro-ministro.gov.pt,
Présidence du conseil: www.pcm.gov.pt

**Royaume-Uni,** Premier ministre: www.number-10.gov.uk,
Service d'information du Gouvernement: www.open.gov.uk

**Slovaquie,** Gouvernement: http://www.government.gov.sk/

**Slovénie,** Site officiel de l'État: http://www.sigov.si/

**Suède,** Gouvernement www.regeringen.se, Parlement: www.riksdagen.se

**République Tchèque,** Gouvernement: http://www.vlada.cz/

Site Internet spécialisé de l'IEP de Grenoble sur les relations entre la France et l'Europe : www.franceurope.org (site co-dirigé par Florence Chaltiel et Henri Oberdorff, ouvert depuis avril 2003)

# Les États membres
# de l'Union européenne

**Allemagne :** 356 910 km²; 82 071 000 habitants; 230 hab./km²
Capitale : Berlin; PIB/habitant : 29 668 euros
État fédéral; République parlementaire; Loi fondamentale du 23 mai 1949
Membre du Conseil de l'Europe depuis le 17 juillet 1950, Membre de l'Otan

**Autriche :** 83 849 km²; 8 072 180 habitants; 96 hab./km²
Capitale : Vienne; PIB/habitant : 29 360 euros
État fédéral; République parlementaire; Loi constitutionnelle fédérale du
     1ᵉʳ octobre 1920
Membre du Conseil de l'Europe depuis le 16 avril 1956

**Belgique :** 30 528 km²; 10 200 000 habitants; 334 hab./km²
Capitale : Bruxelles; PIB/habitant : 27 979 euros
État fédéral; Monarchie parlementaire; Constitution du Royaume du 17 février 1994
Membre du Conseil de l'Europe depuis le 5 mai 1949; Membre de l'Otan

**Chypre :** 9 250 km²; 754 064 habitants; 82 hab./km²
Capitale : Nicosie; PIB/habitant : 16 091 euros
République parlementaire
Membre du Conseil de l'Europe depuis le 24 mai 1961

**Danemark :** 43 094 km²; 5 356 845 habitants; Densité : 124 hab./km²
Capitale : Copenhague; PIB/habitant : 37 489 euros
Monarchie parlementaire; Constitution du royaume du Danemark du 5 juin 1953
Membre du Conseil de l'Europe depuis le 5 mai 1949; Membre de l'Otan

**Espagne :** 504 782 km²; 39 290 000 habitants; 78 hab./km²
Capitale : Madrid; PIB/habitant : 15 831 euros
Monarchie parlementaire; Constitution du royaume d'Espagne du 27 décembre 1978
Membre du Conseil de l'Europe depuis le 27 novembre 1977; Membre de l'Otan

**Estonie :** 45 226 km$^2$ ; 1 408 523 habitants ; 31 hab./km$^2$
Capitale : Tallinn ; PIB/habitant : 5 937 euros
République parlementaire ; Constitution de la République d'Estonie du 28 juin 1992
Membre du Conseil de l'Europe depuis le 14 mai 1993 ; Membre de l'Otan

**Finlande :** 337 030 km$^2$ ; 5 158 372 habitants ; 15 hab./km$^2$
Capitale : Helsinki ; PIB/habitant : 28 253 euros
République parlementaire ; Loi constitutionnelle sur la forme du gouverne-
ment de la Finlande du 17 juillet 1919
Membre du Conseil de l'Europe depuis le 5 mai 1989

**France :** 551 000 km$^2$ ; 60 982 000 habitants ; 106 hab./km$^2$
Capitale : Paris, PIB/habitant : 28 032 euros
République parlementaire, Constitution du 4 octobre 1958
Membre du Conseil de l'Europe depuis le 5 mai 1949, Membre de l'Otan

**Grèce :** 313 960 km$^2$, 10 504 000 habitants ; 80 hab./km$^2$
Capitale : Athènes ; PIB/habitant : 12 989 euros
République parlementaire ; Constitution de la République hellénique du 9 juin 1975
Membre du Conseil de l'Europe depuis le 8 août 1949, Membre de l'Otan

**Hongrie :** 93 030 km$^2$ ; 10 186 372 habitants ; 109 hab./km$^2$
Capitale : Budapest ; PIB/habitant : 8 158 euros
République parlementaire ; Constitution révisée de la République de Hongrie
du 20 août 1949
Membre du Conseil de l'Europe depuis le 6 novembre 1990, Membre de l'Otan

**Irlande :** 70 282 km$^2$, 3 619 500 habitants ; 52 hab./km$^2$
Capitale : Dublin ; PIB/habitant : 23 467 euros
République parlementaire ; Constitution du 1$^{er}$ juillet 1937
Membre du Conseil de l'Europe depuis le 5 mai 1949

**Italie :** 301 225 km$^2$ ; 57 640 000 habitants ; 191 hab./km$^2$
Capitale : Rome ; PIB/habitant : 23 409 euros
République parlementaire ; Constitution de la République italienne du
27 décembre 1947
Membre du Conseil de l'Europe depuis le 5 mai 1949, Membre de l'Otan

**Lettonie :** 64 589 km²; 2 353 874 habitants; 36 hab./km²
Capitale : Riga; PIB/habitant : 4 464 euros
République parlementaire; Lois constitutionnelles du 21 août et du
    10 décembre 1991
Membre du Conseil de l'Europe depuis le 10 février 1995; Membre de l'Otan

**Lituanie :** 65 200 km²; 3 584 966 habitants; 55 hab./km²
Capitale : Vilnius; PIB/habitant : 4 781 euros
République parlementaire; Constitution de la République de Lituanie du
    25 octobre 1992
Membre du Conseil de l'Europe depuis le 14 mai 1993, Membre de l'Otan

**Luxembourg :** 2 586 km²; 430 000 habitants; 165 hab./km²
Capitale : Luxembourg; PIB/habitant : 49 262 euros
Monarchie parlementaire; Constitution du Grand-Duché du Luxembourg du
    17 octobre 1867
Membre du Conseil de l'Europe depuis le 5 mai 1949, Membre de l'Otan

**Malte :** 320 km²; 381 603 habitants; 1193 hab./km²
Capitale : La Valette; PIB/habitant : 14 934 euros
République parlementaire
Membre du Conseil de l'Europe depuis le 29 avril 1965

**Pays-Bas :** 41 526 km², 15 000 000 habitants; 380 hab./km²
Capitale : Amsterdam, PIB/habitant : 28 278 euros
Monarchie parlementaire; Constitution du royaume du 17 février 1983
Membre du Conseil de l'Europe depuis le 5 mai 1949, Membre de l'Otan

**Pologne :** 312 683 km²; 38 608 929 habitants; 123 hab./km²
Capitale : Varsovie; PIB/habitant : 7 388 euros
République parlementaire
Membre du Conseil de l'Europe depuis le 26 novembre 1991, Membre de
    l'Otan

**Portugal :** 92 082 km²; 9 930 000 habitants; 108 hab./km²
Capitale : Lisbonne; PIB/habitant : 12 269 euros

République parlementaire; Constitution de la République portugaise du 2 avril 1976

Membre du Conseil de l'Europe depuis le 22 septembre 1996, Membre de l'Otan

**Royaume-Uni:** 244 820 km$^2$; 59 113 000 habitants; 240 hab./km$^2$

Capitale: Londres; PIB/habitant: 27 120 euros

Monarchie parlementaire

Membre du Conseil de l'Europe depuis le 5 mai 1949, Membre de l'Otan

**Slovaquie:** 48 845 km$^2$; 5 396 193 habitants; 230 hab./km$^2$

Capitale: Bratislava; PIB/habitant: 8 963 euros

République parlementaire; Constitution de la République slovaque du 1$^{er}$ septembre 1992

Membre du Conseil de l'Europe depuis le 30 juin 1993, Membre de l'Otan

**Slovénie:** 20 256 km$^2$; 1 970 570 habitants; 97 hab./km$^2$

Capitale: Ljubljana; PIB/habitant: 13 371 euros

République parlementaire; Constitution de la République de Slovénie du 23 décembre 1991

Membre du Conseil de l'Europe depuis le 14 mai 1993, Membre de l'Otan

**Suède:** 449 964 km$^2$; 8 911 296 habitants; 20 hab./km$^2$

Capitale: Stockholm; PIB/habitant: 30 356 euros

Monarchie parlementaire; Constitution du 27 février 1974

Membre du Conseil de l'Europe depuis le 5 mai 1949

**République Tchèque:** 78 703 km$^2$; 10 280 513 habitants; 131 hab./km$^2$

Capitale: Prague; PIB/habitant: 11 909 euros

République parlementaire; Constitution de la République tchèque du 16 décembre 1992

Membre du Conseil de l'Europe depuis le 30 juin 1993; Membre de l'Otan

# TABLEAU RÉCAPITULATIF DES ÉTATS CANDIDATS ET DES ÉTATS PARTENAIRES DE L'UNION EUROPÉENNE

(au 1er mai 2004)

## 1. États candidats
Bulgarie, Roumanie, Turquie
Croatie, Ex-République yougoslave de Macédoine

## 2. États associés à l'Union européenne depuis:
1993  Bulgarie, Roumanie

## 3. États liés par une Union douanière depuis:
1995  Turquie (État associé depuis 1963)

## 4. États liés par un accord-cadre de partenariat et de coopération depuis:
1995  République kirghize, République du Kazakhstan
1996  République d'Arménie, République d'Azerbaïdjan, Géorgie, République d'Ouzbékistan

## 5. États liés par les accords dans le cadre du partenariat euro-méditerranéen depuis:
1995  Israël
1996  Maroc
1997  Jordanie
2001  Égypte
2002  Algérie, Liban

## 6. États liés par d'autres types d'accord depuis:
1996  République du Chili (accord-cadre de coopération destiné à préparer, comme objectif final, une association à caractère politique et économique)

République de Corée (Accord-cadre de commerce et de coopération)

1997 États-Unis du Mexique (accord de partenariat économique, de coordination politique et de coopération)

1999 Confédération suisse (accord sur la libre circulation des personnes)

2001 République yougoslave de Macédoine (accord de stabilisation et d'association)

République de Croatie (accord de stabilisation et d'association)

## 7. États liés par un accord de partenariat depuis :

2000 États d'Afrique, des Caraïbes et du Pacifique (Accord de Cotonou) : 48 États d'Afrique, 15 États de la Caraïbe et 14 États du Pacifique.

# CHRONOLOGIE[1]

**1944**

5 septembre : Convention de Londres créant le Benelux.

**1946**

19 septembre : Discours de Winston Churchill, à Zurich, en faveur des « États-Unis d'Europe ».

**1947**

4 mars : Traité de Dunkerque entre la France et la Grande-Bretagne.
5 juin : Plan Marshall.

**1948**

1er janvier : Entrée en vigueur du Benelux.
17 mars : Pacte de Bruxelles élargissant le Traité de Dunkerque aux pays du Benelux.
16 avril : Création de l'Organisation Européenne de Coopération Économique (OECE) afin d'organiser la répartition des fonds du plan Marshall d'aide américaine à la reconstruction de l'Europe.
7-10 mai : Congrès de La Haye pour une Europe Unie.

**1949**

4 avril : Signature du Traité de l'Atlantique Nord.
5 mai : Traité de Londres créant le Conseil de l'Europe.
8 mai : Création de la République fédérale d'Allemagne.
7 octobre : Création de la République démocratique allemande.

**1950**

9 mai : Discours de Robert Schuman, ministre français des Affaires étrangères proposant la confection d'un pool européen du charbon et de l'acier pour commencer l'intégration européenne.
24 octobre : Plan Pleven proposant une Communauté européenne de la défense (CED).

---

[1] Cette chronologie puisse ses informations dans le site Internet de l'Union eropéenne, dans le livre de Jean-Jacques Roche, Chronologies des relations internationales de 1945 à nos jours, Montchrestien, 1997 et dans le chapitre Histoire du Site Internet « Franceurope.org » dirigé par Florence Chaltiel et Henri Oberdorff

27 octobre : Création de l'Organisation du Traité de l'Atlantique Nord (OTAN).

4 novembre : Adoption par le Conseil de l'Europe de la Convention européenne de sauvegarde des droits de l'homme et des libertés fondamentales.

**1951**

18 avril : Signature du Traité de Paris instituant la Communauté du charbon et de l'acier (CECA) entre l'Allemagne, la Belgique, la France, l'Italie, le Luxembourg et les Pays-Bas.

**1952**

27 mai : Signature du Traité de Paris visant à créer une Communauté européenne de défense (CED).

23 juillet : Entrée en vigueur du Traité CECA.

13 août : Nomination de Jean Monnet à la tête de la Haute autorité de la CECA.

**1953**

10 février : Ouverture du marché commun pour le charbon et le minerai.

10 mars : Projet de Communauté politique européenne (CPE).

1$^{er}$ mai : Ouverture du marché commun pour l'acier.

**1954**

30 août : Échec en France du débat sur le projet de CED à l'Assemblée Nationale.

23 octobre : Création de l'UEO (Union européenne occidentale). Les accords de Paris prévoient l'entrée de l'Allemagne fédérale dans l'UEO et sa future admission à l'OTAN le 5 mai 1955.

**1955**

5 mai : Rétablissement de la pleine souveraineté de la RFA.

1-3 juin : Conférence de Messine.

12 octobre : Création par Jean Monnet du Comité d'action pour les États-Unis d'Europe.

25 octobre : Adoption par l'Assemblée parlementaire du Conseil de l'Europe du drapeau européen.

**1956**

29-30 mai : Adoption du rapport Spaak lors de la conférence de Venise.

**1957**

25 mars : L'Allemagne, la Belgique, la France, l'Italie, le Luxembourg et les Pays-Bas signent le Traité de Rome créant la Communauté économique

européenne (CEE ou Marché commun) et la Communauté européenne de l'énergie atomique (CEEA ou Euratom).

**1958**

1er janvier : Entrée en vigueur des traités de Rome.

1er juin : Arrivée du général De Gaulle au pouvoir en France.

**1959**

1er janvier : D but de la période de transition en vue de l'achèvement du Marché Commun, pour 1970.

**1960**

4 janvier : Création de l'Association Européenne de Libre-échange (AELE) qui regroupe : l'Autriche, le Danemark, la Grande-Bretagne, la Norvège, la Suède, la Suisse, le Portugal.

5 septembre : Proposition du général De Gaulle d'une coopération politique européenne.

14 décembre : Signature à Paris du traité instituant l'organisation de coopération et de développement économiques (OCDE) qui remplace l'OECE.

**1961**

9 juillet : Signature de l'acte d'association de la Grèce avec la CEE.

12-13 août : Construction du Mur de Berlin.

2 novembre : Présentation du premier Plan Fouchet d'Union politique européenne (échec).

**1962**

14 janvier : Adoption des premiers règlements sur la Politique agricole commune (PAC)

18 janvier : Échec du deuxième Plan Fouchet d'Union politique européenne

4 avril : Création du Fonds européen d'orientation et de garanties agricole (FEOGA).

21 décembre : Accord anglo-américain de Nassau sur la fourniture de missiles Polaris à la Grande-Bretagne

**1963**

14 janvier : Veto du général de Gaulle à l'entrée de la Grande-Bretagne dans le Marché commun.

22 janvier : Adoption du Traité de l'Élysée de coopération entre la France et l'Allemagne.

5 février: Arrêt de principe de la Cour de justice des Communautés européennes sur l'applicabilité directe et immédiate du droit communautaire (Van Gend en Loos).

20 juillet: Signature de la Convention de Yaoundé associant la CEE à dix-huit États africains.

23 décembre: Accord de Bruxelles sur la PAC.

## 1964

4 mai: Ouverture du Kennedy Round entre les États-Unis et la CEE sur l'abaissement des droits de douane.

15 juillet: Arrêt de principe de la Cour de justice des Communautés européennes sur la primauté du droit communautaire (Costa c/ ENEL).

## 1965

23 mars: roposition Hallstein d'augmentation des ressources propres des Communautés européennes.

8 avril: Signature du Traité de Bruxelles sur la fusion des exécutifs de la CEE, de la CEEA (Euratom) et de la CECA.

1er juillet: La France décide de pratiquer la politique de la « chaise vide » pour montrer son opposition à l'insuffisance des propositions de la Commission au sujet du financement de la PAC.

## 1966

29 janvier: « Compromis du Luxembourg » qui met fin à la crise agricole. Il permet à un État de demander le changement de mode de vote lorsqu'un projet de décision communautaire risque de porter atteinte à un intérêt national important.

7 mars: Retrait de la France de l'OTAN.

10 novembre: Deuxième candidature britannique.

## 1967

11 mai: Demande d'adhésion de la Grande-Bretagne, du Danemark, de l'Irlande et de la Norvège.

16 mai: Achèvement du Kennedy Round, baisse des droits de douane sur les produits industriels.

1er juillet: Ouverture du Marché unique pour les céréales.

27 novembre: Second veto du général De Gaulle à l'adhésion de la Grande-Bretagne.

## 1968

1er juillet: M. se en place du tarif douanier commun entre les six pays.

## 1969

17 juillet: Adoption du Plan Barre sur la coordination des politiques économiques et l'union monétaire.

29 juillet: Renouvellement de la Convention de Yaoundé.

1er-2 décembre: Acceptation au sommet de La Haye d'élargir les communautés aux quatre pays candidats à l'adhésion: Danemark, Irlande, Norvège, Grande-Bretagne.

## 1970

21 avril: Adoption du règlement financier relatif aux ressources propres.

22 avril: Traité de Luxembourg portant modification de certains dispositions budgétaires.

28 septembre: Définition d'une politique commune de la pêche.

27 octobre: Rapport « Davignon » relatif aux problèmes de l'unification politique.

## 1971

22 mars: Adoption définitive du plan Werner en faveur de l'union économique et monétaire (UEM).

## 1972

22 janvier: Signature du Traité d'Adhésion du Royaume-Uni, de l'Irlande, du Danemark et de la Norvège à la CEE.

24 avril: Création du serpent monétaire.

22 juillet: Accord entre la CEE et l'AELE.

26 septembre: Refus du peuple norvégien par référendum de l'adhésion de la Norvège à la CEE.

## 1973

1er janvier: L Danemark, le Royaume-Uni et l'Irlande rejoignent la CEE.

14 septembre: Ouverture du Tokyo Round.

14 décembre: Déclaration de Copenhague sur l'identité européenne.

## 1974

9-10 décembre: Décisions au sommet de Paris de faire élire les membres du Parlement européen au suffrage universel direct, de se réunir en Conseil européen trois fois par an pour fixer les grandes orientations de la politique européenne et de renoncer à la pratique de l'unanimité sur tous les sujets.

**1975**

28 février : Signature de la Convention de Lomé entre la CEE et 46 pays ACP (Afrique, Caraïbes, Pacifique).

18 mars : Création du Fonds européen de développement régional (Feder).

22 juin : Candidature de la Grèce.

22 juillet : Traité de Bruxelles sur les ressources communautaires propres et les pouvoirs budgétaires du Parlement européen et création de la Cour des comptes.

1er août : Signature de l'Acte d'Helsinki (CSCE).

**1976**

7 janvier : Publication du Rapport Tindemans sur les lacunes de la Communauté européenne en matière de politique étrangère.

20 septembre : Acte prévoyant l'élection du Parlement européen au suffrage universel direct.

24 septembre : Adhésion de l'Espagne au Conseil de l'Europe.

**1977**

28 mars : Candidature du Portugal

28 juillet : Candidature de l'Espagne

**1978**

6-7 juillet : Décision du conseil européen de Brême, sur proposition franco-allemande, de créer un système monétaire européen (SME).

**1979**

13 mars : Entrée en vigueur du SME et naissance de l'ECU (European Currency Unit).

31 octobre : Signature de Lomé II qui lie pour cinq ans la CEE à 58 pays ACP.

7-10 juin : Première élection des députés du Parlement européen au suffrage universel direct.

13 décembre : Rejet par le Parlement européen du budget pour 1980.

**1980**

28 avril : Échec du Conseil européen de Luxembourg sur la réduction de la contribution britannique.

28 mai : Acte d'adhésion de la Grèce.

13 juin : Déclaration de Venise par laquelle le Conseil européen demande le droit à l'autodétermination pour le Peuple palestinien.

**1981**

1er janvier: Entrée de la Grèce dans la CEE.

13 octobre: Engagement des ministres des affaires étrangères des Dix à ne pas prendre de positions nationales sur des questions de politique étrangère touchant l'ensemble des pays de la communauté sans avoir au préalable consultés leurs partenaires.

**1982**

4 janvier: Refus de la CEE de s'associer aux sanctions américaines contre l'URSS à la suite de l'instauration de l'état de guerre en Pologne.

18 mai: Compromis sur les prix agricoles et sur la contribution britannique.

**1983**

17-19 juin: Déclaration solennelle sur l'Union européenne au Conseil européen de Stuttgart.

4-6 décembre: Échec du Conseil européen d'Athènes sur la contribution britannique.

**1984**

14 février: Adoption par le Parlement européen du projet Spinelli de traité relatif à l'Union européenne.

31 mars: Réforme de la PAC.

17 juin: Seconde élection du Parlement européen au suffrage universel.

25 juin: Sommet de Fontainebleau apurant le contentieux budgétaire avec la Grande-Bretagne.

27 octobre: éclaration de Rome réactivant l'UEO.

8 décembre: Signature de la Convention de Lomé III et 66 États ACP.

**1985**

1er janvier : Jacques Delors devient de la Commission européenne. Début de la délivrance du passeport européen.

29 mars: Adhésion de l'Espagne et du Portugal. Présentation du rapport Dooge sur le projet d'Union européenne.

17 avril: Proposition française en faveur d'une « Europe de la technologie » (projet Eurêka).

14 juin: Signature des accords de Schengen entre la France, l'Allemagne, la Belgique, les Pays-Bas et le Luxembourg prévoyant une suppression graduelle des frontières communes et la libre circulation des personnes.

2-3 décembre : Conseil européen de Luxembourg. Accord sur le texte proposé par la CIG chargée d'élaborer un nouveau traité, l'Acte unique européen.

**1986**

1er janvier : Admission de l'Espagne et du Portugal dans la CEE.

17 et 28 février : Signature à Luxembourg et à La Haye par les Douze de l'Acte unique européen, modifiant le traité de Rome qui fixe ainsi la réalisation du marché intérieur au 31 décembre 1992.

20 mars : Ouverture de l'Uruguay Round.

**1987**

14 avril : Demande d'adhésion à la CEE de la Turquie.

1er juillet : Entrée en vigueur de l'Acte unique.

27 octobre : Plate-forme de La Haye pour développer au sein de l'UEO « une identité européenne en matière de défense ».

**1988**

11-12 février : Adoption par le Conseil européen de Bruxelles du « paquet Delors I » visant à financer les mesures d'accompagnement du marché unique : réforme de la PAC, financement de la politique de cohésion économique et sociale.

13 juin : Adoption d'une directive instaurant la libre-circulation des capitaux pour juillet 1990.

25 juin : Accord de reconnaissance entre la CEE et le CAEM.

14 septembre : Adoption par la Commission d'un document de travail sur la « dimension sociale du marché intérieur ».

24 octobre : Création du Tribunal de première instance des Communautés européennes.

2-3 décembre : Conseil européen de Rhodes et accord des Douze sur « l'Eureka audiovisuel ».

**1989**

17 avril : Rapport Delors sur l'UEM

4 mai : Compromis agricole entre les États-Unis et la CEE

15-18 juin : Troisième élection du Parlement européen au suffrage universel.

17 juillet : Candidature de l'Autriche à la CEE

9 novembre : Chute du mur de Berlin.

27 novembre : Signature d'un accord de coopération économique entre la CEE et l'URSS.

8-9 décembre : Conseil européen de Strasbourg : convocation d'une Conférence intergouvernementale afin de modifier les traités pour la mise en œuvre des étapes finales de l'Union économique et monétaire (UEM) ; accord sur la création d'une banque européenne pour la reconstruction et le développement des pays de l'Est (BERD) ; déclaration approuvant la réunification de l'Allemagne dans le respect de l'intégration européenne ; onze pays (sauf le Royaume-Uni) adoptent, la Charte des droits fondamentaux des travailleurs.

15 décembre : Signature de Lomé IV entre la Communauté et 69 États ACP.

**1990**

19 janvier : Adoption de la Convention de Schengen pour appliquer l'accord de 1985 sur la libre-circulation en Europe.

4 avril : Demande d'adhésion à la CEE de Chypre.

18 avril : Proposition de François Mitterrand et de Helmut Kohl sur l'Union politique.

29 mai : Signature à Paris de l'accord créant la BERD.

19 juin : Signature de la Convention de Schengen.

1er juillet : Libre circulation des capitaux (première phase de l'UEM).

16 juillet : Demande d'adhésion à la CEE de Malte.

4 août : Condamnation par la communauté européenne de l'invasion du Koweït par l'Irak.

3 octobre : Réalisation de l'unité allemande.

19-21 novembre : Transformation de Conférence sur la sécurité et coopération en Europe (CSCE) en Organisation sur la sécurité et la coopération en Europe (OSCE).

14-15 décembre : Ouverture de deux CIG à Rome.

21-22 décembre : Première conférence pour le dialogue euro-arabe, réunie à Paris.

**1991**

25 juin : Éclatement de la fédération yougoslave.

14 octobre : François Mitterrand et Helmut Kohl décident la création de l'Eurocorps.

30 octobre : Ouverture de la conférence de Madrid sur le Proche-Orient.

22 novembre : Accord d'association entre la CEE et les pays du groupe de Visegrad.

9-10 décembre : Accord du Conseil européen de Maastricht au Pays-Bas sur le projet de Traité sur l'Union européenne.

21 décembre : Création de la Communauté des états indépendants (CEI) par les républiques de l'ex-URSS.

**1992**

7 février : Signature à Maastricht du traité sur l'Union européenne.

18 mars : Candidature de la Finlande à l'Union européenne.

2 mai : Traité de Porto créant l'Espace économique européen (EEE).

21 mai : Première réforme de la Politique Agricole Commune.

2 juin : Non danois, par 50,7 % des voix, à la ratification du traité de Maastricht.

26-27 juin : Le Conseil européen de Lisbonne pose les conditions de l'élargissement conformément au rapport de la Commission « L'Europe face au défi de l'élargissement ».

20 septembre : Oui français, par référendum à 51,4 %, à la ratification du traité de Maastricht.

20 novembre : Compromis de Blair House entre les États-Unis et l'Europe sur l'agriculture dans le cadre de l'Uruguay Round.

25 novembre : Candidature de la Norvège à l'Union européenne.

30 novembre : Adhésion de la Grèce à l'UEO.

11-12 décembre : Conseil européen d'Édimbourg et adoption du « Paquet Delors II » portant sur des mesures structurelles et financières.

**1993**

1ᵉʳ janvier : Entrée en vigueur du « Marché intérieur ». Division de la Tchécoslovaquie en deux États : la République tchèque et la Slovaquie.

5 janvier : Début de la crise du SME.

29 avril : Report en France de la mise en œuvre des accords de Schengen.

18 mai : oui danois approuvent, par un deuxième référendum à 56,8 %, au traité de Maastricht.

21-22 juin : Fixation par le Conseil européen de Copenhague des critères de l'élargissement : le respect des droits de l'homme et de la démocratie, l'existence d'une économie de marché viable et la capacité de s'adapter à la concurrence.

20 septembre : Accord des Douze sur une réouverture des discussions avec les États-Unis sur le volet agricole du GATT. Réclamation par la France réclame d'une clause « d'exception culturelle » pour l'audiovisuel.

1ᵉʳ novembre : Entrée en vigueur du traité de Maastricht sur l'Union européenne.

6 décembre : Accord d'association entre la Bulgarie et l'Union européenne

11 décembre : Adoption du Livre blanc pour l'emploi de la Commission lors du sommet de Bruxelles

14 décembre : ompromis entre les États-Unis et l'Union européenne dans l'Uruguay Round.

20 décembre : Le Conseil adopte une action commune prévoyant un pacte de stabilité en Europe, dans le cadre de PESC.

## 1994

1ᵉʳ janvier : Deuxième étape de l'UEM avec la mise en place de l'Institut monétaire européen (IME) à Francfort. Entrée en vigueur de l'Espace économique européen (EEE) entre les pays de l'Union et ceux de l'Association européenne de libre échange (AELE), Autriche, Finlande, Islande, Liechtenstein, Norvège et Suède sauf la Suisse.

1ᵉʳ avril : Candidature de la Hongrie à l'Union européenne.

5 avril : Candidature de la Pologne à l'Union européenne.

15 avril : Accord de Marrakech et création de l'Organisation Mondiale du Commerce (OMC).

9 mai : Déclaration de Kirchberg qui fait des six PECO (Pologne, Hongrie, République tchèque, Slovaquie, Bulgarie, Roumanie) et des trois pays baltes des « partenaires associés » de l'Union de l'Europe Occidentale (UEO).

9-12 juin : Quatrième élection du Parlement européen au suffrage universel.

24 juin : Adhésion de l'Autriche, de la Finlande de la Norvège et de la Suède par le traité de Corfou.

28 novembre : Deuxième refus norvégien, par référendum à 52,2 %, de rejoindre l'Union européenne.

9-10 décembre : Le Conseil européen d'Essen organise la stratégie de la pré-adhésion.

## 1995

1ᵉʳ janvier : Admission de l'Autriche, la Finlande et la Suède à l'Union européenne.

23 janvier : Jacques Santer, luxembourgeois, devient président de la Commission européenne.

6 mars : Signature d'un accord d'Union douanière avec la Turquie.

20-21 mars : Signature à Paris du pacte de stabilité par les cinquante deux membres de l'OSCE.

26 mars : Entrée en vigueur des accords de Schengen dans sept pays (Allemagne, Belgique, Espagne, France, Luxembourg, Pays-Bas, Portugal).

8 avril : Adoption par le Conseil des ministres des finances du Livre Vert sur la monnaie unique.

12 juin : Accord d'association entre l'Union européenne et les États Baltes.

15 juin : Accord d'association entre l'Union européenne et la Slovénie.

29 juin : Report en France de l'application des accords de Schengen et maintien des contrôles aux frontières, compte tenu d'une vague de terrorisme.

17 juillet : Accord intérimaire de partenariat entre l'Union européenne et la Russie.

26 juillet : Signature de la convention Europol (lutte contre le trafic de drogue, les filières d'immigration, et plus tard, le terrorisme).

16 novembre : Accord d'association entre l'Union européenne et le Maroc.

20 novembre : Accord d'association entre l'Union européenne et Israël.

27-28 novembre : Conférence Euro-méditerrannée à Barcelone pour un projet de partenariat global entre les deux rives de la Méditerranée dans le cadre du dialogue euro-arabe.

10 décembre : Vote par dix États de l'Union européenne de la résolution 50/70 de l'Assemblée générale de l'ONU condamnant la reprise des essais nucléaires français dans le pacifique.

15-16 décembre : Le Conseil européen de Madrid retient le nom « euro » pour la future monnaie unique.

## 1996

17 janvier : Candidature de la République tchèque à l'Union européenne.

1er au 2 mars : Premier sommet euro-asiatique à Bangkok et mise en œuvre d'un partenariat.

20 mars : Le ministre britannique de la santé annonce que la maladie dite de la « vache folle » (ESB) pourrait être transmissible à l'homme.

27 mars : Embargo décrété par la Commission pour les exportations britanniques de viande bovine.

29 mars : Ouverture de la CIG au Conseil européen de Turin, chargée d'envisager une révision de l'ensemble du traité de Maastricht.

3 juin : Mention du principe d'une « identité européenne de défense » dans le cadre des accords de Berlin sur la réformes des structures de l'OTAN.

10 juin : Candidature de la Slovénie à l'Union européenne.

28 octobre : Nomination d'un représentant de l'Union européenne au Moyen-Orient pour coordonner l'action des Quinze dans le processus de paix israélo-arabe.

19 novembre : Manifestation de cheminots européens à Bruxelles contre la

réglementation proposée dans le Livre blanc de la commission sur « la croissance, la compétitivité et l'emploi.

13-14 décembre : Adoption d'un « pacte de stabilité et de croissance » au Conseil européen de Dublin, pour permettre le passage à la monnaie unique au sein de l'Union européenne.

**1997**

16 mars : Première « euro-marché » pour l'emploi à Bruxelles.

16-18 juin : Conseil européen d'Amsterdam, accord sur un traité modifiant le traité de Masstricht.

16 juillet : Agenda 2000.

2 octobre : Signature du traité d'Amsterdam.

26 octobre : L'Italie intègre l'espace Schengen.

12-13 décembre : Conseil européen : mise en place du « conseil de l'euro », organe de concertation réunissant les pays participants à la monnaie unique et décision d'engagement des négociations avec des États candidats suivants : Chypre, Pologne, Hongrie, République Tchèque, Estonie, Slovénie.

**1998**

12 mars : Première conférence européenne réunissant les ministres des affaires étrangères des Quinze ainsi que les pays candidats à l'adhésion (onze pays au total en l'absence de la Turquie).

14 mars : Felipe Gonzalez, ancien Premier ministre espagnol, est nommé médiateur de l'Union européenne au Kosovo.

18-19 avril : Réunion à Bruxelles de trois cents représentants européens des mouvements de lutte contre le chômage et l'exclusion.

4 juin : Première réunion du conseil de l'euro (groupe euro 11) avec les ministres des finances des onze pays adoptant l'euro.

octobre : Jacques Santer défend devant le parlement européen la Commission accusée de fraude et de corruption.

23 novembre : Levée par le conseil des ministres de l'agriculture européens de l'embargo sur les exportations britanniques de bœuf. Quatre pays s'abstiennent dont la France.

3-4 décembre : Sommet franco-britannique à Saint-Malo.

31 décembre : Fixation du taux de change définitif des monnaies par rapport à l'euro, un euro= 6, 55957 Francs.

**1999**

1er janvier : Lancement officiel de l'euro. L'Autriche, la Belgique, la Finlande, la France, l'Allemagne, l'Irlande, l'Italie, le Luxembourg, les Pays-Bas, le Portugal, et l'Espagne adoptent l'euro comme monnaie officielle en entrant dans la troisième phase de l'UEM.

15 mars : Démission collective de la Commission européenne à la suite d'un rapport d'experts indépendants sur les allégations de fraude, de mauvaise gestion et de népotisme à la Commission.

25 mars : Conseil européen extraordinaire, à Berlin : demande à Romano Prodi de constituer une nouvelle Commission européenne, adoption du cadre financier du développement et de l'élargissement de l'Union européenne pour les années 2000-2006 avec un accord global sur l'Agenda 2000.

15-16 avril : Troisième conférence euro-méditerranéenne à Stuttgart. Il est décidé de donner une nouvelle impulsion au partenariat dans trois domaines : la politique de sécurité, le secteur économique et financier et le secteur social, culturel et humain. Il s'agit aussi d'améliorer la coopération régionale.

1er mai : Entrée en vigueur du traité d'Amsterdam.

3-4 juin : Conseil européen de Cologne : adoption de la première stratégie commune de l'Union européenne concernant la Russie ; désignation de M. Javier Solana comme haut représentant de la PESC et secrétaire général du Conseil ; adoption du Pacte européen pour l'emploi.

10, 11 et 13 juin : Cinquième élection des membres du Parlement européen.

17 juin : Sommet Union européenne-Canada à Bonn (Allemagne).

18 juin : Création de l'Office européen de lutte anti-fraude.

20 juin : Sommet Union européenne-Japon à Bonn (Allemagne).

21 juin : Sommet Union européenne-États-Unis à Bonn (Allemagne).

28-29 juin : Sommet Union européenne-Amérique latine-Caraïbes à Rio (Brésil).

20 juillet : Élection de Nicole Fontaine à la Présidence du Parlement européen.

15 septembre : Investiture de la Commission européenne présidée par Romano Prodi.

19 octobre : Premier rapport annuel sur les droits de l'homme.

10-11 décembre : Conseil européen de Helsinki : décision d'ouvrir les négociations pour l'adhésion des PECO à l'Union européenne ; reconnaissance à la Turquie du statut de candidat ; décision de convoquer pour 2000 une conférence intergouvernementale de révision des traités.

16 décembre : Sommet Union européenne-Canada à Ottawa (Canada).

17 décembre : Sommet Union européenne-Etats-Unis à Washington (États-Unis).

21 décembre : Sommet Union européenne-Chine à Pékin (Chine).

## 2000

14 février : Début, à Bruxelles, de la Conférence intergouvernementale sur la réforme institutionnelle.

1$^{er}$ mars : Livre blanc sur sa réforme de la Commission.

2-4 avril : Sommet Afrique-Europe, au Caire (Égypte), sous l'égide de l'Organisation de l'Unité Africaine et de l'Union européenne.

10 avril : Réunion du Conseil de coopération entre l'Union européenne et la Russie.

18-19 avril : Neuvième réunion entre le Président du Parlement européen et les Présidents des Parlements des pays candidats à l'Union européenne, à Ljubljana (Slovénie).

19-20 juin : Conseil européen de Santa Maria de Feira (Portugal). La Grèce rentre dans la zone Euro.

23 juin : Signature à Cotonou (Bénin) d'une convention entre la Communauté et les États ACP en vue de remplacer les conventions de Lomé.

28 juin : Sommet Union européenne-Inde, à Lisbonne (Portugal).

19 juillet : Neuvième sommet Union européenne-Japon, à Tokyo (Japon).

15 septembre : Sommet Union européenne-Ukraine, à Paris (France).

28 septembre : Non danois, à 53 %, pour l'adhésion à la monnaie unique.

20-21 octobre : Troisième sommet Asie-Europe, à Séoul (Corée).

30 octobre : Sommet Union européenne-Russie, à Paris (France).

13 novembre : Disparition officielle de l'Union de l'Europe Occidentale (UEO), créée le 17 mars 1948, qui cède la place aux institutions de la politique étrangère de sécurité commune (PESC).

15-16 novembre : Quatrième conférence euro-méditerranéenne, à Marseille (France).

23-24 novembre : Sommet Union européenne-Balkans, à Zabreb, Croatie.

7 décembre : Adoption solennelle de la charte des droits fondamentaux de l'Union européenne par les présidents du Parlement européen, du Conseil de l'Union et de la Commission, à Nice (France).

7-9 décembre : Le Conseil européen de Nice dégage un accord politique sur le Traité de Nice.

## 2001

2 janvier : La Grèce devient le douzième État de la zone euro.

26 février : Le Traité de Nice est signé. Il modifie le Traité sur l'Union européenne et les traités établissant les Communautés européennes.

17 mai: Sommet Union européenne-Russie à Moscou (Russie).

14 juin: Sommet Union européenne-États-Unis à Göteborg (Suède).

15-16 juin: Conseil européen de Göteborg.

21 juin: Sommet Union européenne-Canada à Stockholm (Suède).

25 juin: Accord euro-méditerranéen avec l'Égypte.

25 juillet: Livre Blanc sur la gouvernance européenne.

5 septembre: Sommet Union européenne-Chine à Bruxelles (Belgique).

29 octobre: Signature de l'accord de stabilisation et d'association avec la Croatie.

24 novembre: Signature d'un accord de coopération avec le Pakistan.

5 décembre: Sommet Union européenne-Japon à Bruxelles.

11 décembre: La Commission européenne adopte un Livre vert sur la création d'un procureur européen pour assurer la protection pénale des intérêts financiers communautaires.

14-15 décembre: Conseil européen de Laeken: adoption de la déclaration de Laeken sur l'Avenir de l'Europe; décision de convoquer une Convention européenne pour l'avenir de l'Europe. Cette Convention, présidée par M. Valéry Giscard d'Estaing, se voit fixer plusieurs objectifs: une meilleure répartition et définition des compétences dans l'Union européenne, la simplification des instruments de l'Union, davantage de démocratie, de transparence et d'efficacité dans l'Union européenne, la réflexion sur le thème d'une Constitution pour les citoyens de l'Union.

## 2002

1$^{er}$ janvier: M. se en circulation des pièces et des billets dans les douze États membres de la zone euro.

15 janvier: Élection de M. Pat Cox, Président du Parlement européen.

28 février: Séance inaugurale de la Convention sur l'avenir de l'Europe à Bruxelles.

14-15 mars: Conseil européen de Barcelone (Espagne).

26 mars: Lancement du système européen de positionnement et de navigation par satellite (GALILEO).

22 avril: Signature d'un accord d'association entre l'Union européenne et l'Algérie à Valence (Espagne).

23 avril: Adoption par la Commission européenne d'une proposition pour lutter contre la cybercriminalité.

8 mai: Sommet Union européenne-Canada à Toledo (Espagne).

17-18 mai : Sommet Union européenne-Amérique Latine et Caraïbes à Madrid (Espagne).

18 mai : Sommet Union européenne-Mexique à Madrid (Espagne).

29 mai : Sommet Union européenne-Russie à Moscou (Russie).

31 mai : Ratification par l'Union européenne du protocole de Kyoto.

17 juin : Signature d'un accord d'association entre l'Union européenne et le Liban à Luxembourg.

21-22 juin : Conseil européen de Séville (Espagne).

23 juillet : Expiration du Traité instituant la Communauté européenne du charbon et de l'acier.

24 septembre : Sommet Union européenne-Chine et Sommet Union européenne-République de Corée à Copenhague (Danemark).

26 septembre : Première journée européenne des langues.

9 octobre : La Commisssion considère que les pays suivant seront prêts pour une adhésion à à l'Union européenne dès 2004 : Chypre, la République tchèque, l'Estonie, la Hongrie, la Lettonie, La Lituanie, Malte, la Pologne, la République slovaque et la Slovénie. Elle recommande que les négociations d'adhésion engagées soient achevées avant la fin de l'année 2002.

10 octobre : Sommet Union européenne-Inde à Copenhague (Danemark).

19 octobre : Oui irlandais, à l'issue d'un deuxième référendum, en faveur du Traité de Nice.

24-25 octobre : Conseil européen de Bruxelles.

11 novembre : Sommet Union européenne-Russie à Bruxelles (Belgique).

18 novembre : Signature d'un Accord d'association Union européenne-Chili à Bruxelles.

12-13 décembre : Conseil européen de Copenhague (Danemark) : décision d'accueillir comme membres au 1er mai 2004, Chypre, la République tchèque, l'Estonie, la Hongrie, la Lettonie, la Lituanie, Malte, la Pologne, la République slovaque et la Slovénie ; objectif d'accueillir la Bulgarie et la Roumaine en 2007 ; décision d'observer si, en décembre 2004, la Turquie satisfait aux critères politiques de Copenhague, pour pouvoir des négociations d'adhésion avec ce pays.

19 décembre : Sommet Union européenne-Canada à Ottawa (Canada).

## 2003

15 janvier : Première mission de police de l'Union européenne en Bosnie-Herzégovine.

26 janvier: Année européenne des personnes handicapées.

27-28 janvier: Une conférence ministérielle Union européenne-ASEAN se tient à Bruxelles.

20-21 mars: Conseil européen de printemps à Bruxelles.

23 mars: Référendum favorable à l'adhésion en Slovénie.

8 avril: Référendum favorable à l'adhésion à Malte.

12 avril: Référendum favorable à l'adhésion en Hongrie.

16 avril: Signature à Athènes du traité d'adhésion des dix nouveaux États à l'Union européenne.

29 avril: Mini sommet sur la défense, avec l'Allemagne, la Belgique, la France et le Luxembourg.

11 mai: Référendum favorable à l'adhésion en Lituanie.

17 mai: Référendum favorable à l'adhésion en République slovaque.

28 mai: Sommet Union européenne-Canada à Athènes (Grèce).

31 mai: Sommet Union européenne-Russie à Saint-Petersbourg (Russie).

8 juin: Référendum favorable à l'adhésion en Pologne.

14 juin: Référendum favorable à l'adhésion en République Tchèque.

20-21 juin: Conseil européen à Thessalonique. L'avant-projet de constitution pour l'UE élaboré par la convention est accueilli comme une base de départ pour les négociations sur l'avenir de l'Europe.

25 juin: Sommet Union européenne-États-Unis à Washington.

14 septembre: Référendum favorable à l'adhésion en Estonie. Référendum défavorable à l'entrée de la Suède dans la zone Euro.

20 septembre: Référendum favorable à l'adhésion à l'Union européenne en Lettonie.

4 octobre: Conférence intergouvernementale (CIG) à Rome (Italie), notamment pour discuter de l'élaboration et de adoption de la version finale de la première Constitution européenne. La CIG devrait parvenir à un accord avant les prochaines élections européennes de juin 2004.

16-17 octobre: Conseil européen à Bruxelles (Belgique) : suivi des décisions du Conseil de Thessalonique sur le droit d'asile et l'immigration, la politique économique dans le cadre de l'initiative européenne pour la croissance, et les relations extérieures de l'Union européenne.

1$^{er}$ novembre: Jean-Claude Trichet, précédemment gouverneur de la Banque de France, devient président de la Banque centrale européenne. Il succède à Willem F. Duisenberg, président de la BCE du 1$^{er}$ juin 1998 au 31 octobre 2003.

6 novembre: Sommet Union européenne-Russie à Rome (Italie).

18 novembre : Rencontre des ministres des Affaires étrangères de l'Union européenne sur la CIG à Bruxelles (Belgique).

29 novembre : Sommet Union européenne-Inde à New Delhi (Inde).

12 décembre : Décision de la Commission européenne de débloquer une première contribution provenant du budget de l'UE en faveur des activités de reconstruction en Irak.

12 et 13 décembre : Conseil européen à Bruxelles (Belgique). Échec du sommet européen sur le projet de Constitution européenne.

19 décembre : Signature d'un accord d'établissement pour l'ouverture d'une délégation de la Commission européenne au Yemen.

## 2004

1er janvier : Année européenne de l'éducation par le sport. Entrée en vigueur de l'accord commercial intérimaire entre l'Union européenne et l'Égypte.

20 janvier : Journée solidarité jeunesse, organisée par le Parlement européen et l'Office d'aide humanitaire de la Commission européenne (ECHO) et réunissant 550 jeunes en provenance de tous les États membres, Bruxelles, (Belgique).

21 janvier : Rapport annuel sur la stratégie de Lisbonne.

6 février : Conférence de Munich sur la sécurité dans un climat transatlantique apaisé.

11 février : Paris, Londres et Berlin proposent de créer plusieurs forces de réaction très rapides.

18 mars : Sommet Union européenne-Canada à Ottawa (Canada).

25-26 mars : Conseil européen de printemps à Bruxelles (Belgique). Il se concentre sur la stratégie de Lisbonne et la situation économique, sociale et environnementale dans l'Union. Il a également reçu un rapport de la Présidence sur la Conférence intergouvernementale et adopté une déclaration sur la lutte contre le terrorisme.

22 avril : La Commission donne son accord à l'ouverture de négociations pour l'adhésion de la Croatie à l'Union européenne.

24 avril : Référendum négatif à Chypre sur le plan de réunification de l'île.

1er mai : Entrée de dix nouveaux pays dans l'Union européenne : l'Estonie, la Hongrie, la Lettonie, la Lituanie, la Pologne, la République Tchèque, la Slovaquie, la Slovénie, Chypre et Malte.

18 juin : Adoption par le Conseil européen de Bruxelles (Belgique) du traité instituant une Constitution pour l'Europe.

# INDEX ALPHABÉTIQUE

*(Les chiffres renvoient aux numéros de paragraphes)*

# TABLE DES MATIÈRES

Composition : Soft Office (Meylan)

IMPRESSION, BROCHAGE
IMPRIMERIE CHIRAT
42540 ST-JUST-LA-PENDUE
AOÛT 2004
DÉPÔT LÉGAL 2004 N° 3158
705 840 (I) CSB-G 80G SOF

IMPRIMÉ EN FRANCE